D1289542

DESSERTS
Grandioses

Gordon Ramsay

avec Roz Denny

Adaptation française Gisèle Pierson
Photographies de Georgia Glynn Smith

GRÜND

Dédicace

À ma merveilleuse équipe, chefs et personnel,
et à Carla Pastorino, mon assistante.
Merci pour votre enthousiasme et votre dévouement.

Adaptation française Gisèle Pierson
Texte original Gordon Ramsay
Révision Laurence Giaume
PAO Bernard Rousselot

Première édition française 2001 par Éditions
Gründ, Paris
© 2001 Éditions Gründ pour l'édition française
ISBN : 2-7000-2029-4
Dépôt légal : août 2001

Édition originale 2001 par Quadrille Publishing,
Londres, sous le titre *Just Desserts*
© 2001 Quadrille Publishing pour la maquette
et la conception graphique
© 2001 Gordon Ramsay pour le texte
© 2000 Georgia Glynn Smith

Police utilisée : MetaPlus

Imprimé à Monndruck, Allemagne

Pour en savoir plus, consultez notre site Internet :
www.grund.fr

Garantie de l'éditeur
Malgré tous les soins apportés à sa fabrication,
il est malheureusement possible que cet ouvrage
comporte un défaut d'impression ou de façonnage.
Dans ce cas, il vous sera échangé sans frais. Veuillez
à cet effet le rapporter au libraire qui vous l'a vendu
ou nous écrire à l'adresse ci-dessous en nous
précisant la nature du défaut constaté. Dans l'un ou
l'autre cas, il sera immédiatement fait droit à votre
réclamation.

Éditions Gründ - 60, rue Mazarine - 75006 Paris.

Notes

• *Les quantités exprimées en cuillerées équivalent à une contenance standard : 1 cuillerée à café : 5 ml ; 1 cuillerée à soupe = 15 ml.*

• *La grosseur des œufs est indiquée lorsque c'est nécessaire ; dans le cas contraire, vous pouvez utiliser des œufs gros ou moyens. Je recommande les œufs extra frais, provenant d'un élevage biologique ou d'une ferme. Les femmes enceintes, les nourrissons et enfants, les personnes âgées et tous ceux qui suivent un traitement immunodépresseur ne doivent pas consommer de blancs d'œufs crus ni d'œufs peu cuits, pour éviter tout risque de salmonellose.*

• *Le four doit être préchauffé à la température indiquée. La température d'un four peut parfois varier de 10 °C par rapport au thermostat. Apprenez à connaître le vôtre, et utilisez un thermomètre de four pour vérifier sa précision. Les temps de cuisson sont donnés à titre indicatif, avec une description de la couleur ou de la texture du plat.*

MESURES CULINAIRES
Tables de conversion

MESURES MÉTRIQUES ET IMPÉRIALES

Poids

30 g	1 once
115 g	1/4 lb
150 g	1/3 lb
225 g	1/2 lb
340 g	3/4 lb
455 g	1 lb

Capacités

1 ml	16 gouttes
5 ml	1 cuillère à thé
15 ml	1 cuillère à soupe
50 ml	1/4 tasse
75 ml	1/3 tasse
125 ml	1/2 tasse
150 ml	2/3 tasse
175 ml	3/4 tasse
200 ml	4/5 tasse
250 ml	1 tasse
500 ml	2 tasses

THERMOSTATS,
DEGRÉS CELSIUS ET FAHRENHEIT

th.1	100-120 °C	200-250 °F
th.2	120-140 °C	250-275 °F
th.3	140-160 °C	275-325 °F
th.4	160-180 °C	325-350 °F
th.5	180-200 °C	350-400 °F
th.6	200-220 °C	400-425 °F
th.7	220-240 °C	425-475 °F
th.8	240-260 °C	475-500 °F
th.9	260-280 °C	500-550 °F
th.10	280-300 °C	550-575 °F

Sommaire

avant-propos

« La vie est incertaine... Commencez par le dessert. »
ANONYME

Mon histoire d'amour avec les desserts commença alors que je n'étais qu'un humble commis dans les cuisines de Guy Savoy, à Paris. À mon premier poste, j'étais coincé entre deux machines à sorbets. C'était l'époque où j'essayais de maîtriser non seulement le langage culinaire, mais aussi la langue française. Ces machines à sorbets se trouvaient près des portes battantes séparant les cuisines de la salle de restaurant, et j'avais tout intérêt à m'écraser contre le mur pendant le « coup de feu ». Je fis donc en sorte d'améliorer très rapidement mes talents culinaires et mon français.

Et j'en ai appris des secrets culinaires ! Le menu de Guy Savoy offrait autant de desserts que d'entrées et de plats principaux, en souvenir de l'époque où il était chef pâtissier au restaurant Troisgros. Après le premier mois, pendant lequel je subis de nombreux chocs, dans tous les sens du terme, je commençai à apprécier ma situation. Mon français s'améliora et bientôt, je fus promu chef pâtissier le samedi soir, en l'absence du chef pâtissier habituel. Quel honneur !

Les chefs pâtissiers occupent une place spéciale dans les grands restaurants, et j'éprouvai une grande fierté. J'appréciais l'honneur qui m'était fait. Les chefs pâtissiers commencent à travailler en fin de service, généralement à 13 h 30, jusqu'à une heure avancée de la nuit, longtemps après que le service du soir est terminé. Cependant, j'étais si décidé à ce que tout se passe bien le soir que je commençais à 9 heures du matin.

Je dois dire que 95 pour cent des clients de mon restaurant de Chelsea choisissent un dessert, ce qui est considérable. L'un des préférés est la gelée à l'orange sanguine, servie avec de la glace à l'eau de fleur d'oranger et un financier – un dessert léger et parfumé. J'accorde autant d'attention à la confection des desserts qu'à celle des plats. Faire rôtir des fruits correctement est aussi important que cuire à point un filet de turbot ou un carré d'agneau.

Comme la plupart des chefs, je garde la nostalgie des entremets de mon enfance, ceux que ma mère me servait. Je leur ai donc consacré un chapitre, en les adaptant au XXIe siècle. Ainsi, mon pudding de riz crémeux est à base de riz thaï parfumé et servi avec de la mangue. Mon crumble est un dessert léger de pâte croustillante et de fruits poêlés aromatisés à la vanille. Certains de ces desserts sont servis tels quels, d'autres sont accompagnés de crème aux œufs, de glace ou de crème fraîche épaisse.

Les desserts pouvant être frivoles, j'ai apporté quelques idées amusantes. Mes ananas cuits au four et mes pannacottas tremblotants devraient vous faire sourire. Vous pouvez essayer notre dessert composé d'un gratin de fruits au sabayon, de petits pannacottas et d'un soufflé chaud aux framboises, le tout en miniature et servi sur une assiette. Deux éléments du trio étant préparés à l'avance, ce dessert n'est pas si compliqué qu'il y paraît.

J'espère apporter à chacun ce qu'il désire. Je vous engage à maîtriser au moins quelques classiques – par exemple, fruits rôtis, crème anglaise, ganache au chocolat pour les truffes et, éventuellement, les tartelettes à la mélasse que je fis pour le Premier ministre Tony Blair et le Président Poutine. Après tout, les desserts ne sont que pur plaisir. Régalez-vous !

fruits

SIROPS

Sirops aromatisés, coulis et nappages de fruits sont les « vinaigrettes » du monde des desserts. Ils apportent leur onctuosité et leur arôme à de nombreuses recettes. La base de toutes mes « infusions » de fruits est un simple sirop. J'en ai toujours dans le réfrigérateur – un filet suffit à rehausser la plus simple salade de fruits –, où il peut se conserver au moins un mois. Pour lui donner du caractère, ajoutez-lui des épices ou d'autres arômes pendant qu'il refroidit.

Sirops aromatisés

Préparez un Sirop de base (page 200), prélevez 25 cl et gardez le reste pour d'autres usages. Ajoutez votre arôme favori juste après l'ébullition et laissez infuser jusqu'à refroidissement.

Si vous désirez conserver du sirop dans lequel ont infusé des herbes fraîches, retirez celles-ci au préalable. En revanche, vous pouvez y laisser les épices et gousse(s) de vanille pour obtenir un arôme plus corsé. Le sirop se garde 3 ou 4 semaines au réfrigérateur, dans un bocal à couvercle à vis ou en bouteille.

Choisissez parmi les ingrédients suivants :

Pour 25 cl de Sirop de base (page 200) :

ÉPICES Ajoutez 1 lanière de zeste de citron, ½ cuil. à café de grains de poivre noir, 1 étoile de badiane, 1 petit bâton de cannelle et 1 clou de girofle.

VANILLE Ajoutez 1 gousse de vanille, fendue dans la longueur.

AGRUMES Ajoutez 1 longue et large lanière de zeste d'orange, de citron, de citron vert et de pamplemousse.

MENTHE, BASILIC OU THYM Ajoutez 1 lanière de zeste de citron et 2 gros brins de menthe verte fraîche, de basilic ou de thym.

CITRONNELLE Ajoutez 1 grosse tige de citronnelle fraîche, fendue dans la longueur, et 1 lanière de zeste de citron vert.

HIBISCUS Ajoutez 2 cuil. à café de fleurs d'hibiscus séchées (vous en trouverez dans les boutiques de produits diététiques et les pharmacies) ou 2 sachets de tisane d'églantier et d'hibiscus.

CAFÉ Ajoutez 2 cuil. à café de grains de café torréfiés et, selon votre goût, 1 cuil. à soupe de rhum blanc.

LIQUEUR Ajoutez 2 à 3 cuil. à soupe d'une de vos liqueurs préférées (Malibu, Kahlua et Amaretto sont mes favorites). Vous pouvez aussi parfumer le sirop avec du Grand Marnier, du kirsch, du cognac ou du rhum.

COULIS ET NAPPAGES

Ce sont de simples purées de fruits frais diluées avec du sirop de base nature qui servent de sauces légères ou pour napper, par exemple, des fruits émincés. Vous pouvez varier les parfums en utilisant différents sirops. La plupart des fruits peuvent être réduits en purée à l'état cru, mais certains doivent être d'abord légèrement cuits. Il faut éviter d'employer des fruits trop mûrs, car ils donneraient de l'âcreté au coulis. Congelez le coulis non utilisé dans un bac à glaçons.

Garnir une assiette de coulis
Les fruits émincés, les parfaits, les tartes... sont toujours plus appétissants avec un coulis. Choisissez de préférence de grandes assiettes creuses. Mettez le coulis dans un pot. Versez 4 à 5 cuil. à soupe au centre de chaque assiette et tapotez le bord pour égaliser le coulis.

Napper avec une sauce aux fruits
Cela consiste à napper le dessert d'une sauce. Il suffit de prélever une grosse cuillerée de coulis et de l'incliner légèrement juste au-dessus du dessert de façon à le recouvrir entièrement.

COULIS DE FRAISE Mixez 250 g de fraises équeutées avec un filet de jus de citron. Ajoutez 4 cuil. à soupe de Sirop aromatisé à l'hibiscus, la citronnelle ou la menthe (voir page ci-contre). Passez à travers une passoire.

COULIS DE KIWI Pelez 4 kiwis. Mixez avec un filet de jus de citron vert. Ajoutez 4 à 6 cuil. à soupe de Sirop aromatisé à la citronnelle (voir page ci-contre). Passez à travers une passoire.

COULIS DE MANGUE Pelez et hachez 2 mangues moyennes bien mûres. Mixez avec 4 cuil. à soupe de Sirop aromatisé aux épices ou aux agrumes (voir page ci-contre) et 1 cuil. à soupe de jus de citron ou d'orange. Passez à travers une passoire. Pour rehausser l'arôme, ajoutez 1 cuil. à café d'eau de fleur d'oranger.

COULIS DE FRAMBOISE Mixez 250 g de framboises mûres. Ajoutez 4 cuil. à soupe de Sirop aromatisé à la citronnelle, aux épices ou à la menthe (voir page ci-contre). Selon votre goût, ajoutez quelques gouttes de Drambuie. Passez pour éliminer les graines.

COULIS DE FRUIT DE LA PASSION Partagez en deux 4 fruits de la Passion. Mixez la pulpe et les graines. Ajoutez 6 cuil. à soupe de Sirop de base (page 200) ou de sirop aromatisé aux agrumes (voir page ci-contre) et mixez à nouveau. Passez à travers une passoire. Pour adoucir ce coulis très parfumé, ajoutez-lui des fraises écrasées en purée ou un peu de jus d'orange frais.

COULIS DE PRUNE OU DE CERISE Dénoyautez 200 g environ de prunes ou de cerises et mixez-les. Ajoutez 4 cuil. à soupe de Sirop aromatisé aux épices (voir page ci-contre) ou de Sirop de base (page 200). Passez à travers une passoire. Pour renforcer l'arôme, ajoutez 1 cuil. à soupe de cognac ou de kirsch.

COULIS D'ORANGE ET DE PAMPLEMOUSSE ROSE Pressez le jus de 4 grosses oranges et de 1 pamplemousse rose. Passez les jus à travers une passoire dans une petite casserole. Ajoutez un brin de menthe ou une tige de citronnelle et faites réduire d'un tiers environ, en écumant avec une écumoire. Ajoutez 1 à 2 cuil. à café de sucre en poudre. Délayez 3/4 de cuil. à café de Maïzena dans 1 cuil. à soupe d'eau froide, versez-la dans le jus d'agrumes et mixez. Versez le mélange dans la casserole et laissez épaissir sur le feu, en tournant. Laissez refroidir, en remuant une ou deux fois. Jetez la menthe ou la citronnelle.

COULIS DE CASSIS Nettoyez 250 g de cassis mûrs. Faites frémir les grains sur feu doux avec 6 cuil. à soupe de Sirop de base (page 200) et un brin de menthe fraîche, jusqu'à ce qu'ils soient tendres. Laissez refroidir. Jetez la menthe et mixez. Passez à travers une passoire.

COULIS DE RHUBARBE Hachez 300 g de rhubarbe et faites-la cuire avec 6 cuil. à soupe de Sirop de base (page 200), jusqu'à ce qu'elle soit tendre. Laissez refroidir. Mixez, puis passez à travers une passoire. Pour donner une jolie couleur rose, ajoutez 1 ou 2 cuil. à café de grenadine.

COULIS DE POMME OU DE POIRE Coupez 400 g de fruits en quartiers. Ôtez le cœur mais ne les pelez pas. Hachez-les. Faites cuire avec 3 cuil. à soupe de Sirop de base (page 200) ou de Sirop aromatisé aux épices (voir page 10) et 1 cuil. à soupe de jus de citron ou de citron vert. Laissez refroidir, mixez et passez à travers une passoire.

Sauce à la mangue et à la menthe

POUR 300 G ENVIRON
1 grosse mangue (tout juste mûre)
2 cuil. à soupe de Sirop de base (page 200)
1 cuil. à soupe de jus de citron
2 cuil. à soupe de menthe fraîche hachée

Cette sauce piquante et texturée est délicieuse avec des crèmes glacées, particulièrement avec le Parfait au nougat (page 67). Vous pouvez la garder 2 jours au plus au réfrigérateur.

1 Épluchez la mangue, détachez la chair du noyau et hachez-la finement.
2 Mélangez le sirop et le jus de citron dans une jatte. Ajoutez la mangue et mélangez. Incorporez la menthe hachée au moment de servir.

Cerises macérées

Nous avons tant d'occasions d'utiliser ces cerises macérées que nous en préparons de grosses quantités lorsque ces fruits sont abordables. J'aime beaucoup les cerises anglaises et les montmorency, rouge clair, mais les cerises rouge foncé conviennent aussi. Dénoyautez les cerises avant de les faire macérer. Investissez dans un bon dénoyauteur.

1 Dénoyautez les cerises au-dessus d'une casserole, pour ne pas perdre de jus. Versez le sirop dans la casserole et portez à ébullition. Ajoutez les cerises et laissez bouillir 2 min. Retirez du feu et ajoutez le kirsch.
2 Mettez les cerises bouillantes dans un bocal chaud, à l'aide d'une écumoire, et complétez avec le sirop bouillant. Fermez hermétiquement et conservez dans un endroit frais et sombre 2 mois au plus.

Variante
Préparez un Coulis de cassis (page ci-contre). Ajoutez 2 à 3 cuil. à soupe de kirsch et réservez. Dénoyautez 300 g environ de cerises et mettez-les dans une jatte. Dans une casserole, portez le coulis à ébullition. Versez-le sur les cerises et laissez refroidir. Couvrez et mettez au réfrigérateur jusqu'à usage.

POUR 350 G ENVIRON
500 g de cerises mûres
35 cl de Sirop aromatisé aux épices (page 10) ou de Sirop de base (page 200)
2 à 3 cuil. à soupe de kirsch

Fruits macérés

Au restaurant, nous faisons tremper les fruits secs dans du rhum chaud et du sirop de base, pour les utiliser ensuite de diverses façons. J'apprécie particulièrement les fruits macérés dans le rhum dans une Glace à la vanille ou à la cardamome maison (pages 57-58). La quantité indiquée dans cette recette est trop importante pour ce seul usage, mais vous pourrez laisser le reste des fruits dans le sirop et le garder au réfrigérateur pour un autre emploi. Essayez, par exemple, avec du yaourt grec crémeux.
  Laissez macérer les fruits au moins 24 h avant usage. Ils se gardent au réfrigérateur 4 semaines au plus.

1 Mettez tous les fruits dans une grande casserole avec le rhum ambré, le rhum blanc et le sirop. Portez lentement à ébullition. Retirez du feu et laissez refroidir.
2 Versez le mélange dans un grand bocal à couvercle à vis. Laissez macérer au moins 24 h avant d'utiliser.

POUR 700 G
500 g de raisins blonds
100 g de raisins de Corinthe
100 g de raisins de Smyrne
50 cl de rhum ambré
10 cl de rhum blanc
15 cl de Sirop de base (voir page 200)

COMPOTES

Une compote est une simple purée de fruits cuits ou crus que nous utilisons comme base pour les tartes aux fruits et soufflés chauds, ou que nous servons dans des petits verres, en alternant avec des couches de yaourt ou d'une crème aromatisée. Guy Savoy, chef du restaurant parisien du même nom, conseille de choisir des fruits un peu trop mûrs, car ils contiennent suffisamment de sucre naturel pour qu'il ne soit pas nécessaire de sucrer la compote, ou très peu. Les compotes sont parfaites pour utiliser les fruits ne pouvant être émincés ou coupés en dés parce que trop tendres. Les portions dépendent de l'usage auquel la compote est destinée.

J'aime servir les compotes dans un verre à vin : elles sont encore plus appétissantes. Versez une cuillerée à soupe bien pleine de compote dans les verres et ajoutez un peu de yaourt grec légèrement sucré. Couronnez le tout de quelques copeaux de sorbet aux fruits ou de granité, ou d'un nuage de crème et, éventuellement, d'un macaron émietté. Recommandez à vos convives d'enfoncer leur cuillère jusqu'au fond du verre, de façon à pouvoir savourer les trois couches en même temps.

Compote d'abricots

POUR 40 CL ENVIRON
500 g d'abricots mûrs
25 g de beurre
2 cuil. à soupe de sucre en poudre
2 étoiles de badiane

1 Partagez les abricots en deux et dénoyautez-les. Coupez chaque demi-abricot en quartiers. Dans une casserole à fond épais, faites fondre le beurre avec le sucre à feu doux et laissez cuire jusqu'à ce que le mélange prenne une couleur caramel blond.

2 Ajoutez les abricots et la badiane. Couvrez avec une feuille de papier sulfurisé mouillée et froissée – cela permettra à une partie de la vapeur de s'échapper, et les fruits seront plutôt poêlés que cuits à l'étouffée. Laissez cuire à feu modéré 10 à 15 min, jusqu'à ce que les abricots soient bien tendres. Jetez la badiane.

3 Retirez du feu. Réduisez les fruits en purée directement dans la casserole, au mixeur ou au blender. Laissez refroidir et mettez au réfrigérateur jusqu'à usage.

SERVEZ DANS DES PETITS VERRES, NAPPÉ D'UNE COUCHE DE CRÈME AU CITRON ET AU CITRON VERT (PAGE 52) ET PARSEMÉ DE LANIÈRES DE ZESTE DE CITRON ET DE CITRON VERT CONFITES (PAGE 47)

Soupe au jus de fraise et au poivre noir

POUR 4 À 6 PERSONNES

1 kg de fraises mûres, équeutées

1 cuil. à soupe de sucre en poudre

1 gousse de vanille

3 feuilles de menthe

1 cuil. à soupe de sucre glace, tamisé

1 à 2 cuil. à café de poivre noir, grossièrement
  moulu ou concassé

SUCCULENT COURONNÉ D'UNE BOULE DE
GLACE AU CHOCOLAT ET AU THYM (PAGE 61),
COMME ILLUSTRÉ, OU, PLUS SUBTILEMENT,
DE SORBET AU FROMAGE BLANC (PAGE 76)

Cette soupe légère au jus de fraise pourrait être un consommé de fruits
à servir en entrée ou en dessert, bien que dans le premier cas, il soit
préférable de supprimer la crème glacée. C'est une recette idéale pour
la pleine saison des fraises, lorsqu'elles sont à un prix raisonnable.
Et tout comme le melon peut être rehaussé par une pointe épicée de
gingembre, les fraises sont ici relevées par du poivre noir.

1 Réservez un tiers des fraises, en choisissant les plus fermes.
2 Émincez le reste des fruits et mettez-les dans une grande jatte résistant
à la chaleur posée sur une casserole d'eau frémissante. Saupoudrez de
sucre en poudre. Fendez la gousse de vanille dans la longueur et raclez
les graines dans la jatte. Ajoutez les feuilles de menthe.
3 Couvrez la jatte avec un film plastique et laissez sur la casserole
30 à 40 min, jusqu'à ce que les fraises aient exsudé tout leur jus. Retirez
du feu et laissez refroidir. Mettez au réfrigérateur 2 à 3 h.
4 Environ 30 min avant de servir, passez le jus de fraise à travers une
passoire, dans une jatte, sans appuyer sur la pulpe. Pendant ce temps,
mettez les fraises réservées dans une assiette creuse, saupoudrez-les
de sucre glace et laissez reposer pour qu'elles exsudent leur jus.
5 Répartissez les fraises dans des assiettes à soupe froides. Saupoudrez
légèrement de poivre, arrosez de jus de fraise très froid et servez.

Soupe aux prunes à la badiane

POUR 4 PERSONNES

500 g de prunes rouge sombre bien mûres

30 cl de Sirop de base léger (page 200)

1 bâton de cannelle

2 étoiles de badiane

SERVEZ AVEC UNE BOULE DE GLACE À LA
VANILLE OU À LA CARDAMOME (PAGES
57-58), OU ARROSEZ DE CRÈME LIQUIDE

J'aime la teinte bordeaux sombre de cette soupe. Faites-la au début
de l'automne, avec des prunes mûries sur l'arbre. À d'autres époques,
les prunes peuvent être très décevantes, belles mais sans aucun goût.

1 Réservez un quart des prunes les plus fermes.
2 Partagez les prunes restantes en deux, dénoyautez-les et émincez-
les. Mettez-les dans une casserole. Ajoutez le sirop, la cannelle et la
badiane. Portez à ébullition, puis retirez du feu et laissez refroidir.
3 Jetez les épices, puis mixez les fruits avec le sirop, jusqu'à obtention
d'une purée lisse. Passez à travers une passoire posée sur une jatte,
en pressant avec le dos d'une louche. Mettez au réfrigérateur
jusqu'à usage.
4 Dénoyautez et émincez les prunes réservées. Versez la soupe dans
des assiettes creuses et ajoutez les prunes émincées.

SALADES DE FRUITS

J'aime beaucoup les desserts aux fruits, à la fois acides et sucrés, pour leur légèreté. Les fruits s'accommodent de préparations simples, qui permettent de mieux apprécier leurs qualités. Des fruits bien frais soigneusement choisis, servis avec un sirop léger, constituent un superbe dessert très rafraîchissant. Pour un effet maximal, tenez compte des couleurs et des formes. Vous réaliserez de ravissantes salades avec des fruits de mêmes teintes, ou avec de subtils mélanges de fruits verts, d'agrumes, de baies rouges ou de variétés tropicales orange et jaune d'or, en ajoutant, éventuellement, un fruit qui contrastera.

Baies rouges au sirop à l'hibiscus et au basilic

POUR 4 PERSONNES

15 cl de Sirop de base léger (page 200)

1 cuil. à soupe de jus de citron

1 cuil. à café de fleurs d'hibiscus séchées, ou
   2 sachets de tisane d'églantier et d'hibiscus

2 grandes feuilles de basilic

300 g de petites framboises

125 à 200 g de fraises des bois, ou de très
   petites fraises cultivées, équeutées

quelques petites feuilles de basilic, pour servir

TRÈS RAFRAÎCHISSANT AVEC DU SORBET AU FROMAGE BLANC (PAGE 76) OU DU SORBET AU PAMPLEMOUSSE ROSE (PAGE 78)

Les petites fraises des bois sont exquises en mélange avec des framboises fraîches, dans un sirop rouge rubis parfumé aux fleurs d'hibiscus. Les fraises des bois sont chères, mais comme elles poussent facilement même dans un tout petit jardin, voire sur un balcon ou une terrasse, vous pouvez en planter quelques pieds qui fructifieront chaque année. Le basilic se marie remarquablement avec les fruits rouges.

1 Portez le sirop à ébullition. Ajoutez le jus de citron, les fleurs d'hibiscus ou les sachets de tisane et les grandes feuilles de basilic. Retirez du feu et laissez infuser environ 20 min. Passez et réservez.

2 Environ 10 min avant de servir, mettez les framboises et les fraises des bois, ou les fraises, dans une jatte. Versez le sirop aromatisé sur les fruits (en ayant soin d'ôter, éventuellement, les sachets de tisane) et remuez délicatement, en veillant à ne pas briser les fruits. Laissez macérer 10 min.

3 Servez dans des coupes. Parsemez de petites feuilles de basilic.

Salade de melon à la menthe

Des melons de diverses variétés, détaillés en boules baignant dans un sirop aromatisé avec des clous de girofle et parfumés avec de la menthe, donnent un dessert merveilleusement rafraîchissant pour les jours d'été ou pour un brunch. Pour vérifier la maturité, humez le fruit et appuyez légèrement le pouce à l'endroit de la queue. Achetez les melons quelques jours à l'avance, quand ils sont parfumés mais encore assez fermes, et laissez-les mûrir en compagnie de quelques bananes.

1 Chauffez le sirop dans une casserole. Ajoutez les clous de girofle. Retirez du feu et laissez infuser jusqu'à refroidissement.
2 Préparez les melons. Coupez-les en deux et retirez les pépins. Détaillez la chair en boules à l'aide d'une cuillère parisienne et mettez-les dans une jatte. Versez le sirop refroidi et laissez macérer 10 min. Jetez les clous de girofle.
3 Déchirez les feuilles de menthe en fines lanières et incorporez-les à la salade de melon. Laissez reposer encore 5 min. Servez.

POUR 4 À 6 PERSONNES
20 cl de Sirop de base léger (page 200)
2 clous de girofle
1 petit melon ogen ou ½ melon honeydew
1 petit melon charentais
1 quartier de pastèque (400 g environ)
6 à 8 grandes feuilles de menthe

TRÈS RAFRAÎCHISSANT AVEC DU GRANITÉ À LA CITRONNELLE (PAGE 82), COMME ILLUSTRÉ

Salade de fruits exotiques à la noix de coco fraîche

De façon générale, je n'aime guère les couleurs bariolées dans les salades de fruits, mais celle-ci plongera vos invités dans une ambiance exotique. Choisissez du sirop aux agrumes ou aux épices, auquel vous ajouterez un généreux filet de rhum ou, pour une boisson non alcoolisée, d'Angostura. Procurez-vous une jeune noix de coco – dans un magasin de produits asiatiques. Ouvrez-la à l'aide d'un marteau et râpez un peu de pulpe sur la salade, en garniture.

1 Mélangez le sirop aromatisé avec le rhum ou l'Angostura Bitters.
2 Préparez tous les fruits : pelez-les, ôtez le cœur et dénoyautez-les ou épépinez-les, si nécessaire. Coupez-les ou émincez-les en petits morceaux de taille différente, en suivant leur forme naturelle. Réunissez tous les fruits dans une jatte.
3 Ajoutez le sirop, mélangez délicatement et laissez macérer 20 min environ. Pendant ce temps, ôtez la peau brune du morceau de noix de coco et râpez-le grossièrement, de façon à obtenir 3 à 4 cuil. à soupe de pulpe râpée.
4 Parsemez la salade de fruits de noix de coco râpée et servez.

POUR 6 PERSONNES
30 cl de Sirop de base léger aux agrumes ou aux épices (page 10)
3 ou 4 cuil. à soupe de rhum blanc, ou un filet d'Angostura Bitters
1 ananas moyen
1 mangue
1 papaye
1 grosse pêche, ou 2 abricots
1 poire du Japon (nashi)
1 carambole
2 kiwis
125 g de fraises
un petit morceau de noix de coco fraîche, pour servir

DES SABLÉS AU CUMIN (PAGE 171) OU DES BOUDOIRS FERONT UN EXCELLENT ACCOMPAGNEMENT

Bananes au caramel aux épices et au rhum

POUR 4 PERSONNES

150 g de sucre en poudre

23 cl d'eau

le jus de 1 citron

2 à 3 cuil. à soupe de rhum blanc ou de Malibu

1 gousse de vanille

1 bâton de cannelle

2 étoiles de badiane

4 grosses bananes tout juste mûres

SERVEZ SEUL, EN DESSERT À PART ENTIÈRE,
OU POUR ACCOMPAGNER UN PARFAIT,
UNE MOUSSE OU UN BAVAROIS

Les bananes baignent dans un riche sirop aromatisé à la vanille et aux épices. Pour un dépaysement total, il suffit d'ajouter du rhum blanc ou du Malibu, mon alcool préféré pour cette recette, de fermer les yeux et de s'imaginer sur une plage tropicale ! Choisissez des bananes fermes et tout juste mûres.

1 Dans une grande sauteuse, mettez le sucre et 2 cuil. à soupe d'eau. Chauffez sur feu doux, en remuant une ou deux fois, jusqu'à ce que le sucre soit dissous. Quand le sirop est transparent, montez le feu et faites-le cuire environ 5 min, pour obtenir un caramel blond.

2 Retirez aussitôt du feu. Laissez refroidir 2 min, puis incorporez le jus de citron, en faisant attention aux éclaboussures. Incorporez le rhum ou le Malibu et le reste d'eau. Fendez la gousse de vanille dans la longueur et incorporez-la au sirop. Ajoutez la cannelle et la badiane.

3 Épluchez les bananes et coupez-les en deux dans la longueur. Étalez les demi-bananes dans la sauteuse, sur une couche, et nappez-les de sirop, pour les empêcher de noircir.

4 Laissez macérer environ 40 min avant de servir. De la crème fraîche aromatisée, par exemple, avec de la citronnelle ou du gingembre (page 50) sera un excellent accompagnement.

GELÉES

Ces simples préparations de fruits frais et de pur jus de fruits, pris en gelée dans une coupe de cristal transparent, constituent des desserts appétissants. Je ne démoule pas mes gelées, car je les préfère assez molles. Si vous voulez les faire en terrines ou en moules individuels et les retourner sur une assiette, augmentez la quantité de gélatine d'un quart environ.

Toutes les gelées et terrines confectionnées dans les cuisines de mon restaurant sont à base de gélatine en feuilles, que je trouve plus facile à utiliser que la gélatine en poudre. Vous trouverez la gélatine en feuilles dans tous les supermarchés. Comptez 4 à 5 feuilles pour 50 cl du liquide total d'une recette, cette proportion pouvant varier en fonction des autres ingrédients. Si la recette comporte de la crème fouettée, par exemple, vous pouvez diminuer la quantité de gélatine.

Vous pouvez remplacer la gélatine par de l'agar-agar, issu d'une algue. Il faut d'abord le délayer avec un peu de liquide (comme la Maïzena ou l'arrow-root), puis le chauffer à feu doux, en remuant jusqu'à ce que le mélange soit lisse. Le résultat est cependant différent et la préparation est moins stable.

Enfin, certaines enzymes de fruits, tels l'ananas, la papaye et le kiwi, par exemple, dissolvent les protéines animales constituant la gélatine. Si vous voulez créer vos propres recettes de gelées, vous devrez donc éviter ces fruits, ou bien les servir séparément en coulis ou en salade. Quant aux fruits très acides, ils demandent davantage de gélatine.

Utiliser de la gélatine en feuilles

1 Faites tremper les feuilles de gélatine dans une jatte d'eau froide 5 min environ, pour les ramollir (cassez-les en deux si nécessaire).

2 Égouttez les feuilles et pressez-les entre les mains pour les essorer.

3 Incorporez les feuilles ramollies dans le liquide chaud ou bouillant (selon la recette), tout en fouettant.

4 Fouettez jusqu'à ce que la gélatine soit entièrement fondue.

5 Par précaution, passez le liquide, pour éliminer toutes traces de gélatine non dissoute.

Utiliser de la gélatine en poudre

Comptez un sachet de 11 g pour 50 à 60 cl du liquide total de la recette (un sachet équivaut à 4 à 6 feuilles de gélatine). Saupoudrez de petites quantités de gélatine (jusqu'à 1 sachet) sur le liquide bouillant, en remuant vivement jusqu'à ce qu'il devienne transparent.

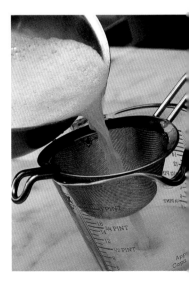

Si vous utilisez plus d'un sachet, faites d'abord ramollir la poudre. Mettez 3 à 5 cuil. à soupe d'eau froide dans un petit bol, saupoudrez de gélatine et laissez reposer 5 min. Posez le bol dans une petite casserole d'eau frémissante, jusqu'à ce que la gélatine devienne transparente, ou dans le four à micro-ondes réglé au plus bas. Incorporez lentement dans le liquide bouillant.

Gelée de fraise au champagne rosé

POUR 8 PERSONNES

600 g de fraises, équeutées

100 g de sucre en poudre

le jus de 1 citron

une bouteille de champagne rosé
  ou de vin rosé pétillant (75 cl)

2 cuil. à soupe de crème de pêche

8 feuilles de gélatine

POUR SERVIR :

crème fraîche

Ce délicieux dessert estival mérite d'être accompagné d'un bon champagne rosé. Les bulles du champagne ajoutent un léger piquant à la texture moelleuse et fondante de la gelée. Parfait pour un dîner entre amis.

1 Émincez 500 g de fraises et mettez-les dans une grande jatte résistant à la chaleur posée sur une casserole d'eau frémissante. Incorporez le sucre et le jus de citron.

2 Couvrez la jatte avec un film plastique et laissez sur la casserole 30 à 40 min, en vérifiant le niveau d'eau de temps en temps et en ajoutant de l'eau bouillante si nécessaire. Les fruits vont rendre un jus parfumé rose clair.

3 Posez une grande passoire tapissée de mousseline humide sur une jatte. Versez le jus de fraise dans la passoire et laissez s'écouler sans toucher à la pulpe, afin que le jus soit limpide. Jetez la pulpe.

4 Faites ramollir les feuilles de gélatine dans de l'eau froide (voir pages 26-27). Pendant ce temps, versez le jus de fraise dans une autre casserole et chauffez jusqu'au point d'ébullition. Retirez du feu. Essorez la gélatine entre les mains et mettez-la dans le jus brûlant, en fouettant pour la dissoudre. Passez dans une jatte à travers une passoire.

5 Laissez refroidir, puis ajoutez le champagne et la crème de pêche. Attendez que la gelée soit froide, mais pas encore prise.

6 Pendant ce temps, émincez le reste des fraises. Préparez 8 verres à vin ou flûtes à champagne. Trempez rapidement les lamelles de fraise dans la gelée qui commence à prendre et plaquez-les sur les parois des verres.

7 Fouettez la gelée jusqu'à ce qu'elle soit mousseuse, pour la rendre brillante, et répartissez-la dans les verres. Mettez au réfrigérateur jusqu'à ce qu'elle soit complètement prise.

8 Pour servir, couronnez d'une volute de crème fraîche, ou d'une couche de crème aux framboises et d'une cuillerée de crème fouettée. Le dessert doit rester simple.

DÉLICIEUX COURONNÉ DE CRÈME AUX FRAMBOISES (PAGE 51) ET D'UNE CUILLERÉE DE CRÈME FOUETTÉE

Gelée de framboise à la citronnelle

POUR 6 PERSONNES

500 g de framboises

100 g de sucre en poudre

le jus de 1 citron

2 cuil. à soupe de crème de framboise

50 cl d'eau

15 cl de vin blanc sec

3 tiges de citronnelle, émincées

6 feuilles de gélatine

POUR SERVIR :

crème fraîche

Le procédé est le même que pour la Gelée de fraise au champagne rosé (page 28). Utilisez des framboises très parfumées, de votre jardin de préférence.

1 Mettez les framboises, le sucre, le jus de citron et la crème de framboise dans une grande jatte résistant à la chaleur posée sur une casserole d'eau frémissante.

2 Couvrez la jatte avec un film plastique et laissez au chaud 30 à 40 min, jusqu'à obtention d'un jus rose et limpide, en vérifiant le niveau de l'eau de temps à autre et en complétant avec de l'eau bouillante si nécessaire. Passez le jus dans une jatte à travers une passoire fine tapissée d'une mousseline, sans presser la pulpe, pour que le jus reste limpide. Jetez la pulpe de fruit.

3 Portez l'eau et le vin à ébullition dans une casserole. Incorporez la citronnelle, retirez du feu et laissez infuser jusqu'à refroidissement. Passez le liquide et jetez la citronnelle.

4 Faites ramollir la gélatine dans de l'eau froide (voir pages 26-27). Dans une autre casserole, chauffez le jus de framboise jusqu'au point d'ébullition. Ajoutez le vin à la citronnelle et mélangez.

5 Essorez la gélatine entre les mains. Hors du feu, ajoutez-la au jus de framboise et fouettez jusqu'à ce qu'elle soit dissoute. Passez dans une jatte à travers une passoire.

6 Laissez refroidir jusqu'à ce que la gelée commence à prendre. Répartissez-la dans 6 verres hauts. Mettez au réfrigérateur jusqu'à ce que la gelée soit complètement prise.

7 Couronnez d'une volute de crème fraîche et servez.

SERVEZ DANS DE JOLIS VERRES À VIN, COURONNÉ DE CRÈME AUX FRAMBOISES (PAGE 51) OU DE CRÈME FOUETTÉE

Gelée de myrtille au thym

Cette gelée sombre est superbe servie dans des verres hauts. Pour un effet spectaculaire, alternez avec des couches de Gelée de fraise au champagne rosé (page 28) ou de Gelée de framboise à la citronnelle (page ci-contre). Essayez-la pour une occasion spéciale, en laissant prendre chaque couche avant d'ajouter la suivante.

1 Mettez toutes les baies dans une grande jatte posée sur une casserole d'eau frémissante. Ajoutez 50 g de sucre et le jus de citron.

2 Couvrez la jatte avec un film plastique et laissez sur la casserole 30 à 40 min, en vérifiant le niveau d'eau de temps en temps et en ajoutant de l'eau bouillante si nécessaire. Les fruits vont rendre un jus parfumé rose clair.

3 Pendant ce temps, mettez l'eau et le reste du sucre dans une casserole. Chauffez à feu doux jusqu'à ce que le sucre soit dissous. Ajoutez le thym et la citronnelle et portez à ébullition. Retirez du feu et laissez infuser 1 h. Passez dans un pot et jetez les herbes.

4 Passez le jus des baies dans une jatte à travers une passoire tapissée d'une mousseline, sans presser la pulpe, pour que le jus reste limpide. Jetez la pulpe de fruits.

5 Faites ramollir la gélatine dans de l'eau froide (voir pages 26-27). Pendant ce temps, dans une autre casserole, chauffez le jus des baies avec l'infusion à la citronnelle jusqu'au point d'ébullition. Retirez du feu.

6 Essorez la gélatine entre les mains. Hors du feu, ajoutez-la au jus chaud et remuez jusqu'à ce qu'elle soit dissoute. Passez le liquide dans une jatte à travers une passoire.

7 Laissez refroidir jusqu'à ce que la gelée commence à prendre. Répartissez-la dans des verres et mettez au réfrigérateur jusqu'à ce que la gelée soit complètement prise.

8 Couronnez d'une volute de crème fraîche et servez.

POUR 4 À 6 PERSONNES

300 g de myrtilles

100 g de mûres

75 g de sucre en poudre

le jus de 1 citron

50 cl d'eau

3 gros brins de thym frais

2 tiges de citronnelle, émincées

5 feuilles de gélatine

POUR SERVIR :

crème fraîche

SERVEZ DANS DES VERRES HAUTS, AVEC UNE GELÉE QUI CONTRASTE, OU SIMPLEMENT COURONNÉ D'UNE VOLUTE DE CRÈME

Gelée d'orange sanguine

POUR 4 PERSONNES
12 oranges sanguines
1 pamplemousse rose
4 feuilles de gélatine
4 cuil. à soupe de Sirop de base
   (page 200)
2 cuil. à soupe de Campari
POUR SERVIR :
crème fraîche

C'est le dessert préféré des clients de mon restaurant, surtout les dames, en été. Les oranges sanguines possèdent une saveur unique, et l'association des quartiers et d'une gelée légère faite avec le jus est spectaculaire. Je présente ces gelées d'agrumes dans des verres à cocktails décoratifs avec de la Glace à l'eau de fleur d'oranger (page 59) et un filet de Coulis de fruit de la Passion (page 11). Ici, elles sont simplement couronnées d'une volute de crème fraîche et servies avec un Financier (page 173).

1 Prélevez le zeste de 2 oranges en fines lanières. Épluchez et détaillez 4 oranges et le pamplemousse (voir ci-dessous). Pressez le jus des oranges restantes (vous devez en obtenir environ 70 cl).
2 Faites ramollir les feuilles de gélatine dans de l'eau froide 5 min.
3 Pendant ce temps, mettez le jus d'orange dans une casserole avec les lanières de zeste et le sirop et portez à ébullition. Retirez du feu.
4 Essorez la gélatine entre les mains. Mettez-la dans le jus d'orange bouillant et fouettez jusqu'à ce qu'elle soit dissoute. Passez le jus dans une jatte à travers une passoire. Ajoutez le Campari. Laissez refroidir 30 min.
5 Pendant ce temps, répartissez la moitié des quartiers de fruits dans 4 verres. Versez un peu de jus d'orange sur les quartiers et mettez à prendre au réfrigérateur.
6 Ajoutez le reste des quartiers d'orange, puis versez le reste du jus d'orange. Mettez au réfrigérateur au moins 2 h, jusqu'à ce que la gelée soit prise.

Détailler une orange (ou un autre agrume) en quartiers
1 Avec un petit couteau pointu, coupez la base et le haut de l'orange, en retirant la peau blanche amère.
2 En tenant l'orange droite, retirez toute l'écorce et la peau blanche, en découpant vers le bas et en suivant le contour du fruit, sans entamer la chair. Vous devez obtenir une forme nette, arrondie.
3 Tenez l'orange dans une main au-dessus d'une jatte, pour recueillir le jus, et coupez les quartiers de chaque côté des membranes qui les enveloppent, en les laissant tomber au fur et à mesure dans la jatte. Quand vous avez coupé tous les quartiers, pressez le reste du fruit, pour en extraire tout le jus.

FRUITS RÔTIS

Cuire des fruits à haute température caramélise la chair, ou la pulpe, tout en lui donnant une délicieuse saveur grillée. Vous pouvez procéder dans une poêle non adhésive à fond épais, préalablement chauffée, ou à four très chaud, en arrosant de temps en temps avec un peu de sirop, de l'alcool ou les deux. J'ajoute parfois des herbes, comme du thym ou du romarin.

Pour pouvoir mesurer plus facilement le miel et le sirop de glucose, faites chauffer le pot, en prenant soin d'ôter le couvercle, dans une casserole d'eau bouillante ou au four à micro-ondes, afin qu'ils se liquéfient.

Pêches rôties, sauce caramel à l'orange

POUR 6 PERSONNES
250 g de sucre en poudre
3 cuil. à soupe d'eau
25 cl de jus d'orange frais
1 gousse de vanille
6 pêches blanches moyennes
50 g de beurre mou
POUR DÉCORER (FACULTATIF) :
feuilles de basilic cristallisées (page 71)

Ces pêches sont rôties entières et dans leur peau, en les arrosant de temps à autre avec la sauce caramel à l'orange. Elles conservent ainsi leur texture et leur goût est délicieux.

1 Mettez 150 g de sucre et l'eau dans une casserole à fond épais. Chauffez à feu doux jusqu'à ce que le sucre soit dissous. Quand le sirop est transparent, montez le feu et faites cuire environ 5 min, pour obtenir un caramel blond.

2 Retirez du feu et incorporez le jus d'orange, en faisant attention aux éclaboussures. Fendez la gousse de vanille et raclez les graines dans la sauce caramel. Laissez refroidir et épaissir.

3 Préchauffez le four à 150 °C (th. 4). Enduisez généreusement les pêches de beurre à l'aide d'un pinceau à pâtisserie, puis roulez-les dans le reste du sucre.

4 Mettez les pêches dans un petit plat à four et nappez-les de caramel. Faites rôtir au four, sans couvrir, environ 30 min, jusqu'à ce que les pêches soient cuites, mais en veillant à ce qu'elles gardent leur forme et en les arrosant toutes les 10 min avec le jus de cuisson.

5 Couvrez avec un cône en papier d'aluminium et laissez refroidir. Le jus s'écoulera ainsi dans le fond du plat.

6 Retirez la peau qui se détache, mais sans peler complètement les pêches – elles seront plus jolies. Mélangez le jus de cuisson, passez à travers une passoire et réservez dans un pot.

7 Servez les pêches à peine froides, en les arrosant de sauce caramel à l'orange. Je pose généralement sur le dessus de chaque fruit une feuille de basilic cristallisée.

DÉLICIEUX AVEC UN PARFAIT AUX PÊCHES
BLANCHES (PAGE 71)

Pommes au four aux grains de poivre

Cette recette nécessite une variété de pommes qui gardent leur forme et leur texture à la cuisson au four, comme les granny smith ou les braeburn. Les fruits sont d'abord caramélisés, puis parfumés avec des grains de poivre écrasés et de la vanille, avant d'être cuits au four. Le poivre rehausse agréablement la saveur des aliments sucrés, les fruits en particulier.

1 Pelez les pommes et retirez le cœur avec un vide-pomme. Séchez-les avec du papier absorbant, puis enduisez-les de beurre mou. Roulez-les dans le sucre roux.

2 Préchauffez le four à 190 °C (th. 6). Mettez les pommes dans un plat à four et faites cuire 10 min.

3 Ajoutez le jus de pomme. Parsemez les grains de poivre et les baies roses écrasés, puis grattez les graines de vanille sur les pommes. Arrosez-les avec le jus et remettez au four. Laissez cuire à découvert encore 20 min, en arrosant les fruits toutes les 5 min environ. Quand vous arrosez pour la dernière fois, ajoutez, éventuellement, l'armagnac.

4 Laissez refroidir 10 min ou plus, en arrosant les pommes de temps à autre avec le jus de cuisson.

5 Pour servir, transférez les pommes dans un plat de service et arrosez-les avec le jus de cuisson passé à travers une passoire. Pour un dessert simple, servez chaud avec de la crème liquide ou de la Crème anglaise (page 193) et des Sablés aux noisettes ou au cumin (page 172).

POUR 6 PERSONNES

6 pommes à couteau (granny smith ou braeburn) bien fermes

100 g environ de beurre mou

100 g environ de sucre roux

30 cl de jus de pomme

1 cuil. à café de grains de poivre noir, écrasés

1 cuil. à café de baies roses, écrasées

1 gousse de vanille, fendue dans la longueur

2 à 3 cuil. à soupe d'armagnac (facultatif)

PARTICULIÈREMENT BON SERVI CHAUD, AVEC UN BAVAROIS CRÉMEUX (PAGES 92-97) OU UN PARFAIT (PAGES 64-72)

Ananas miniatures rôtis

POUR 4 PERSONNES

**4 ananas miniatures, ou 1 ananas de taille
moyenne**

16 à 28 clous de girofle

250 g de sucre en poudre

45 cl d'eau

1 cuil. à café de poudre de cinq-épices

1 bâton de cannelle

Si vous trouvez des ananas miniatures, essayez ce dessert. Vérifiez leur maturité en tirant une feuille verte du plumet : elle doit se détacher facilement. Vous préparerez un sirop caramélisé la veille, pour y faire macérer les fruits épluchés toute la nuit. Le jour même, faites-les simplement rôtir au four, en les arrosant souvent avec le sirop épicé. Vous pouvez procéder de même avec un ananas de taille normale, en le coupant en tranches.

1 Préparez les ananas la veille : ôtez l'écorce, mais laissez le plumet de feuilles vertes. Retirez les « yeux » avec la pointe d'un couteau. (Si vous utilisez un ananas moyen, coupez le plumet, retirez l'écorce et les « yeux », puis détaillez la chair en tranches.) Enfoncez les clous de girofle dans les trous laissés par les « yeux ».
2 Préparez le sirop : mettez le sucre et 4 cuil. à soupe d'eau dans une casserole à fond épais. Chauffez très lentement à feu doux, pour dissoudre le sucre – vous pouvez éventuellement incliner la casserole, mais ne mélangez pas. Quand le sirop est transparent et que le sucre est complètement dissous, montez le feu et laissez bouillir 7 min environ, pour obtenir un caramel blond.
3 Retirez du feu et ajoutez le reste d'eau avec précaution, en faisant attention aux éclaboussures. Incorporez les épices.
4 Mettez les fruits dans une grande casserole à fond épais et nappez-les de sirop. Chauffez à feu doux 5 min, en arrosant avec le sirop. Transférez les fruits dans une jatte et versez le sirop. Laissez refroidir, en remuant une ou deux fois. Couvrez et laissez macérer toute la nuit.
5 Le jour même, préchauffez le four à 190 C° (th. 6). Mettez les fruits dans un petit plat à four. Versez un peu de sirop dessus et faites rôtir 15 à 20 min, en arrosant souvent les fruits. Les ananas doivent s'assouplir tout en gardant leur forme. Laissez refroidir à température ambiante.
6 Arrosez les ananas avec un peu de sirop épicé et servez.

ACCOMPAGNEZ DE MOUSSE À L'ANANAS ET
À LA BADIANE (PAGE 87) OU D'UN PARFAIT
CRÉMEUX, COMME LE PARFAIT AUX PÊCHES
BLANCHES (PAGE 71)

Prunes rôties

Au lieu de pocher les prunes dans un sirop, faites-les rôtir. Elles prendront alors un appétissant parfum caramélisé, qui se marie merveilleusement avec une mousse crémeuse, un bavarois (pages 86-97) ou un parfait (pages 64-71). Vous pouvez aussi fourrer de prunes rôties des petites brioches à tête (ci-dessous et illustration page ci-contre).

1 Coupez les prunes en deux, dénoyautez-les, puis détaillez-les en quartiers. Disposez-les, sur une couche, dans un plat à four peu profond. Préchauffez le four à 190 °C (th. 6).
2 Mettez le beurre et le sucre dans une petite casserole. Ajoutez la gousse de vanille et le bâton de cannelle et faites fondre à feu doux. Versez le sirop obtenu sur les prunes, en les tournant avec précaution pour bien les enrober.
3 Faites rôtir, à découvert, environ 10 à 15 min, en arrosant deux ou trois fois avec le jus de cuisson. Laissez refroidir. Jetez la gousse de vanille et le bâton de cannelle.
4 Pour un simple dessert, servez avec de la Crème à l'orange et à la cardamome (page 55), de la Glace aux pruneaux et à l'armagnac (page 63) ou de la Glace au gingembre (page 58) et, éventuellement, quelques sablés (page 172).

Petites brioches à tête fourrées

1 Préparez les prunes rôties (voir ci-dessus) ou faites tremper 6 beaux pruneaux d'Agen moelleux. Égouttez-les. Dénoyautez-les, si nécessaire.
2 Faites une pâte un peu plus ferme que celle de la recette de base de la Brioche (page 210), en n'employant que 4 œufs au lieu de six. Badigeonnez 12 petits moules à muffins ou à brioches de beurre fondu. Quand la pâte a levé une première fois, enfoncez-y le poing et réservez-en un quart.
3 Divisez le reste de pâte en 12 portions, façonnez-les en boules et posez-les dans les moules. Enfoncez votre pouce au centre de chaque boule et placez une demi-prune rôtie ou un pruneau dans le trou. Façonnez la pâte réservée en 12 boules plus petites, que vous poserez sur les fruits. Laissez lever au chaud, jusqu'à ce que la pâte ait presque doublé de volume.
4 Faites cuire au four préchauffé à 190 °C (th. 6) 15 à 20 min, jusqu'à ce que le dessus des brioches soit doré et ferme au toucher. Laissez reposer 5 min dans les moules, puis démoulez sur une grille et laissez refroidir. Les petites brioches sont parfaites pour un brunch sortant de l'ordinaire.

POUR 4 PERSONNES
8 grosses prunes rouges
50 g de beurre
50 g de sucre en poudre
1 gousse de vanille, fendue dans la longueur
1 bâton de cannelle

DES PETITES BRIOCHES POUR PRÉSENTER DES PRUNES OU DES PRUNEAUX DE FAÇON ORIGINALE

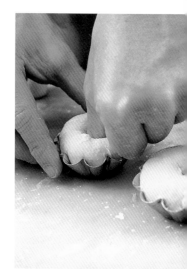

Figues noires rôties, sirop épicé au vinaigre balsamique

POUR 6 PERSONNES

6 grosses figues noires

3 cuil. à soupe de miel d'acacia ou de sapin

15 cl de Sirop de base (page 200)

2 bâtons de cannelle

2 clous de girofle

2 gousses de vanille, fendues en deux

3 étoiles de badiane

zeste de 1 orange, détaillé en lanières

3 cuil. à soupe de vinaigre balsamique vieux

SERVEZ AVEC UNE GLACE AUX ÉPICES,
COMME LA GLACE À LA CARDAMOME
OU LA GLACE AU GINGEMBRE (PAGE 58)

Faites cette recette simple à la saison des grosses figues noires, en fin d'été. Le sirop aromatisé peut être filtré après la cuisson et réutilisé.

1 Coupez la queue des figues et posez-les dans un plat à four peu profond. Préchauffez le four à 150 °C (th. 4).

2 Pendant ce temps, mettez le reste des ingrédients dans une casserole, portez à ébullition et laissez réduire environ 3 min, pour obtenir un sirop épais.

3 Versez le sirop sur les figues. Faites cuire au four, à découvert, environ 30 min, en arrosant toutes les 10 min, jusqu'à ce que les figues soient tendres, tout en conservant leur forme.

4 Servez les figues chaudes, nappées d'un peu de sirop. Filtrez le reste de sirop dans un bocal à couvercle à vis et gardez au réfrigérateur pour un usage ultérieur.

Figues vertes rôties au miel

Remplacez les figues noires par des figues vertes, et supprimez la cannelle, les clous de girofle, l'anis et le vinaigre balsamique, pour que le sirop ait un subtil parfum de miel.

Tranches de mangue caramélisées

POUR 4 PERSONNES

2 grosses mangues juste à point

20 g de beurre

1 cuil. à soupe de sucre en poudre

3 cuil. à soupe de sucre glace

2 bonnes pincées de poudre de cinq-épices

POUR UN DESSERT SIMPLE, ACCOMPAGNEZ
DE CRÈME AUX FRAMBOISES (PAGE 51)
OU DE CRÈME À LA PISTACHE (PAGE 52)

Elles sont délicieuses avec des glaces crémeuses et des mousses, en particulier le Parfait à la mangue et au fruit de la Passion (page 69) et la Mousse au chocolat noir et à la mangue (page 88). Ce dessert peut être préparé à l'avance et réchauffé.

1 Coupez les mangues de chaque côté du noyau, pelez-les et coupez la chair en tranches. Posez-les dans un plat peu profond.

2 Faites fondre le beurre et le sucre en poudre dans une poêle à fond épais sur feu doux, en remuant. Montez le feu et laissez cuire, jusqu'à obtention d'un caramel blond.

3 Pendant ce temps, tamisez le sucre glace avec le cinq-épices sur les mangues. Tournez les fruits pour bien les enrober.

4 Disposez les tranches de mangue dans la poêle, sur une couche, et laissez cuire environ 5 min, en les retournant une fois, jusqu'à ce qu'elles soient dorées de chaque côté. Laissez refroidir dans la poêle. Servez tiède.

Poires rôties

Ces poires sont délicieuses servies froides avec de la Crème fraîche aromatisée (page 50), pour accompagner une mousse ou un bavarois (pages 86-97), ou encore un parfait (pages 64-71).

1 Pelez les poires en les laissant entières. À l'aide d'un petit couteau, retirez délicatement le cœur, puis coupez une fine tranche à la base. Arrosez-les avec un peu de jus de citron vert et laissez reposer 5 min.
2 Pendant ce temps, préchauffez le four à 190 °C (th. 6). Versez le sucre dans une jatte peu profonde.
3 Séchez les poires avec du papier absorbant, puis enduisez-les de beurre et roulez-les dans le sucre.
4 Posez les poires debout dans un plat à four peu profond et faites-les rôtir environ 15 min, jusqu'à ce qu'elles commencent à colorer.
5 Pendant ce temps, mélangez le reste du jus de citron vert avec le zeste râpé, le reste du sucre et l'eau-de-vie. Versez le mélange sur les poires et ajoutez la gousse de vanille. Faites cuire encore 15 min, en arrosant avec le jus de cuisson. Piquez les poires pour vérifier la cuisson : elles doivent être tendres et conserver leur forme. Retirez du feu et laissez refroidir, en arrosant de temps à autre avec le jus de cuisson.

POUR 6 PERSONNES
6 poires moyennes de même taille bien fermes (williams ou comice)
le zeste râpé et le jus de 3 citrons verts
100 g de beurre mou
100 g de sucre en poudre ou de sucre roux
2 cuil. à soupe d'eau-de-vie de poire
1 gousse de vanille, fendue dans la longueur

Abricots glacés

Nous servons ces abricots avec des Babas au rhum au citron et au miel (page 119), mais ils sont également très bons avec du Pudding de riz thaï (page 132), ou simplement avec de la glace et des sablés.

1 Coupez les abricots en deux et dénoyautez-les. Disposez les demi-abricots, sur une couche, dans un plat peu profond. Saupoudrez-les de sucre, puis arrosez de rhum ou d'Amaretto. Laissez reposer 1 h, en mélangeant avec précaution une ou deux fois.
2 Chauffez une grande poêle à fond épais sur feu modéré jusqu'à ce qu'elle soit très chaude. Posez délicatement les demi-abricots, côté coupé vers le bas, et laissez cuire jusqu'à ce qu'ils caramélisent.
3 Retournez chaque moitié d'abricot avec une spatule et faites cuire l'autre côté jusqu'à ce qu'il soit caramélisé. Ne remuez pas les abricots, car ils risqueraient de se défaire et de ne pas caraméliser uniformément. Retirez du feu et laissez refroidir. Servez tiède.

POUR 4 À 6 PERSONNES
12 abricots tout juste mûrs
125 g de sucre en poudre
3 cuil. à soupe de rhum ou de liqueur Amaretto

TRANCHES DE FRUITS SÉCHÉES AU FOUR

J'aime la beauté des fruits frais, simplement coupés en tranches. Des tranches de fruits fermes, fines comme des chips et devenues presque translucides et croustillantes après séchage à four chaud (illustration pages 44-45), constituent une décoration spectaculaire. Tous les fruits sont traités de la même façon, excepté ceux qui s'oxydent à l'air et qui doivent être arrosés de jus de citron (voir ci-dessous) dès qu'ils sont coupés.

Les fruits réservés à cet usage le plus couramment utilisés au restaurant sont les pommes, poires, fraises, ananas, kiwis, figues, mangues et pêches. Ils doivent être tout juste mûrs, pour que leurs couleurs soient vives et leur chair ferme et pas trop juteuse. Bien entendu, vous ne devez employer que des fruits parfaits, sans défauts.

Préparer des tranches de fruits séchées

1 Préparez un Sirop de base (page 200).

2 Préchauffez le four à la température la plus basse. Tapissez deux plaques à pâtisserie d'une feuille de papier siliconé. Évitez le papier cuisson, qui s'humidifie en cours de cuisson et perd ses qualités antiadhésives.

3 Préparez les fruits choisis. Seuls les ananas et les mangues doivent être épluchés. Avec un couteau-scie à fruits bien aiguisé, coupez le fruit en tranches fines comme des chips. (Dans notre cuisine, nous utilisons une trancheuse à jambon. Si vous en avez une, vous pouvez faire de même.) Ne partagez pas en deux et ne dénoyautez pas les fruits tels que pêches, prunes, mangues, etc. Émincez-les jusqu'au noyau d'un côté, puis tournez le fruit et émincez l'autre côté. Il est préférable de retirer le cœur des pommes et des poires à l'aide d'un vide-pomme, bien que les poires puissent être émincées entières, dans la longueur, jusqu'au cœur. Trempez les tranches de fruits susceptibles de s'oxyder, tels que pommes et poires, au fur et à mesure que vous les coupez, dans un peu de sirop de sucre mixé avec un filet de jus de citron.

4 Trempez rapidement les tranches de fruits dans le sirop de base, égouttez-les et posez-les en rangées bien nettes sur les plaques tapissées de papier siliconé. Laissez sécher à four très, très doux 2 h. Si les fruits commencent à brunir, le four est trop chaud. Pour baisser la température, essayez de maintenir la porte entrouverte avec une cuillère en bois.

5 Les tranches de fruits sont prêtes quand elles sont fermes et peuvent être décollées sans difficulté. Ne les laissez pas dans le four plus longtemps que nécessaire. Elles deviennent croustillantes en refroidissant.

6 Conservez les tranches de fruits séchées dans des récipients hermétiques. Si le séchage est effectué correctement, elles resteront croustillantes au moins une semaine.

AGRUMES CONFITS

Ils apporteront une note élégante à vos desserts. De plus, vous pouvez les préparer à l'avance. Un bocal de rondelles d'agrumes confites fait également un joli cadeau. Vous pouvez utiliser une seule variété de fruits ou bien mélanger différents agrumes – le citron et le citron vert, par exemple, sont un mélange classique. Choisissez de préférence des fruits issus de l'agriculture biologique, non enrobés de cire.

Préparer des rondelles d'agrumes confites

1 Lavez 2 grosses oranges sans pépins, 3 citrons et 3 citrons verts (ou un mélange de ces fruits), mais ne les pelez pas. Séchez-les, puis coupez-les en fines rondelles, de 3 mm d'épaisseur environ.
2 Préparez un Sirop de base (page 200) – 25 cl devraient suffire. Portez-le à ébullition, puis plongez-y les rondelles de fruits. Retirez du feu et laissez refroidir.
3 Versez les fruits et le sirop dans un bocal à couvercle à vis et conservez au réfrigérateur. Prélevez des rondelles confites au fur et à mesure de vos besoins. Elles se gardent jusqu'à un mois.
4 Lorsque vous aurez utilisé toutes les rondelles d'agrumes, vous pourrez porter le sirop – qui sera aromatisé avec des agrumes – à ébullition, puis le filtrer pour l'utiliser à nouveau.

Variante

Pour faire des kumquats confits, lavez 250 g environ de kumquats et séchez-les avec du papier absorbant. Coupez les petits agrumes en deux dans la largeur. Plongez-les dans 25 cl de sirop de base bouillant (comme ci-dessus), retirez aussitôt du feu et laissez refroidir. Poursuivez comme ci-dessus.

Préparer des lanières de zestes d'agrumes confits

1 Lavez 2 grosses oranges, 3 citrons ou 3 citrons verts et séchez-les. Prélevez finement le zeste avec une mandoline. Retirez la peau blanche, puis coupez le zeste en fines lanières.
2 Faites blanchir les zestes d'agrumes 2 min, égouttez-les et séchez-les.
3 Dans une petite casserole, portez à ébullition 25 cl de Sirop de base (page 200). Plongez-y les zestes d'agrumes, faites reprendre l'ébullition et laissez frémir 3 min environ. Retirez du feu et laissez refroidir.
4 Versez les zestes et le sirop dans un bocal à couvercle à vis et conservez au réfrigérateur jusqu'à un mois. Prélevez les zestes confits au fur et à mesure de vos besoins.

SERVEZ LES ZESTES D'AGRUMES CONFITS EN ACCOMPAGNEMENT, POUR DÉCORER LES DESSERTS. ILS SE MARIENT PARFAITEMENT AVEC LES TARTELETTES AU CITRON ET AU FRUIT DE LA PASSION (PAGE 155), LA TARTE À LA MÉLASSE (PAGE 138) ET LES BANANES AU CARAMEL AUX ÉPICES ET AU RHUM (PAGE 24)

crèmes et glaces

CRÈMES AROMATISÉES

Elles ont de nombreux usages. Servez-les avec des salades de fruits, tartes, fruits rôtis et entremets chauds, ou garnissez-en des fonds de tartelette, des biscuits au cognac ou des Cornets aux fruits rouges en pâte filo (page 152). Les portions dépendent de l'usage auquel vous les destinez. Moulées en quenelles, les crèmes sont particulièrement appétissantes.

Former des quenelles ovales

1 Posez un film plastique sur une assiette en le tendant parfaitement d'un bord à l'autre. Tapotez la jatte de crème sur la table pour en chasser toutes les bulles d'air. Trempez une cuillère à dessert dans un bol d'eau bouillante pour la chauffer, essuyez-la, puis trempez-la en biais dans la crème et ressortez-la en tournant pour former une quenelle ovale.

2 Essuyez le bord de la cuillère sur le côté de la jatte, puis frottez le fond de la cuillère avec la paume de la main pour la chauffer légèrement.

3 Déposez la quenelle sur le film plastique. Faites autant de quenelles que nécessaire, puis mettez au réfrigérateur jusqu'à usage. Vous pouvez également présenter mousses, glaces et sorbets en quenelles.

Note : pour obtenir un aspect luisant, n'essuyez pas la cuillère après l'avoir trempée.

Crème Chantilly

Crème de base par excellence, c'est une simple crème fouettée légèrement sucrée. Pour l'empêcher de tourner, incorporez, avant de la fouetter, 2 cuil. à soupe de lait et 1 ou 2 cuil. à soupe de sucre en poudre pour 30 cl de crème liquide. Pour obtenir un bon résultat, mettez au préalable la jatte et les batteurs au réfrigérateur, la crème devant également être très froide. Posez la jatte sur un torchon humide, pour qu'elle reste stable. Si vous fouettez la crème avec un batteur électrique, la vitesse doit être très lente quand elle commence à épaissir, pour qu'elle ne tourne pas d'un coup. Il vaut mieux battre la crème au dernier moment ou 10 min avant de servir.

Crème fraîche aromatisée

Pour aromatiser de la crème fraîche, fouettez-la, puis incorporez du Sirop de base (page 200) à la citronnelle, à la vanille ou aux épices (page 10), à raison de 2 cuil. à soupe pour 20 cl de crème. La crème fraîche à la citronnelle est délicieuse avec la tarte à la mélasse ; la crème fraîche aux épices se marie bien avec un Christmas pudding ou un « mince pie ». Vous pouvez aussi fouetter la crème avec un peu de sirop de gingembre et la servir avec des fruits rôtis chauds.

Crème aux framboises

Servez en dessert, dans de jolis verres à liqueur à pied, couronné de quelques baies rouges. Vous pouvez aussi garnir de cette crème plusieurs couches de pâte feuilletée poudrée de sucre, comme un mille-feuille, ou des cornets en pâte filo. Pour donner un goût plus fruité à la crème, ajoutez des framboises écrasées.

POUR 6 À 8 PERSONNES
200 g de framboises
un filet de jus de citron
1 à 2 cuil. à soupe de sucre glace, tamisé (facultatif)
30 cl de crème fraîche, très froide

1 Réduisez les framboises en purée au mixeur ou au blender. Ajoutez le jus de citron et, éventuellement, le sucre glace. Passez la purée dans une jatte à travers une passoire, en appuyant avec le dos d'une louche. Couvrez et mettez au réfrigérateur.
2 Au moment de servir, fouettez la crème, puis incorporez la purée de framboises. Le mélange épaissit aussitôt (c'est pourquoi il faut procéder au dernier moment).

Crème aux fruits de la Passion

Le concentré de fruits de la Passion que nous utilisons au restaurant pour confectionner cette crème très parfumée est réservé aux professionnels. Préparez-le vous-même en faisant longuement bouillir le jus de nombreux fruits, pour en concentrer l'arôme. Choisissez des fruits de la Passion fripés et qui paraissent blets : ce sont les meilleurs et les plus juteux. Vous trouverez aussi dans le commerce un mélange de jus d'orange frais et de jus de fruit de la Passion. Vous obtiendrez le même parfum en le portant à ébullition.

POUR 6 À 8 PERSONNES
8 fruits de la Passion bien mûrs
150 g de mascarpone
15 cl de crème liquide
2 à 3 cuil. à soupe de sucre glace

1 Coupez les fruits de la Passion en deux. Prélevez la pulpe et les graines. Mixez-les à vitesse rapide, au robot ou au blender, en raclant souvent les parois. C'est la pectine contenue dans les graines qui fera épaissir la crème.
2 Faites bouillir la purée de fruits de la Passion dans une petite casserole environ 5 min, jusqu'à ce qu'elle ait réduit de moitié. Passez à travers une passoire, en appuyant avec le dos d'une petite louche. Laissez refroidir, couvrez et mettez au réfrigérateur.
3 Dans une jatte, mélangez le jus de fruit de la Passion et le mascarpone. Dans une autre jatte, fouettez la crème avec le sucre glace. Incorporez-la au mélange précédent. Mettez au réfrigérateur avant de servir.

SERVEZ LES CRÈMES AUX FRUITS DANS DES PETITS VERRES À PIED, AVEC DES LANGUES-DE-CHAT (PAGE 173) OU D'AUTRES BISCUITS DE DESSERT, OU DANS DES CORNETS AUX FRUITS ROUGES EN PÂTE FILO (PAGE 152)

Crème à la pistache

POUR 4 À 6 PERSONNES
125 g de pistaches décortiquées, non salées
3 cuil. à soupe de Sirop de base (page 200)
30 cl de crème fraîche

LES FRUITS RÔTIS, COMME LES TRANCHES
DE MANGUE CARAMÉLISÉES (PAGE 42),
SONT DÉLICIEUX AVEC UNE GÉNÉREUSE
CUILLERÉE DE CRÈME À LA PISTACHE
(COMME ILLUSTRÉ)

La pâte de pistache que nous utilisons au restaurant est réservée aux professionnels. Remplacez-la par des pistaches décortiquées, que vous écraserez dans un moulin à café électrique, avant de les mélanger avec du sirop de base.

1 Nettoyez soigneusement le moulin électrique avec un tampon de papier absorbant, pour ôter toutes traces de café. Écrasez finement les pistaches, en actionnant l'appareil deux ou trois fois, jusqu'à ce qu'elles soient presque réduites en pâte.
2 Versez la pâte de pistache dans un mixer ou un blender. Ajoutez le sirop et mixez jusqu'à obtention d'un mélange uniforme.
3 Fouettez la crème dans une jatte. Incorporez-la au mélange précédent. Mettez au réfrigérateur avant de servir.

Crème aux amandes grillées

POUR 6 PERSONNES
75 g d'amandes, blanchies et très finement hachées
15 g de sucre glace, tamisé
30 cl de crème fraîche
2 cuil. à soupe d'amandes en poudre
2 cuil. à soupe de liqueur Amaretto

Cette crème est excellente avec les fruits rôtis (poires, prunes et pêches). Elle est très bonne aussi avec la Tarte Tatin aux poires (page 142).

1 Chauffez les amandes hachées dans une grande poêle à fond épais, en remuant de temps à autre, jusqu'à ce qu'elles commencent à dorer.
2 Saupoudrez-les de sucre glace. En caramélisant, il va exhaler un délicieux parfum. Retirez du feu avant que le sucre devienne trop foncé. Versez les amandes sur une assiette et laissez refroidir complètement, en remuant souvent pour éviter qu'elles ne collent.
3 Fouettez la crème dans une jatte. Incorporez les amandes en poudre, la liqueur, puis le mélange amandes-sucre. Mettez au réfrigérateur avant de servir.

Crème au citron et au citron vert

POUR 4 À 6 PERSONNES
le zeste finement râpé et le jus de 2 gros citrons
le zeste finement râpé et le jus de 3 citrons verts
40 g de sucre en poudre
125 g de mascarpone
15 cl de crème fraîche

1 Mélangez les zestes de citron et de citron vert avec le sucre. Faites bouillir les jus de citron et de citron vert dans une petite casserole, jusqu'à ce qu'il en reste 2 cuil. à soupe environ. Mélangez avec le sucre aromatisé aux zestes d'agrumes et laissez refroidir.
2 Incorporez le mélange précédent, au fouet, au mascarpone.
3 Fouettez la crème et incorporez-la au mascarpone aromatisé. Mettez au réfrigérateur avant de servir.

Cœurs au mascarpone et à la vanille

Les cœurs au fromage blanc classiques sont ici remis au goût du jour. Il vous faut six moules perforés en forme de cœur – vous les trouverez dans les magasins d'ustensiles de cuisine – et de la mousseline humide pour les tapisser. Le mélange onctueux des trois crèmes s'égoutte toute la nuit, devenant ainsi encore plus riche et plus exquis. Servez simplement avec des fruits frais et des sablés aux amandes, éventuellement à demi trempés dans du chocolat noir fondu.

POUR 6 PERSONNES

200 g de mascarpone

100 g de fromage blanc, ou de petits-suisses

1 gousse de vanille

150 g de sucre en poudre

150 g de crème fraîche

fruits tendres, tels que fraises, framboises, groseilles rouges ou blanches, pour servir

1 Dans une jatte, battez le mascarpone avec le fromage blanc, ou les petits-suisses, jusqu'à obtention d'un mélange lisse. Fendez la gousse de vanille dans la longueur et raclez les graines dans le mélange. Ajoutez le sucre et battez bien.

2 Dans une autre jatte, fouettez la crème fraîche jusqu'à ce qu'elle double de volume. Incorporez-la au mélange précédent.

3 Tapissez 6 cœurs en porcelaine de mousseline humide, en la laissant dépasser. Garnissez-les de crème à la vanille et égalisez à la spatule. Mettez au réfrigérateur au moins 24 h.

4 Démoulez les cœurs sur des assiettes. Retirez la mousseline. Servez avec un assortiment de fruits d'été tendres et des biscuits croquants.

LES SABLÉS AUX NOISETTES (PAGE 172) ACCOMPAGNENT PARFAITEMENT CES CRÈMES ONCTUEUSES

Crème à l'orange et à la cardamome

Une crème aromatisée parfaite pour accompagner des entremets chauds aux fruits d'hiver. Elle est aussi délicieuse avec un Christmas pudding ou un « mince pie ». Pour obtenir un parfum plus prononcé, écrasez les gousses de cardamome avant de les utiliser.

POUR 6 PERSONNES

2 grosses oranges

1 citron

4 gousses de cardamome

2 cuil. à soupe de sucre glace

30 cl de crème fraîche

1 cuil. à soupe de Grand Marnier ou de Cointreau

1 Râpez le zeste de 1 orange et du citron. Pressez le jus des 3 fruits. Mettez le zeste et le jus dans une petite casserole avec les gousses de cardamome et le sucre. Portez à ébullition et laissez réduire de moitié. Laissez refroidir.

2 Lorsque le jus est froid, passez-le dans une petite jatte à travers une passoire, en pressant avec le dos d'une cuillère. Jetez les gousses de cardamome.

3 Fouettez la crème dans une jatte, jusqu'à ce qu'elle ait doublé de volume, puis incorporez le jus d'agrumes et la liqueur Mettez au réfrigérateur avant de servir.

GLACES

Au restaurant, nous avons toujours un grand choix de glaces en réserve, car elles accompagnent la plupart de mes desserts. La base des glaces maison est la crème anglaise, bien que je la remplace parfois par de la pâte à bombe. Pour bien les réussir, il faut obtenir une texture parfaitement lisse. Une sorbetière électrique, que vous placerez dans le congélateur pour tourner la crème anglaise donnera le meilleur résultat. Il est important de prévoir une quantité suffisante de crème – les proportions indiquées pour la Glace à la vanille classique (page ci-contre) sont le double de celles de la recette de la Crème anglaise (page 193) – pour pouvoir la battre correctement. Lorsque la glace est presque prise, vous pouvez la transférer dans un récipient adéquat et la mettre au congélateur.

Si vous n'avez pas de sorbetière électrique, vous pouvez faire prendre le mélange dans un récipient peu profond, mais dans ce cas, vous devrez le battre au moins trois fois pendant la congélation. Cette opération permet de briser les cristaux de glace : plus vous battrez le mélange à demi pris, plus la crème sera lisse.

La glace absorbant facilement les odeurs des autres aliments, assurez-vous que les récipients sont hermétiques. Pour qu'elle garde tout son parfum, une glace maison doit être consommée dès qu'elle est prise, ou au plus tard dans la semaine. Si vous la laissez un certain temps au congélateur, faites-la ramollir 10 min à température ambiante avant de servir.

Glace à la vanille classique

Une bonne glace à la vanille se reconnaît à sa couleur jaune pâle
et à ses minuscules graines noires.

1 Préparez la crème anglaise (en suivant la méthode indiquée
page 193). Refroidissez-la rapidement dans une jatte d'eau glacée
et mettez au réfrigérateur.

2 Lorsqu'elle est bien froide, versez la crème anglaise dans une
sorbetière. Placez au congélateur et actionnez l'appareil.

3 Quand la glace est presque prise, versez-la dans un récipient spécial
pour congélateur, fermez hermétiquement et mettez au congélateur
jusqu'à usage. Si vous n'avez pas de sorbetière, faites prendre la crème
dans un récipient peu profond, en battant plusieurs fois pendant la
congélation (voir page ci-contre).

4 La glace sera meilleure si vous n'attendez pas plus d'une semaine
pour la servir. Laissez-la légèrement perdre consistance 10 min
à température ambiante avant de servir.

POUR 1,20 L ENVIRON
CRÈME ANGLAISE :
12 jaunes d'œufs
100 g de sucre en poudre
2 ou 3 gousses de vanille
50 cl de lait (UHT de préférence)
50 cl de crème fraîche

Variantes de la glace à la vanille

GLACE À LA CARDAMOME Elle est délicieuse. Préparez une Glace à la vanille classique (page 57), en remplaçant la vanille par 1 cuil. à soupe de gousses de cardamome.

Pour un parfum plus corsé, vous pouvez ouvrir 6 à 8 gousses de cardamome, en extraire les petites graines noires et les ajouter au lait et à la crème avec les gousses vide. Dans ce cas, passez la crème après refroidissement.

GLACE AU GINGEMBRE C'est la glace de prédilection des inconditionnels du gingembre. Préparez une Glace à la vanille classique (page 57), en remplaçant la vanille par un cube de racine de gingembre frais de 3 cm, pelé et râpé. Pour un parfum plus corsé, incorporez 2 morceaux de gingembre au sirop (égoutté) ou de gingembre confit, finement hachés, à la crème, après refroidissement.

GLACE AU RHUM ET AUX RAISINS SECS faites prendre de la Glace à la vanille classique (page 57) ou de la Glace à la cardamome (ci-dessus) jusqu'à ce qu'elle soit presque prise. Ajoutez 6 à 8 cuil. à soupe de Fruits macérés (page 13) et continuez à battre jusqu'à ce que la glace soit ferme. Vous pouvez aussi incorporer les fruits dans la glace ramollie.

GLACE AU BAILEYS Ajoutez 20 cl de liqueur Baileys à la Glace à la vanille classique (page 57) avant de la faire prendre. Servez en boules, arrosées de Baileys.

GLACE À LA LAVANDE FRAÎCHE Les fleurs fraîches nécessaires pour cette glace parfumée apparaissent en fin d'été. Préparez une Glace à la vanille classique (page 57), en remplaçant la vanille par 50 g de fleurs fraîches de lavande, que vous ferez infuser dans le mélange de crème et de lait bouillant. Passez la crème après refroidissement.

GLACE À LA FRAISE Préparez une Crème anglaise (page 193) et refroidissez. Équeutez 500 g de fraises bien mûres et réduisez-les en purée au mixeur ou au blender. Versez la purée de fraises dans une casserole à fond épais et faites bouillir 12 à 15 min, jusqu'à ce qu'elle ait réduit de moitié, pour concentrer le parfum. Laissez refroidir. Passez pour éliminer les graines. Incorporez dans la crème anglaise froide et continuez comme pour la Glace à la vanille classique (page 57).

GLACE AUX PÉPITES DE CHOCOLAT Battez une Glace à la vanille classique (page 57) jusqu'à ce qu'elle soit presque prise. Hachez finement 150 g de chocolat noir, ajoutez-le à la glace et continuez à battre jusqu'à ce qu'elle soit ferme.

Glace à l'eau de fleur d'oranger

Nous n'utilisons pas assez souvent l'eau de fleur d'oranger et c'est dommage, car quelques gouttes suffisent à transformer la plus simple recette en dessert inoubliable – comme cette glace. Au restaurant, nous la servons sur de la gelée à l'orange, mais elle se marie merveilleusement avec les fraises, les framboises ou encore avec une tarte aux pommes chaudes et les Tartelettes à la mélasse (page 138).

1 Mettez la crème et le lait dans une casserole à fond épais avec 1 cuil. à soupe de sucre et portez lentement à ébullition.

2 Pendant ce temps, battez le reste du sucre avec les jaunes d'œufs dans une grande jatte, au batteur électrique, jusqu'à ce qu'ils deviennent pâles et mousseux.

3 Quand le lait commence à monter, versez-en un tiers, par petite quantité, sur les jaunes, en fouettant constamment.

4 Versez le mélange dans la casserole et laissez cuire à feu très doux, en remuant constamment, jusqu'à ce que la crème nappe le dos d'une cuillère en bois. Vous pouvez aussi utiliser un thermomètre à sucre : il doit indiquer 82 °C.

5 Passez la crème dans une jatte à travers une passoire fine et laissez refroidir, en remuant de temps à autre pour éviter la formation d'une peau.

6 Quand la crème est froide, ajoutez quelques gouttes d'eau de fleur d'oranger et goûtez. Ajoutez-en si nécessaire – une glace doit être plus parfumée qu'un mets à température ambiante.

7 Battez dans la sorbetière jusqu'à ce que la crème soit presque prise, puis transférez-la dans un récipient adéquat. Fermez hermétiquement et mettez au congélateur. Si vous n'avez pas de sorbetière, faites prendre dans un récipient peu profond, en battant pendant la congélation (voir page 56).

8 Pour un parfum optimum, consommez la glace dans la semaine. Laissez ramollir 10 à 15 min à température ambiante avant de servir. Au restaurant, nous congelons des petites boules de cette glace sur des feuilles de papier cuisson, afin de pouvoir les servir rapidement.

POUR 60 CL ENVIRON
25 cl de crème fraîche
25 cl de lait
75 g de sucre en poudre
5 jaunes d'œufs
quelques gouttes d'eau de fleur d'oranger, à votre goût

SERVEZ EN BOULES SUR DE LA GELÉE À L'ORANGE SANGUINE (PAGE 32), AVEC UN FILET DE COULIS DE FRUIT DE LA PASSION (PAGE 11) ET UN FINANCIER (PAGE 173)

Glace au chocolat et au thym

La pâte à bombe donne une texture légère à cette glace et le thym lui confère un parfum étonnant. Le chocolat doit être d'excellente qualité.

1 Préparez la pâte à bombe et réservez.

2 Mettez le lait et le sucre dans une casserole et portez lentement à ébullition. Retirez du feu, ajoutez le thym et laissez infuser 20 min. Passez à travers une passoire. Jetez le thym.

3 Cassez le chocolat en morceaux et mettez-le dans une grande jatte supportant la chaleur. Chauffez la crème jusqu'à frémissement, puis versez-la lentement sur le chocolat, en remuant bien jusqu'à ce qu'il soit fondu. Incorporez la préparation, au fouet, au lait aromatisé et laissez refroidir à température ambiante.

4 Ajoutez la pâte à bombe au mélange de chocolat refroidi. Versez dans la sorbetière et procédez comme pour la Glace à la vanille classique (page 57).

POUR 1,20 L ENVIRON

35 à 40 cl de Pâte à bombe (page 198)

25 cl de lait

50 g de sucre en poudre

4 ou 5 gros brins de thym frais

200 g de chocolat noir (au moins 60 % de cacao)

25 cl de crème fraîche

DÉLICIEUSE TELLE QUELLE, OU AVEC UN CHOIX D'AUTRES GLACES : À LA VANILLE (PAGE 57), AUX PRUNEAUX À L'ARMAGNAC (PAGE 63) OU AUX PÉPITES DE CHOCOLAT (PAGE 58), COMME ILLUSTRÉ PAGE CI-CONTRE

Glace à l'angélique

Si vous avez de l'angélique dans votre jardin, essayez cette glace originale. L'angélique est toujours associée avec les glaces plombières et les décorations de gâteaux, mais saviez-vous que cette herbe ancienne constitue le principal parfum de la Chartreuse verte ?

1 Préparez la pâte à bombe et réservez.

2 Mettez le lait et la crème dans une casserole. Ajoutez l'angélique hachée et le sucre et portez lentement à ébullition. Retirez du feu et laissez infuser 20 à 30 min. Passez à travers une passoire et jetez l'angélique. Laissez refroidir.

3 Mélangez la pâte à bombe avec le lait aromatisé. Si vous utilisez de l'angélique confite, lavez-la, pour retirer l'excès de sucre, séchez-la et hachez-la finement.

4 Battez le mélange dans une sorbetière comme pour la Glace à la vanille classique (page 57), en ajoutant éventuellement l'angélique confite quand la glace est presque prise. Continuez comme pour la glace à la vanille.

Note : si vous ne trouvez pas d'angélique fraîche, faites infuser 100 g d'angélique confite dans le lait.

POUR 1,20 L ENVIRON

35 à 40 cl de Pâte à bombe (page 198)

25 cl de lait

25 cl de crème fraîche

50 g de tiges d'angélique fraîche, hachées (voir note)

50 g de sucre en poudre

25 g d'angélique confite (facultatif)

CETTE GLACE EST EXCELLENTE AVEC DE L'ANANAS FRAIS ET DES KIWIS

Glace à la réglisse

POUR 60 CL ENVIRON

35 cl de lait

12 cl de crème fraîche

2 petites racines de réglisse,
   ou 50 g de pastilles de réglisse

8 jaunes d'œufs

40 g de sucre roux

40 g de sucre en poudre

La réglisse a retrouvé la faveur des cuisiniers depuis qu'il est possible d'acheter des racines séchées dans les boutiques de produits diététiques. Le goût délicieux de cette glace compense largement sa couleur. À défaut de racines de réglisse, prenez des pastilles ou de l'extrait de réglisse.

1 Mettez le lait, la crème et la réglisse dans une casserole à fond épais et portez lentement à ébullition. Si vous utilisez des pastilles, remuez jusqu'à ce qu'elles soient fondues. Laissez les racines infuser 30 min.

2 Pendant ce temps, battez les jaunes d'œufs avec les deux sucres dans une jatte, jusqu'à ce que le mélange soit épais et mousseux. Portez de nouveau le lait à ébullition, puis versez-en un tiers sur le mélange précédent, peu à peu, en fouettant constamment.

3 Versez le mélange dans la casserole, en le passant à travers une passoire, et tournez 5 à 7 min sur feu très doux, jusqu'à ce que la crème commence à épaissir. Ne laissez pas bouillir, car elle tournerait. Passez un doigt sur le dos de la cuillère en bois : s'il laisse une empreinte, la crème est prête.

4 Versez la crème dans une jatte froide et laissez refroidir, en remuant de temps à autre pour éviter la formation d'une peau. Mettez au réfrigérateur.

5 Versez dans la sorbetière et procédez comme pour la Glace à la vanille classique (page 57). Laissez ramollir 10 à 15 min à température ambiante avant de servir, en formant des boules ou en raclant des copeaux avec une grande cuillère en métal.

Glace aux pruneaux et à l'armagnac

Ces pruneaux pouvant avoir divers usages, préparez-en le double et gardez-les au réfrigérateur, dans un bocal à couvercle à vis.

1 Préparez les pruneaux : dénoyautez-les et hachez-les en morceaux de la grosseur d'un raisin sec. Mettez-les dans une casserole avec l'armagnac, le sucre et l'eau. Fendez la gousse de vanille et raclez les graines dans la casserole ; réservez la gousse.
2 Portez le mélange à ébullition. Retirez du feu et laissez infuser 24 h. Versez dans un bocal à couvercle à vis. Mettez au réfrigérateur.
3 Pour la glace, faites la pâte à bombe et réservez. Dans une casserole, portez à ébullition le lait, la crème et la gousse de vanille. Retirez du feu et laissez infuser jusqu'à refroidissement. Jetez la vanille, puis incorporez le lait, au fouet, à la pâte à bombe. Mettez au réfrigérateur.
4 Procédez comme pour la Glace à la vanille classique (page 57), en ajoutant les pruneaux et leur liquide de macération quand la glace commence à épaissir. Continuez à battre jusqu'à ce qu'elle soit ferme et mettez au congélateur.

POUR 1,20 L ENVIRON
125 g de pruneaux d'Agen moelleux
12 cl d'armagnac
3 cuil. à soupe de sucre en poudre
2 cuil. à soupe d'eau
1 gousse de vanille
GLACE :
35 à 40 cl de Pâte à bombe (page 198)
12 cl de lait
12 cl de crème fraîche

DÉLICIEUX ACCOMPAGNEMENT POUR LES ENTREMETS AUX FRUITS, LA TARTE AUX POMMES ET LE CHRISTMAS PUDDING

Glace à la banane

La glace à la banane maison est succulente, en particulier avec des salades de fruits chauds, des crumbles et des tartes aux pommes.

1 Mettez la crème, le lait, le sel et 2 cuil. à soupe de sucre dans une casserole à parois non adhésives sur feu très doux. Ajoutez les bananes coupées en rondelles. Portez à ébullition et laissez frémir 10 à 15 min. Pendant la cuisson, écrasez les bananes à la fourchette.
2 Battez le reste du sucre avec les jaunes d'œufs dans une grande jatte résistant à la chaleur, jusqu'à ce que le mélange soit épais et crémeux.
3 Passez le lait dans une jatte à travers une passoire. Versez-le sur les œufs, en fouettant bien. Transférez le mélange dans la casserole. Laissez cuire à feu très doux, en remuant avec une cuillère en bois, 5 à 10 min, jusqu'à ce que le mélange épaississe. Ne laissez pas bouillir, car il tournerait. Passez un doigt sur le dos de la cuillère en bois : s'il y laisse une empreinte, la crème est prête. Passez dans une jatte.
4 Laissez refroidir, en remuant souvent, pour éviter la formation d'une peau, couvrez et mettez au réfrigérateur. Procédez comme pour la Glace à la vanille classique (page 57).

POUR 1 L ENVIRON
30 cl de crème fraîche
35 cl de lait
$\frac{1}{4}$ de cuil. à café de sel fin
130 g de sucre en poudre
4 grosses bananes bien mûres
5 jaunes d'œufs

CETTE GLACE RICHE ET CRÉMEUSE EST EXCELLENTE AVEC DES TRANCHES D'ANANAS FRAIS ET DE KIWI

PARFAITS

Les parfaits sont le dessert idéal pour recevoir : ils peuvent être congelés longtemps à l'avance – dans un grand moule ou dans des moules individuels – et servis quelques minutes après leur sortie du congélateur. Démoulez le parfait entier encore congelé et coupez-le en tranches aussitôt. Au restaurant, nous utilisons toutes sortes de moules décoratifs pour les parfaits individuels, tels les pyramides ou les cubes, mais les moules à dariole à l'ancienne conviennent aussi bien. (Vous pouvez même prendre des petits pots à yaourt.) Après congélation, les parfaits peuvent être démoulés, puis enveloppés dans un film plastique et conservés au congélateur jusqu'à un mois. Laissez les grands parfaits ramollir 5 à 10 min à température ambiante avant de les trancher.

Note : certains de ces parfaits contiennent du blanc d'œuf cru. Ils sont déconseillés aux personnes fragiles (risque de salmonellose).

Semifreddo à la fraise et à la vanille

POUR 6 À 8 PERSONNES
35 à 40 cl de Pâte à bombe (page 198)
250 g de fraises, équeutées
125 g de groseilles rouges, égrenées
20 cl de crème fraîche
1 gousse de vanille

C'est un parfait très simple – de la purée de fruits crus mélangée à de la pâte à bombe et de la crème fouettée. Faites-le de préférence avec les fraises de votre jardin : des fruits parfumés sont indispensables pour les desserts glacés. Servez le parfait en tranches, avec quelques fraises des bois ou un mélange de baies rouges, et arrosé de coulis de fruit.

1 Préparez la pâte à bombe. Réduisez les fraises et les groseilles en purée au mixer ou au blender. Passez, éventuellement, pour éliminer les graines. Incorporez la purée à la pâte à bombe. Couvrez et mettez au réfrigérateur 1 h.
2 Versez la crème dans une jatte. Fendez la gousse de vanille et raclez les graines dans la crème. Fouettez la crème aux trois quarts, de façon qu'elle soit mousseuse mais pas ferme.
3 Incorporez la crème à la vanille au mélange de fraises. Versez la préparation dans un moule de 1,20 l ou dans des moules individuels et mettez au congélateur.
4 Pour démouler un grand parfait, trempez le moule quelques secondes dans de l'eau chaude, puis renversez-le sur une planche. Laissez-le ramollir de 5 à 10 min à température ambiante avant de le trancher. Démoulez les parfaits individuels directement sur les assiettes de service.

SERVEZ AVEC DES BAIES ROUGES ET DU COULIS DE CASSIS (PAGE 12), POUR DÉCORER

Parfait au nougat

Le nougat, associé à la ville de Montélimar, est apprécié depuis des siècles dans la région méditerranéenne. C'est une friandise à base de miel, sucre et blanc d'œuf, auxquels on ajoute des fruits confits et des amandes hachées. Sur ce thème, nous mélangeons la pâte à bombe, la meringue et la crème fouettée à la nougatine et aux fruits confits, pour créer un parfait glacé crémeux et fondant. C'est un excellent dessert pour la période de Noël, époque où les fruits confits de toutes sortes abondent dans les magasins. Ce parfait est spectaculaire, surtout si vous le servez avec une sauce à la mangue et à la menthe fraîche – l'une de mes préférées.

1 Préparez la nougatine : mettez le sucre et l'eau dans une casserole à fond épais et laissez dissoudre le sucre à feu doux, en remuant de temps à autre à la cuillère en bois, jusqu'à ce que le sirop soit limpide. Montez le feu et faites cuire environ 7 min, jusqu'à ce que le sirop prenne la couleur du caramel blond. Retirez du feu et incorporez les noisettes. Versez aussitôt sur une plaque non adhésive, étalez et laissez refroidir.

2 Préparez la pâte à bombe pour le parfait et réservez.

3 Quand la nougatine est froide et croquante, cassez-la en petits morceaux et écrasez-la avec un rouleau à pâtisserie. Lavez les fruits confits à l'eau chaude pour retirer l'excès de sucre. Égouttez-les, séchez-les, puis hachez-les en morceaux de 1 cm.

4 Mettez la crème dans une jatte et fouettez-la aux trois quarts : elle doit rester assez molle. Dans une autre jatte, fouettez les blancs en neige avec le jus de citron, puis ajoutez le sucre peu à peu, tout en fouettant, pour obtenir une pâte à meringue ferme et brillante.

5 Mélangez la pâte à bombe avec la crème fouettée, puis incorporez le mélange à la meringue. Ajoutez la nougatine, les fruits confits, les raisins secs et les pistaches. Versez dans un moule de 1,20 l ou dans des moules individuels et faites prendre au congélateur.

6 Pour démouler le parfait, trempez le moule quelques secondes dans de l'eau chaude et retournez-le sur un plat. Laissez-le ramollir de 5 à 10 min avant de le trancher.

POUR 6 À 8 PERSONNES

NOUGATINE :

150 g de sucre en poudre

3 cuil. à soupe d'eau

2 cuil. à soupe de noisettes

PARFAIT :

35 à 40 cl de Pâte à bombe (page 198)

30 cl de crème fraîche

2 blancs d'œufs

un filet de jus de citron

80 g de sucre en poudre

FRUITS ET FRUITS SECS :

100 g de fruits confits, tels que tranches d'orange, angélique et ananas

3 cuil. à soupe de raisins secs

40 g de pistaches non salées, grossièrement hachées

SUCCULENT AVEC DE LA SAUCE À LA MANGUE ET À LA MENTHE (PAGE 12)

Parfait aux marrons

POUR 6 À 8 PERSONNES
35 à 40 cl de Pâte à bombe (page 198)

200 g de purée de marrons sucrée

50 g de sucre roux

2 cuil. à soupe de crème de châtaigne (liqueur de marron), ou de rhum

30 cl de crème fraîche, légèrement fouettée

4 marrons glacés, hachés (facultatif)

DÉLICIEUX AVEC DES FIGUES NOIRES RÔTIES, SIROP ÉPICÉ AU VINAIGRE BALSAMIQUE (PAGE 42), UNE TARTE AUX POMMES OU UN CHRISTMAS PUDDING

Si vous aimez les glaces aux fruits secs, essayez celle-ci. À défaut de crème de châtaigne (liqueur de marron), utilisez un bon rhum ambré.

1 Préparez la pâte à bombe. Réservez au réfrigérateur.

2 Mixez la purée de marrons, au mixer ou au blender, avec le sucre et la liqueur, ou le rhum, jusqu'à ce qu'elle soit crémeuse et bien lisse. Fouettez légèrement la crème dans une jatte, jusqu'à ce qu'elle double de volume.

3 Incorporez délicatement la purée de marrons à la pâte à bombe. Ajoutez la crème fouettée et, éventuellement, les marrons glacés hachés. Versez dans un moule de 1 l et faites prendre au congélateur.

4 Pour démouler le parfait, trempez le moule quelques secondes dans de l'eau chaude, puis renversez-le sur une planche. Laissez-le ramollir 5 à 10 min à température ambiante avant de servir. Coupez-le en tranches.

Parfait au citron vert et au thé au jasmin

POUR 6 À 8 PERSONNES

30 cl de crème fraîche

5 g de feuilles de thé au jasmin

125 g de sucre en poudre

35 à 40 cl de Pâte à bombe (page 198)

le jus de 4 citrons verts

4 cuil. à soupe de jus d'ananas

2 blancs d'œufs

1 cuil. à café de jus de citron

Le parfum léger de ce parfait se marie merveilleusement avec les fruits de l'été, pêches, nectarines et baies rouges.

1 Mettez la moitié de la crème dans une casserole avec le thé et 25 g de sucre. Portez à ébullition, en remuant. Versez dans une jatte et laissez refroidir. Mettez au réfrigérateur 24 h. Passez dans une autre jatte à travers un chinois.

2 Préparez la pâte à bombe et réservez. Dans une petite casserole, faites réduire de moitié les jus de citron vert et d'ananas. Laissez refroidir, puis incorporez à la pâte à bombe avec la crème au thé.

3 Battez les blancs d'œufs en neige avec le jus de citron, puis ajoutez peu à peu le reste du sucre, tout en fouettant, pour obtenir une pâte à meringue ferme et luisante. Incorporez-la au mélange précédent.

4 Fouettez le reste de la crème jusqu'à ce qu'elle commence à épaissir, puis ajoutez-la délicatement au mélange. Versez dans un moule de 1 l et faites prendre au congélateur.

5 Pour démouler, trempez dans de l'eau chaude et renversez sur une planche. Laissez le parfait ramollir 5 à 10 min à température ambiante avant de servir. Coupez-le en tranches.

Parfait à la mangue et au fruit de la Passion

Les mangues sucrées et parfumées sont une merveille. On en trouve aujourd'hui toute l'année, en provenance des pays exotiques. Au cœur de l'été, les mangues indiennes sont les plus parfumées – la variété Alphonso est certainement la meilleure. Procurez-vous en dans les boutiques de produits asiatiques. Pour rehausser leur parfum, j'ajoute du jus de fruit de la Passion frais.

1 Préparez la pâte à bombe et réservez.

2 Pelez les mangues et détachez la chair du noyau – vous devriez en obtenir environ 350 g. Hachez-la grossièrement et mettez-la dans le bol d'un robot.

3 Partagez les fruits de la Passion en deux et mettez la pulpe dans le bol du robot. Mixez pour obtenir une purée lisse, en raclant les parois une ou deux fois. Passez la pulpe de fruits dans une jatte à travers une passoire fine, couvrez et mettez au réfrigérateur.

4 Dans une jatte, battez les blancs d'œufs en neige molle avec le jus de citron, puis ajoutez le sucre peu à peu, tout en fouettant, pour obtenir une pâte à meringue ferme et luisante. Dans une autre jatte, fouettez la crème jusqu'à ce qu'elle soit mousseuse.

5 Incorporez la pulpe de fruits bien froide à la pâte à bombe, puis ajoutez délicatement ce mélange à la meringue. Incorporez la crème fouettée.

6 Versez dans un moule de 1,2 l ou dans 8 à 10 moules individuels, tels que darioles ou ramequins. Faites prendre au congélateur.

7 Pour démouler le grand parfait, trempez le moule quelques secondes dans de l'eau chaude et retournez-le sur une planche. Laissez ramollir le parfait de 5 à 10 min avant de le trancher. Démoulez les moules individuels directement sur les assiettes.

POUR 8 PERSONNES

35 à 40 cl de Pâte à bombe (page 198)

2 grosses mangues bien mûres

3 fruits de la Passion bien mûrs, ridés

2 blancs d'œufs

un petit filet de jus de citron

100 g de sucre en poudre

25 cl de crème fraîche

ENTOUREZ DE COULIS DE FRAISE, DE KIWI OU DE FRAMBOISE (PAGE 12). DÉLICIEUX AVEC DES TUILES AUX AMANDES OU AUX NOISETTES (PAGE 170) OU DES LANGUES-DE-CHAT (PAGE 173)

Parfait aux pêches blanches

Faites ce parfait délicieusement rafraîchissant au cœur de l'été,
à la pleine saison des pêches blanches. Hors saison, vous pouvez les
remplacer par d'autres pêches juteuses ou par des nectarines.

1 Préparez la pâte à bombe et réservez. Préparez le sirop de base
et ajoutez les feuilles de basilic pendant qu'il est bouillant. Laissez
infuser 30 min environ, jusqu'à ce que le sirop soit froid. Passez-le.
2 Pendant que le sirop refroidit, plongez les pêches dans de l'eau
bouillante 30 s, puis mettez-les dans de l'eau glacée. Pelez-les, puis
partagez-les en deux et dénoyautez-les.
3 Pochez les demi-pêches dans le sirop sur feu doux 10 min, puis
égouttez-les (conservez le sirop : vous pourrez le réutiliser). Réduisez
les pêches en purée au mixer ou au blender. Versez la purée dans une
jatte et incorporez la crème de pêche.
4 Dans une autre jatte, fouettez les blancs d'œufs en neige molle avec
le jus de citron, puis ajoutez le sucre peu à peu, en fouettant sans arrêt,
pour obtenir une pâte à meringue ferme et luisante.
5 Fouettez la crème de façon qu'elle soit mousseuse, puis incorporez-la
à la purée de pêche avec la meringue.
6 Versez la préparation dans un moule de 1,2 l ou dans 8 à 10 moules
individuels, tels que darioles ou ramequins. Faites prendre au
congélateur.
7 Pour démouler le grand parfait, trempez le moule quelques secondes
dans de l'eau chaude et retournez-le sur une planche. Laissez ramollir
le parfait de 5 à 10 min avant de le trancher. Démoulez les moules
individuels directement sur les assiettes.
Entourez de tranches de pêche séchées au four et couronnez,
éventuellement, de feuilles de basilic cristallisées (voir ci-dessous).

FEUILLES CRISTALLISÉES Trempez des petites feuilles de basilic,
de menthe ou de coriandre dans un blanc d'œuf légèrement battu,
puis poudrez-les généreusement de sucre cristallisé. Posez-les sur
un plat tapissé de papier cuisson et laissez sécher toute la nuit dans
un endroit sec et chaud.

POUR 8 À 10 PERSONNES
35 à 40 cl de Pâte à bombe (page 198)
50 cl de Sirop de base (page 200)
6 grandes feuilles de basilic
4 grosses pêches blanches
1 cuil. à soupe de crème de pêche
2 blancs d'œufs
un filet de jus de citron
100 g de sucre en poudre
15 cl de crème fraîche
POUR SERVIR (FACULTATIF) :
feuilles de basilic cristallisées (voir ci-contre)
tranches de pêche séchées au four (page 46)

EXCELLENT AVEC DES PÊCHES RÔTIES,
SAUCE CARAMEL À L'ORANGE (PAGE 34)

SORBETS

Les sorbets sont des glaces à l'eau à la texture fine, merveilleusement rafraîchissantes. Si vous les confectionnez dans une sorbetière, ils seront encore meilleurs, car ils auront une consistance si lisse que la cuillère les pénétrera sans difficulté. Ils se préparent avec du sirop de base – nature ou aromatisé, selon la recette. Pour préserver son parfum, servez le sorbet une semaine au plus après sa confection. Si vous l'avez préparé à l'avance et gardé au congélateur, laissez-le ramollir environ 10 min à température ambiante avant de le servir, pour qu'il soit plus facile de mouler des boules ou de racler des copeaux à la cuillère.

Sorbet à la fraise

POUR 75 CL ENVIRON
500 g de fraises, équeutées
le jus de 1 gros citron
20 cl d'eau
250 g de sucre en poudre
3 cuil. à soupe de sirop de glucose

Choisissez des fraises bien mûres et parfumées, de pleine saison – de préférence de votre jardin. Le sorbet n'en sera que meilleur, surtout si vous en rehaussez le parfum avec du jus de citron. Servez-le dans de jolis verres, avec, éventuellement, quelques biscuits de votre choix.

1 Mettez les fraises et le jus de citron dans le bol d'un robot et réduisez-les en purée. Versez la purée dans une casserole, portez à ébullition et laissez bouillir jusqu'à ce qu'elle ait réduit de moitié. Laissez tiédir, puis passez la pulpe dans une jatte à travers une passoire, pour éliminer les graines. Laissez refroidir complètement.
2 Pendant ce temps, mettez l'eau, le sucre et le glucose dans une casserole. Chauffez à feu doux, jusqu'à ce que le sucre soit dissous. Portez à ébullition et laissez bouillir 5 min. Laissez refroidir.
3 Ajoutez ce sirop à la purée de fraises et mélangez. Couvrez et mettez au réfrigérateur.
4 Faites prendre en sorbetière jusqu'à ce que le sorbet soit presque pris. Transférez dans un récipient adéquat et mettez au congélateur. À défaut de sorbetière, mettez le mélange à congeler dans un récipient peu profond, en fouettant deux ou trois fois en cours de congélation. Servez en boules ou en copeaux.

Sorbet aux trois melons

Pour que les parfums soient équilibrés, il est nécessaire d'utiliser ces trois variétés de melons. Les fruits doivent être bien mûrs et juteux. Le charentais à chair orange et la grenadine donnent au sorbet une jolie couleur rose.

POUR 2 L ENVIRON

1 melon charentais ou cantaloup bien mûr
1 melon honeydew bien mûr
1 melon galia bien mûr
50 cl d'eau
350 g de sucre en poudre
3 cuil. à soupe de sirop de glucose
le jus de 1 citron
1¹/₂ cuil. à soupe de sirop de grenadine

1 Coupez les 3 melons en deux et éliminez les graines. Détaillez-les en dés, en récupérant le jus, et mixez-les en purée au mixer ou au blender. Versez la purée dans une jatte. (Vous devrez peut-être procéder en plusieurs fois.) Couvrez et mettez au réfrigérateur.
2 Dans une casserole, chauffez à feu doux l'eau, le sucre et le glucose, jusqu'à ce que le sucre soit dissous. Portez à ébullition et laissez bouillir 2 à 3 min. Laissez refroidir. Ajoutez le jus de citron et la grenadine. Mettez au réfrigérateur.
3 Mélangez le sirop à la purée de melon. Faites prendre en sorbetière, jusqu'à ce que le sorbet soit presque pris. Transférez-le dans un récipient adéquat et mettez au congélateur. À défaut de sorbetière, mettez le mélange dans un récipient peu profond, en fouettant deux ou trois fois en cours de congélation. Servez en boules ou en copeaux.

Sorbet à la framboise

On ne se lasse pas de ce sorbet à la superbe couleur pourpre. En saison, les framboises sont excellentes, même celles du marché. Le sirop est concentré, pour rehausser la saveur des fruits.

POUR 1 L ENVIRON

700 g de framboises
le jus de 1 petit citron
30 cl d'eau
200 g de sucre en poudre
3 cuil. à soupe de sirop de glucose

1 Mettez les framboises dans le bol du robot avec le jus de citron. Réduisez-les en purée lisse. Versez la purée dans une jatte, couvrez et mettez au réfrigérateur.
2 Mettez l'eau et le sucre dans une casserole à fond épais. Chauffez à feu doux, jusqu'à ce que le sucre soit dissous. Quand le sirop est limpide, montez le feu et laissez bouillir 5 min. Incorporez le glucose et laissez refroidir.
3 Mélangez le sirop refroidi avec la purée de framboises. Passez dans une jatte, en pressant le mélange avec le dos d'une louche.
4 Faites prendre en sorbetière, puis transférez dans un récipient en plastique rigide et mettez au congélateur. Vous pouvez aussi faire prendre le sorbet dans un récipient peu profond, en le fouettant deux ou trois fois en cours de congélation. Servez en boules ou en copeaux.

Sorbet au fromage blanc

POUR 1 LITRE

35 cl d'eau

225 g de sucre en poudre

3 cuil. à soupe de sirop de glucose

2 cuil. à soupe de jus de citron

250 g de fromage blanc

3 cuil. à soupe de crème fraîche

3 cuil. à soupe de yaourt

3 cuil. à soupe de crème liquide

POUR UN DESSERT LÉGER ET DÉLICIEUX, SERVEZ AVEC UNE SALADE DE FRAISES ÉMINCÉES OU DE KIWIS

Ce sorbet est très rafraîchissant – il fait merveille entre deux plats et est beaucoup plus appétissant que le sorbet au citron trop sucré. Je conseille le fromage frais, mais vous pouvez le remplacer par du mascarpone pour obtenir un sorbet plus crémeux.

1 Mettez l'eau, le sucre et le glucose dans une casserole à feu doux, jusqu'à ce que le sucre soit dissous. Montez le feu et laissez bouillir 3 min. Laissez refroidir. Incorporez le jus de citron. Mettez au réfrigérateur.

2 Dans une jatte, battez le fromage blanc avec la crème fraîche, le yaourt et la crème liquide de façon à obtenir un mélange lisse et crémeux. Couvrez et mettez au réfrigérateur.

3 Avant de faire prendre au congélateur, ajoutez le sirop et mélangez.

4 Faites prendre en sorbetière, puis transférez dans un récipient adéquat et mettez au congélateur. Si vous n'avez pas de sorbetière, faites prendre dans un récipient peu profond, en battant deux ou trois fois en cours de congélation. Servez le sorbet en boules ou en copeaux.

Sorbet à la banane et au fruit de la Passion

POUR 1 L ENVIRON

8 fruits de la Passion bien mûrs

4 grosses bananes bien mûres

1 cuil. à café de zeste de citron râpé

30 cl d'eau

125 g de sucre en poudre

3 cuil. à soupe de sirop de glucose

Ce sorbet est l'un des plus demandés de ma carte. Des fruits très parfumés sont ici la clé de la réussite. Choisissez des fruits de la Passion bien ridés : c'est le signe d'une bonne maturité. Les bananes seront également très mûres – celles à la peau tachetée de brun ont une saveur prononcée.

1 Ouvrez les fruits de la Passion, retirez la pulpe et mettez-la dans une casserole. Chauffez à feu doux. Passez dans une jatte à travers une passoire, en appuyant avec le dos d'une cuillère. Jetez les graines.

2 Écrasez les bananes en purée à la fourchette. Ajoutez la purée de bananes et le zeste de citron au jus des fruits de la Passion. Mélangez.

3 Versez le mélange dans une casserole. Ajoutez l'eau, le sucre et le sirop de glucose. Portez à ébullition en remuant, puis laissez frémir 1 à 2 min. Laissez refroidir, couvrez et mettez au réfrigérateur.

4 Faites prendre en sorbetière jusqu'à ce que le sorbet soit presque pris. Transférez dans un récipient adéquat et mettez au congélateur. Si vous n'avez pas de sorbetière, faites prendre dans un récipient peu profond, en battant deux ou trois fois au cours de la congélation.

5 Servez le sorbet légèrement ramolli, après l'avoir façonné en boules ou en copeaux.

Sorbet à la pomme verte

1 Coupez les pommes en quatre, ôtez le cœur mais ne les pelez pas. Passez les quartiers de pomme dans le jus de citron, pour éviter qu'ils ne s'oxydent. Disposez-les, sur une couche, dans un récipient en plastique et mettez au congélateur au moins 1 h, pour renforcer la couleur.

2 Pendant ce temps, mettez le sucre dans l'eau dans une casserole à fond épais et chauffez à feu doux, jusqu'à ce que le sucre soit dissous. Portez à ébullition et laissez cuire 5 min à feu modéré. Laissez refroidir et ajoutez le sirop de glucose.

3 Mettez les quartiers de pomme dans le bol du robot et mixez-les en fine purée, en ajoutant peu à peu un tiers du sirop et en raclant une ou deux fois les parois du bol.

4 Ajoutez le reste du sirop. Passez dans une jatte à travers une passoire, en appuyant avec le dos d'une louche pour extraire le maximum de jus.

5 Faites prendre en sorbetière jusqu'à ce que le sorbet soit presque pris. Transférez dans un récipient en plastique et conservez au congélateur. Vous pouvez aussi faire prendre en glace dans un récipient peu profond, en fouettant deux ou trois fois en cours de congélation. Servez en boules ou formez des quenelles.

POUR 1,20 L ENVIRON

4 grosses pommes granny smith

le jus de 1 gros citron

200 g de sucre en poudre

40 cl d'eau

4 cuil. à soupe de sirop de glucose

SERVEZ TEL QUEL, OU AVEC UNE TARTE TATIN, DES FRUITS RÔTIS OU UNE SIMPLE SALADE DE FRAISES BIEN FRAÎCHES

Sorbet à la tomate et au basilic

Les tomates sont des fruits, alors pourquoi ne pas les servir en dessert ? Ce sorbet est excellent pour rafraîchir le palais entre les plats. Et quelle couleur ! Plus les tomates seront parfumées, meilleur sera le sorbet.

1 Mettez les tomates avec le sel dans le bol du mixer. Mixez en purée. Passez-la dans une jatte à travers une passoire. Couvrez et mettez au réfrigérateur toute la nuit.

2 Mettez l'eau, le sucre et le sirop de glucose dans une casserole et chauffez à feu doux, jusqu'à ce que le sucre soit dissous et le sirop transparent. Portez à ébullition et laissez bouillir 2 minutes. Retirez du feu, ajoutez les feuilles de basilic et laissez refroidir complètement. Passez et mettez au réfrigérateur.

3 Mélangez la purée de tomates et le sirop au basilic. Faites prendre en sorbetière jusqu'à ce que le sorbet soit presque pris. Transférez dans un récipient adéquat et mettez au congélateur.

4 Servez en petites boules ou en copeaux, dans de jolis verres à cocktails. Couronnez de petits brins de basilic.

POUR 1 L

10 grosses tomates olivettes bien mûres

¼ de cuil. à café de sel fin

20 cl d'eau

250 g de sucre en poudre

3 cuil. à soupe de sirop de glucose

30 g environ de feuilles de basilic, plus des petits brins, pour servir

EXCELLENT POUR RAFRAÎCHIR LE PALAIS ENTRE LES PLATS

Sorbet au pamplemousse rose

POUR 1,5 L ENVIRON

5 pamplemousses roses

2 pamplemousses

2 grosses oranges

270 g de sucre en poudre

45 cl d'eau

le jus de 1 citron

3 cuil. à soupe de Campari

1 Avec un couteau aiguisé, prélevez l'écorce et la peau blanche des pamplemousses et des oranges, puis glissez la lame entre les membranes pour libérer les quartiers. Mettez-les dans le bol d'un robot et mixez pour obtenir une purée juteuse. Passez dans une jatte à travers une passoire. (Vous devrez peut-être procéder en plusieurs fois.) Couvrez et mettez au réfrigérateur.

2 Faites dissoudre le sucre dans l'eau, à feu doux, puis montez le feu et laissez bouillir 2 minutes. Laissez refroidir. Ajoutez le jus de citron et le Campari au sirop de sucre et mettez au réfrigérateur.

3 Mélangez jus d'agrumes et sirop. Faites prendre en sorbetière jusqu'à ce que le sorbet soit presque pris, transférez dans un récipient et mettez au congélateur. Vous pouvez aussi faire prendre le mélange dans un récipient peu profond, en battant deux ou trois fois en cours de congélation. Servez en boules ou en copeaux.

Sorbet aux fruits rouges

POUR 1 L ENVIRON

500 g de cassis frais, égrenés

125 g de mûres sauvages, équeutées

125 g de myrtilles

20 cl d'eau

250 g de sucre en poudre

3 cuil. à soupe de sirop de glucose

le jus de 2 citrons

Comme la venue des mûres sauvages coïncide avec la fin de la saison des cassis, je les écrase tous deux avec des myrtilles et un sirop citronné pour confectionner ce délicieux sorbet. Vous pouvez cueillir les mûres sauvages à la lisière des bois ou le long des chemins, à la fin de l'été.

1 Lavez séparément les cassis et les baies, égouttez-les. Mettez les cassis dans une casserole et chauffez à feu doux jusqu'à ce que les peaux éclatent. Laissez frémir encore 2 à 3 min. Retirez du feu et laissez refroidir.

2 Dans une casserole, chauffez l'eau, le sucre et le sirop de glucose à feu doux, jusqu'à ce que le sucre soit dissous et le sirop transparent. Portez à ébullition et laissez bouillir 2 minutes. Laissez refroidir. Ajoutez le jus de citron. Mettez au réfrigérateur.

3 Mettez les cassis, les mûres et les myrtilles dans le bol du mixer et réduisez-les en purée. Versez dans une jatte et mettez au réfrigérateur.

4 Mélangez la purée de fruits et le sirop. Faites prendre en sorbetière jusqu'à ce que le sorbet soit presque pris, transférez dans un récipient adéquat et mettez au congélateur. Vous pouvez aussi faire prendre le mélange dans un récipient peu profond, en battant deux ou trois fois. Servez en boules ou en copeaux.

Sorbet à la mandarine

Le sorbet est délicieux avec des fraises, mais également en dessert à part entière, avec des sablés. Vous pouvez remplacer les mandarines par des clémentines.

1 Épluchez les mandarines avec un couteau aiguisé, en retirant la peau blanche amère. Mixez les fruits avec le jus de citron dans le bol d'un robot, de façon à obtenir une purée lisse, en raclant les parois du bol une ou deux fois. (Vous devrez peut-être procéder en plusieurs fois.)
2 Dans une casserole à fond épais, faites dissoudre le sucre dans l'eau à feu doux. Quand le sirop est transparent, montez le feu et laissez bouillir 5 min. Laissez refroidir.
3 Versez la purée de mandarines dans un pot. Ajoutez le sirop refroidi et le sirop de glucose. Passez le mélange dans une jatte à travers une passoire, en appuyant avec le dos d'une louche. Mettez au réfrigérateur.
4 Faites prendre en sorbetière jusqu'à ce que le sorbet soit presque pris, transférez dans un récipient adéquat, puis mettez au congélateur. Servez en boules ou formez en quenelles.

POUR 1 L ENVIRON
1,5 kg de mandarines
le jus de 2 citrons
200 g de sucre en poudre
40 cl d'eau
3 cuil. à soupe de sirop de glucose

Sorbet au chocolat noir et au cognac

Avec sa texture lisse et sa saveur de chocolat noir amer, ce sorbet est pour le moins original. Il est plus léger qu'une glace et moins calorique. Pour le confectionner, il est nécessaire de disposer d'une sorbetière électrique : pour obtenir une texture crémeuse, le mélange doit être battu sans interruption. Je le sers souvent avec des Ananas miniatures rôtis (page 38) ou des Tranches de mangue caramélisées (page 42).

1 Mettez le lait, l'eau, le sucre et le glucose dans une casserole et portez lentement à ébullition, en remuant, jusqu'à ce que le sucre soit dissous. Retirez du feu et ajoutez le cognac.
2 Cassez le chocolat en morceaux. Ajoutez-les au mélange précédent et remuez jusqu'à ce que le chocolat soit fondu. Remettez sur feu doux jusqu'aux premiers frémissements. Laissez cuire 1 à 2 min, en veillant à ce que le mélange ne déborde pas. Retirez du feu.
3 Laissez refroidir, en remuant une ou deux fois pour empêcher la formation d'une peau.
4 Faites prendre en glace dans une sorbetière électrique. Servez en boules ou formez en quenelles.

POUR 80 CL ENVIRON
25 cl de lait
25 cl d'eau
150 g de sucre en poudre
3 cuil. à soupe de sirop de glucose
3 cuil. à soupe de cognac
200 g de chocolat noir (environ 60 % de cacao)

GRANITÉS

Le granité est, comme son nom l'indique, un sorbet à texture granuleuse – très rafraîchissant en pleine canicule, car la sensation de fraîcheur se prolonge en bouche. Comme le granité n'est que légèrement battu à la fourchette pendant qu'il prend en glace, sa confection demande très peu d'efforts, et sa dégustation encore moins ! Contrairement aux glaces et aux sorbets, dont la texture est uniforme, les granités comportent de grands cristaux de glace – leur originalité est d'être croquants. Il est donc recommandé de les déguster dès qu'ils sont prêts.

Granité à l'ananas

Un ananas bien mûr et juteux fera un excellent granité. Vous pourrez même utiliser un ananas un peu trop mûr. Les ingrédients sont simples : de la purée d'ananas, de l'eau et du sucre. Le secret du succès est un jus parfaitement limpide, que vous obtiendrez en le laissant s'écouler de la chair réduite en purée.

POUR 4 À 6 PERSONNES
1 gros ananas mûr et sucré
25 cl d'eau
75 g de sucre en poudre

1 Coupez le haut et le bas de l'ananas. Posez-le debout sur une planche et épluchez-le.
2 Retirez les « yeux » : en suivant leur contour, détachez, avec un petit couteau, d'étroites tranches en spirale. Coupez l'ananas en quartiers dans la longueur et retirez le cœur dur. Hachez grossièrement la chair. Mixez-la en purée, au robot ou au blender, avec l'eau et le sucre.
3 Tapissez une grande passoire posée sur une jatte avec un carré de mousseline préalablement trempée dans de l'eau froide. Versez la purée d'ananas dans la passoire et laissez le jus s'écouler complètement. Cette opération nécessite 2 à 3 h. Vous pouvez accélérer le processus en rassemblant les coins de la mousseline pour former un nouet et le tordre. Quoi qu'il en soit, le jus doit être parfaitement transparent.
4 Versez le jus dans un récipient peu profond pouvant aller au congélateur. Mettez au congélateur environ 2 h, jusqu'à ce qu'il soit pris dans le fond et sur les bords. Battez légèrement à la fourchette, pour mélanger les cristaux avec le liquide, et remettez au congélateur. Battez légèrement deux fois encore, en cours de congélation, pour obtenir une texture granuleuse.
5 Au moment de servir, raclez le granité avec une cuillère en métal pour former des copeaux. Servez aussitôt dans des verres à vin.

Granité à la citronnelle

POUR 6 À 8 PERSONNES
50 cl d'eau
125 g de sucre en poudre
3 cuil. à soupe de sirop de glucose
le jus de 1 citron
4 tiges de citronnelle, hachées
1 gros brin de citronnelle ou de menthe verte
le zeste râpé de 1 citron vert ou de 1 petit citron

Une glace à l'eau au parfum subtil et exotique, réellement rafraîchissante. Servez dans des verres à vin ou de jolies coupes.

1 Chauffez l'eau, le sucre et le sirop de glucose dans une casserole à feu doux, en remuant de temps à autre, jusqu'à ce que le sucre soit dissous. Montez le feu et laissez bouillir 3 min.
2 Retirez du feu et incorporez le jus de citron, la citronnelle, les herbes et le zeste d'agrume. Laissez infuser jusqu'à refroidissement.
3 Passez le sirop dans un récipient peu profond. Mettez au congélateur jusqu'à ce que le mélange soit presque ferme, en le battant deux ou trois fois à la fourchette.
4 Raclez des copeaux de granité avec une cuillère en métal. Servez.

Granité au café

POUR 6 À 8 PERSONNES
100 g de sucre
15 cl d'eau
2 gousses de cardamome
1 ou 2 lanières de zeste d'orange
50 cl de café frais fort, refroidi

C'est le véritable café glacé. Préparez du café très fort, puis mélangez-le avec du sirop de base, dans la proportion de 2 pour 1. Si vous disposez d'une machine à espresso, cette recette est particulièrement appropriée. Plus le café sera parfumé, meilleur sera le granité. Je le fais infuser avec de la cardamome et du zeste d'orange pour lui donner un parfum d'Orient, mais vous pouvez supprimer ces ingrédients.

1 Mettez le sucre et l'eau dans une casserole à feu doux, en remuant de temps à autre jusqu'à ce que le sucre soit dissous. Ajoutez les gousses de cardamome et le zeste d'orange et laissez bouillir 3 min. Retirez du feu. Mettez au réfrigérateur 1 h. Jetez la cardamome et le zeste d'orange.
2 Mélangez le café avec le sirop aromatisé et mettez au réfrigérateur.
3 Versez le café dans un récipient peu profond et mettez au congélateur 2 à 3 h, jusqu'à ce que le mélange soit partiellement pris. Sortez le granité et mélangez les cristaux au liquide à la fourchette. Remettez au congélateur. Battez deux fois encore en cours de congélation, pour obtenir une texture granuleuse.
4 Raclez des copeaux avec une cuillère solide et servez aussitôt dans des verres hauts.

mousses, bavarois et soufflés

MOUSSES

Toutes mes mousses sont à base de pâte à bombe, faite avec des jaunes d'œufs fouettés avec du sirop de sucre jusqu'à obtention d'une masse épaisse et crémeuse. Elle est ensuite aromatisée selon la recette, puis mélangée avec une pâte à meringue et de la crème fouettée. Je n'ajoute aucun gélifiant, afin d'obtenir une texture lisse et satinée. Pour réussir une mousse, il est important que la texture de tous les composants soit similaire. Ainsi, la crème doit être fouettée aux trois quarts, pour être mousseuse, la meringue devant être molle – la pâte à bombe, quant à elle, l'est toujours. De même, vous veillerez à ce que les ingrédients soient à la même température – ambiante – quand vous les mélangez.

Il n'est pas possible de faire prendre ces mousses pour les démouler ensuite. Il vaut mieux les servir dans des petits verres ou une grande coupe, ou encore les façonner en quenelles (voir page 50).

Note : *les mousses, de même que les bavarois et les soufflés, contiennent des œufs à peine cuits. Les personnes fragiles doivent éviter ces desserts (risque de salmonellose).*

Pâte à bombe de base

POUR 35 CL ENVIRON
10 cl d'eau
150 g de sucre en poudre
5 jaunes d'œufs

C'est la recette de base pour toutes les mousses proposées ici. Un thermomètre à sucre est utile pour s'assurer que le sirop est à la bonne température. Préparez la pâte à bombe selon la recette de la préparation de base (voir page 198), en fouettant bien, de façon qu'elle soit épaisse et luisante. La pâte à bombe doit être à température ambiante quand vous l'incorporez au mélange de mousse.

Meringue italienne de base

POUR 60 CL ENVIRON
120 g de sucre en poudre
1 cuil. à café de sirop de glucose
2 cuil. à soupe d'eau
2 blancs d'œufs

Obtenue en incorporant, au fouet, du sirop de sucre bouillant à des blancs d'œufs battus en neige, elle est plus stable que la meringue classique. Elle est parfaite pour les mousses. La meringue italienne est souvent mélangée avec de la pâte à bombe, ce qui permet d'utiliser une partie des blancs d'œufs. Préparez la meringue selon la recette de la préparation de base (voir page 197). Quand tout le sirop est incorporé, continuez à fouetter jusqu'à ce que la meringue soit à température ambiante.

Mousse à l'ananas et à la badiane

Une mousse à l'ananas ne peut pas prendre avec de la gélatine, car l'enzyme que contient le fruit détruit les protéines responsables de la prise en gelée. Cette mousse molle et sans gélatine est la solution idéale, et son goût est exquis.

1 Épluchez l'ananas, ôtez les « yeux » et coupez-le en quartiers dans la longueur. Retirez le cœur dur. Hachez grossièrement la chair et séchez-la sur du papier absorbant. Pesez 250 g d'ananas en morceaux pour la mousse. (S'il en reste, gardez-les au réfrigérateur : vous les utiliserez, par exemple, dans une salade de fruits.)

2 Chauffez fortement une grande poêle à fond épais. Enrobez les morceaux d'ananas de sucre, puis disposez-les, sur une couche, dans la poêle brûlante. Ajoutez la badiane. Les morceaux doivent dorer rapidement. Ne remuez pas avant qu'ils caramélisent. Quand tous les morceaux sont bien dorés et enduits de sirop, ajoutez le rhum et laissez-le s'évaporer complètement. Retirez du feu et laissez refroidir.

3 Préparez la pâte à bombe et la meringue. Laissez refroidir.

4 Quand les fruits sont froids, jetez la badiane et réduisez la chair en purée au robot ou au blender.

5 Incorporez la purée d'ananas à la meringue. Mélangez avec la pâte à bombe.

6 Dans une jatte, fouettez légèrement la crème. Incorporez-la à la mousse, avec une cuillère en métal. Versez dans des moules ou dans une grande coupe. Mettez au réfrigérateur avant de servir.

POUR 4 À 6 PERSONNES

1 ananas moyen, mûr et sucré
(250 g de chair en morceaux)

50 g de sucre en poudre

2 étoiles de badiane

2 cuil. à soupe de rhum blanc

35 à 40 cl de Pâte à bombe de base (page 86)

60 cl environ de Meringue italienne de base (page 86)

20 cl de crème fraîche

Mousse à la mangue et au chocolat noir

POUR 6 PERSONNES

35 à 40 cl de Pâte à bombe de base (page 86)

60 cl environ de Meringue italienne de base
  (page 86)

2 abricots frais, ou 4 abricots séchés moelleux
  (ne nécessitant pas de trempage)

1 grosse mangue, mûre mais pas trop molle

1 cuil. à soupe de menthe fraîche hachée

200 g de chocolat noir (au moins 60 % de cacao)

30 cl de crème fraîche

COURONNEZ DE TRANCHES DE MANGUE
CARAMÉLISÉES (PAGE 42), COMME ILLUSTRÉ

Dans cette recette, le mélange inhabituel des parfums est une réussite.

1 Préparez la pâte à bombe et la pâte à meringue. Laissez refroidir.

2 Si vous utilisez des abricots frais, dénoyautez-les. Coupez les abricots en quartiers. Pelez et hachez grossièrement la mangue, en jetant le noyau. Mixez la mangue hachée et les abricots en purée, au blender ou au robot. Passez la purée dans une jatte à travers une passoire, en appuyant avec le dos d'une louche. Ajoutez la menthe.

3 Faites fondre le chocolat dans une jatte posée sur une casserole d'eau frémissante, ou au four à micro-ondes (voir page 183). Mélangez. Laissez refroidir à température ambiante, en remuant de temps à autre.

4 Incorporez la purée de fruits à la pâte à bombe. Ajoutez délicatement le chocolat fondu à la meringue, puis incorporez au mélange précédent.

5 Fouettez légèrement la crème, et incorporez-la à la mousse. Versez dans une grande coupe. Mettez au réfrigérateur avant de servir.

Mousse à la mandarine, au thym et à la menthe

POUR 6 PERSONNES

12 mandarines environ

le zeste râpé de 1 citron

2 brins de thym frais (dont un brin de thym
  citron, si possible)

4 grandes feuilles de menthe fraîche, finement
  hachées

35 à 40 cl de Pâte à bombe de base (page 86)

60 cl environ de Meringue italienne de base
  (page 86)

30 cl de crème fraîche

Faites cette mousse rafraîchissante après Noël, à la saison des mandarines, ou un peu plus tôt, avec des clémentines. Sinon, remplacez-les par 50 cl de jus d'orange frais et du zeste d'orange.

1 Râpez le zeste de 4 mandarines et réservez. Coupez tous les fruits et pressez-en le jus (un presse-agrumes électrique vous sera utile). Vous devriez obtenir 50 cl de jus.

2 Versez le jus des mandarines dans une casserole et faites-le réduire à 20 cl. Ajoutez le zeste du citron, le thym et la menthe. Laissez refroidir.

3 Préparez la pâte à bombe et la meringue. Laissez refroidir.

4 Passez le jus aromatisé dans une jatte, à travers une passoire fine, en appuyant avec le dos d'une louche.

5 Ajoutez le jus de mandarine à la pâte à bombe et mélangez bien. Incorporez le mélange à la meringue.

6 Dans une jatte, fouettez légèrement la crème, puis incorporez-la au mélange précédent. versez dans des coupes individuelles ou dans une grande coupe. Mettez au réfrigérateur avant de servir.

Mousse à l'abricot et à la cannelle

Je profite des abricots frais dès qu'ils apparaissent sur le marché, en particulier les merveilleux fruits teintés de rouge du Midi. Les fruits caramélisés rehaussent l'agréable saveur épicée de cette mousse.

1 Dénoyautez les abricots et coupez-les en quartiers. Faites chauffer une grande poêle à fond épais jusqu'à ce qu'elle soit très chaude. Tournez les fruits dans le sucre, de façon qu'ils soient bien enrobés.
2 Disposez les quartiers d'abricot dans la poêle, sur une couche, et faites-les cuire jusqu'à ce qu'ils soient caramélisés des deux côtés. Mettez-les dans une jatte. Ajoutez les épices et laissez refroidir à température ambiante, en remuant une ou deux fois.
3 Préparez la pâte à bombe et la meringue. Laissez refroidir.
4 Mettez la cannelle et mixez les abricots en purée au robot.
5 Fouettez la crème, jusqu'à ce qu'elle soit un peu plus ferme que de coutume pour une mousse. Incorporez-la à la purée d'abricots.
6 Mélangez la pâte à bombe avec la meringue, puis incorporez la purée d'abricots. Versez dans des coupes individuelles ou dans une grande coupe. Mettez au réfrigérateur avant de servir.

Variante

En dehors de la saison des abricots, pochez 300 g d'abricots secs moelleux avec le sucre et les épices dans 15 cl d'eau, 2 à 3 min. Retirez les épices entières et réduisez en purée. Continuez comme ci-dessus.

POUR 6 À 8 PERSONNES
500 g d'abricots mûrs, mais pas mous
50 g de sucre en poudre
3 bâtons de cannelle, ou 3/4 de cuil. à café de cannelle en poudre
1/2 cuil. à café de muscade râpée
35 à 40 cl de Pâte à bombe de base (page 86)
60 cl environ de Meringue italienne de base (page 86)
30 cl de crème fraîche

DÉLICIEUX COURONNÉ D'ABRICOTS GLACÉS (PAGE 43) ET DE CROQUANTS AU MIEL GROSSIÈREMENT ÉCRASÉS (PAGE 201)

Mousse au chocolat au lait et à la muscade

Le chocolat au lait de qualité, tel que le Jivara, est une révélation et donne de remarquables mousses. Un peu de muscade fraîchement râpée rehausse son parfum.

1 Faites fondre le chocolat dans une jatte posée sur une casserole d'eau frémissante, ou au four à micro-ondes (voir page 183). Mélangez. Laissez refroidir, en remuant de temps en temps.
2 Préparez la pâte à bombe et la meringue. Laissez refroidir.
3 Ajoutez le chocolat fondu et la muscade à la pâte à bombe. Incorporez le mélange à la meringue.
4 Fouettez légèrement la crème. Ajoutez-la à la mousse. Versez dans une grande coupe. Mettez au réfrigérateur avant de servir.

POUR 6 À 8 PERSONNES
300 g de chocolat au lait de bonne qualité (Jivara)
35 à 40 cl de Pâte à bombe de base (page 86)
60 cl environ de Meringue italienne de base (page 86)
1 cuil. à café de muscade fraîchement râpée
30 cl de crème fraîche

BAVAROIS

Le bavarois est un mélange riche et fondant, le plus souvent aux fruits. Il se prépare dans des petits moules que l'on retourne ensuite, ou dans une grande jatte, pour être façonné en quenelles. Il existe de nombreux bavarois classiques, mais je préfère essayer des associations originales, et diverses variantes à partir des bavarois connus de tous.

Le bavarois est une crème anglaise, dans laquelle on fait dissoudre de la gélatine, mélangée avec de la purée de fruit ou aromatisée avec un autre parfum, puis enrichie de crème fouettée et de meringue. J'utilise toujours de la gélatine en feuilles, pour sa facilité d'emploi : il suffit de ramollir les feuilles dans de l'eau froide et de les incorporer à la crème chaude, en fouettant légèrement jusqu'à ce qu'elle soit complètement dissoute. Vous pouvez la remplacer par de la gélatine en poudre – un sachet de 11 g équivaut à 4 feuilles de gélatine.

Bavarois de base

POUR 60 CL ENVIRON
20 cl de lait
20 cl de crème fraîche
100 g de sucre en poudre
6 jaunes d'œufs
4 feuilles de gélatine

Cette crème anglaise, additionnée de gélatine, est la base de toutes les recettes de bavarois proposées ici.

1 Mettez le lait et la crème dans une casserole à fond épais avec 1 cuil. à soupe de sucre. Chauffez jusqu'à ébullition.
2 Pendant ce temps, battez les jaunes d'œufs avec le reste du sucre dans une grande jatte, jusqu'à obtention d'un mélange pâle et épais. Quand le lait commence à monter, versez-en un tiers, en plusieurs fois, sur le mélange œufs-sucre, en fouettant constamment. Versez le mélange dans la casserole.
3 Faites tremper les feuilles de gélatine dans une jatte d'eau froide (vous pouvez les casser en deux, si nécessaire) pendant 5 min.
4 Pendant ce temps, laissez cuire la crème anglaise à feu très, très doux environ 5 min, en tournant avec une cuillère en bois jusqu'à ce que le mélange ait légèrement épaissi. Passez un doigt sur le dos de la cuillère : elle doit y laisser une empreinte.
5 Retirez les feuilles de gélatine de l'eau et essorez-les en les pressant délicatement entre les mains. Ajoutez-les à la crème anglaise chaude, et fouettez jusqu'à ce qu'elles soient dissoutes. Passez dans une jatte à travers une passoire. Laissez refroidir, en remuant une ou deux fois. Utilisez comme indiqué dans les recettes.

Bavarois à l'abricot et au fruit de la Passion

Le jus frais, concentré, des fruits de la Passion donne à ce bavarois une saveur exquise, justifiant le temps de préparation. Néanmoins, si vous manquez de temps, vous pouvez le remplacer par 1 cuil. à soupe d'eau de fleur d'oranger ; vous l'ajouterez à l'étape 4, avec les abricots.

1 Préparez le Bavarois de base et laissez refroidir.
2 Coupez les abricots en petits morceaux. Mettez-les dans une jatte, couvrez d'eau bouillante et laissez reposer 10 min. Égouttez.
3 Ouvrez les fruits de la Passion et prélevez la pulpe. Mettez-la dans une casserole. Ajoutez le jus d'orange, portez à ébullition et faites réduire à 15 cl. Passez dans une jatte à travers une passoire, en appuyant avec une cuillère en bois pour extraire le maximum de jus.
4 Versez le jus des fruits de la Passion dans la casserole et ajoutez les morceaux d'abricot. Portez à ébullition et laissez frémir à feu doux 5 min. Laissez tiédir, puis réduisez en purée au blender ou au robot. Laissez refroidir.
5 Incorporez la purée d'abricots au bavarois de base froid. Mettez au réfrigérateur, jusqu'à ce qu'il commence à prendre sur les bords.
6 Fouettez la crème en mousse molle, puis incorporez-la au bavarois avec une grande cuillère en métal. Versez dans des moules individuels légèrement huilés ou dans une grande jatte. Mettez au réfrigérateur jusqu'à ce que le bavarois soit pris.

Démouler un bavarois : pour que le bavarois se démoule facilement, enduisez légèrement l'intérieur du moule d'huile d'amande avant de le remplir. Assurez-vous que le bavarois soit bien pris avant de le démouler. Trempez le moule dans une jatte d'eau bouillante, comptez jusqu'à trois et retirez de l'eau. Détachez délicatement le bavarois des bords du moule du bout des doigts. Retournez sur une petite assiette mouillée et secouez : le bavarois doit se démouler aussitôt. Dans le cas contraire, renouvelez l'opération.

POUR 8 À 10 PERSONNES
60 cl environ de Bavarois de base (page 92)
250 g d'abricots séchés moelleux
   (ne nécessitant pas de trempage)
20 cl de jus d'orange frais
4 fruits de la Passion mûrs, bien ridés
20 cl de crème fraîche

Bavarois à la pomme verte et au pamplemousse

POUR 8 À 10 PERSONNES
10 cl de jus de pamplemousse
le jus de 1 citron
4 pommes granny smith
60 cl environ de Bavarois de base (page 92)
20 cl de crème fraîche

Ces bavarois individuels, d'un joli vert moucheté de petits morceaux de pomme non pelés, sont ravissants. Ils seront encore plus appétissants si, comme je le conseille dans la recette, les pommes sont préparées la veille et conservées une nuit au congélateur afin de fixer leur couleur. Pour préserver cette teinte délicate, il ne faut pas utiliser de jus de pamplemousse rose.

1 Préparez les pommes la veille : mettez les jus de pamplemousse et de citron dans une jatte. Détaillez une pomme en quartiers et retirez le cœur. Coupez chaque quartier en deux, et tournez aussitôt les morceaux dans le jus d'agrumes, pour les empêcher de noircir. Avec une cuillère perforée, transférez les morceaux de pomme dans une passoire posée sur une jatte. Laissez égoutter. Procédez de même avec le reste des pommes. Réservez le jus d'agrumes au réfrigérateur.
2 Étalez tous les morceaux de pomme, sur une couche, sur une petite plaque à pâtisserie ou dans un grand plat. Mettez au congélateur toute la nuit.
3 Le jour même, décongelez partiellement les pommes. Pendant ce temps, préparez le bavarois de base et mettez-le au réfrigérateur.
4 Mixez les pommes avec le jus d'agrumes réservé, au robot ou au blender, de façon à obtenir un mélange très lisse (il est préférable de mixer en plusieurs fois). Versez le mélange dans une jatte et mettez au réfrigérateur.
5 Fouettez la crème en mousse molle. Incorporez, au fouet, la purée de pommes froide au bavarois de base. Ajoutez aussitôt la crème fouettée. Versez le mélange dans des moules individuels légèrement huilés, ou dans une grande coupe, et laissez prendre au réfrigérateur.

POUR DONNER LA TOUCHE FINALE,
COURONNEZ DE TRANCHES DE POMME
SÉCHÉES (PAGE 46) ET D'UNE BOULE
DE SORBET À LA POMME VERTE (PAGE 77)

Bavarois aux bananes caramélisées

1 Faites chauffer une grande poêle à fond épais jusqu'à ce qu'elle soit bien chaude. Pendant ce temps, pelez les bananes et coupez-les en quatre dans la longueur. Tournez la moitié des demi-bananes dans le sucre en poudre et disposez-les dans la poêle, sur une couche. Elles doivent caraméliser aussitôt.

2 Au bout de 2 min environ, retournez délicatement les demi-bananes et faites caraméliser l'autre côté ; ne les remuez pas, pour éviter de les casser. Retirez de la poêle et réservez. Essuyez la poêle avec du papier absorbant (les restes de caramel deviendraient amers) et faites caraméliser le reste des demi-bananes de la même façon. Laissez tiédir.

3 Réduisez les bananes caramélisées en purée avec 3 cuil. à soupe de la liqueur choisie, au mixer ou au blender. Versez dans une jatte et mettez au réfrigérateur.

4 Préparez le Bavarois de base et mettez au réfrigérateur.

5 Incorporez, au fouet, la purée de bananes au bavarois de base, en ajoutant 1 à 2 cuil. à soupe de liqueur, à votre goût. Laissez prendre partiellement au réfrigérateur. Fouettez la crème en mousse et incorporez-la au bavarois. Versez dans des moules individuels huilés légèrement, ou dans une grande jatte, et laissez prendre au réfrigérateur.

POUR 8 À 10 PERSONNES
4 grosses bananes bien mûres, mais pas molles
70 g de sucre en poudre
3 à 5 cuil. à soupe de crème de banane, ou de liqueur Baileys, à votre goût
60 cl environ de Bavarois de base (page 92)
20 cl de crème fraîche

POUR UN DESSERT RECHERCHÉ, SERVEZ AVEC DES BANANES AU CARAMEL ET AU RHUM (PAGE 24), COMME ILLUSTRÉ

Bavarois aux amandes grillées et au café

1 Préparez le bavarois de base et mettez-le au réfrigérateur.

2 Préchauffez le four à 180 °C (th. 6). Étalez les amandes émincées sur une plaque et faites-les griller dans le four 10 min environ, jusqu'à ce qu'elles soient bien dorées ; surveillez attentivement : elles brûlent facilement. Mettez les amandes sur une assiette et laissez refroidir. Réduisez-les en poudre fine (un moulin à café est idéal pour cette opération).

3 Incorporez le café au bavarois de base, couvrez et mettez au réfrigérateur.

4 Quand le bavarois commence à prendre sur les bords, fouettez la crème en mousse molle dans une jatte. Incorporez les amandes au bavarois, puis ajoutez la crème. Versez dans des moules individuels légèrement huilés, ou dans une grande coupe, et laissez prendre au réfrigérateur.

POUR 8 À 10 PERSONNES
60 cl environ de Bavarois de base (page 92)
150 g d'amandes émincées
10 cl de café espresso corsé, refroidi
20 cl de crème fraîche

ACCOMPAGNEZ DE LANGUES-DE-CHAT (PAGE 173) OU DE PETITES MERINGUES (PAGE 179)

SOUFFLÉS

Les soufflés chauds sont à base de crème pâtissière, à laquelle on incorpore d'abord un ingrédient pour l'aromatiser – par exemple, de la purée de fruits, du chocolat fondu, des amandes ou des noisettes –, puis de la meringue. On verse la préparation dans des ramequins ou dans un plat à soufflé préalablement préparés et on fait cuire aussitôt au four pour obtenir un dessert aérien. Les soufflés chauds retombent en quelques minutes : il faut les servir très vite. Pour plus de facilité, vous pouvez préparer la crème pâtissière et le mélange aromatisé à l'avance et les garder au réfrigérateur. C'est grâce à la magie de la physique culinaire que l'on obtient un soufflé. L'air est enfermé dans les protéines du blanc d'œuf sous forme de bulles minuscules. Quand il est chauffé, il se dilate et les protéines durcissent autour de chaque bulle. Quand le soufflé refroidit, l'air se contracte et le soufflé retombe gracieusement. La température du four doit être modérée, pour laisser l'air se dilater avant que les protéines durcissent.

Préparer le plat à soufflé

Pour que le soufflé « monte », vous devez enduire les parois du plat de beurre mou, puis les saupoudrer d'un ingrédient en poudre. Si le plat n'est pas préparé correctement, le soufflé risque de monter irrégulièrement.

1 Avec un pinceau à pâtisserie, appliquez une généreuse couche de beurre mou, avec des coups de pinceau verticaux. Mettez au réfrigérateur pour durcir le beurre.

2 Passez une seconde couche de beurre, puis saupoudrez aussitôt l'ingrédient en poudre.

3 Pour l'ingrédient en poudre, choisissez 4 à 6 cuil. à soupe d'amandes ou de noisettes en poudre (éventuellement grillées), ou de chocolat noir râpé, selon la recette. Versez l'ingrédient choisi dans le moule et faites-le tourner sur lui-même, de façon que les parois et la base soient uniformément et généreusement recouverts.

Note : chacune des recettes suivantes permet de confectionner 6 ou 8 soufflés individuels, respectivement dans des ramequins de 15 cl et de 12 cl.

Crème pâtissière de base

Cette crème est très épaisse : elle a presque la consistance de la pâte à choux. Elle doit être bien cuite et parfaitement lisse.

POUR 320 G ENVIRON
15 cl de lait
10 cl de crème fraîche
40 g de sucre en poudre
15 g de farine
10 g de Maïzena
3 jaunes d'œufs

1 Chauffez le lait et la crème avec 1 cuil. à soupe de sucre dans une casserole à fond épais, jusqu'à ce que le mélange commence à bouillir. Pendant ce temps, tamisez la farine avec la Maïzena.

2 Battez les jaunes d'œufs avec le reste du sucre dans une grande jatte, puis incorporez la farine, en trois fois.

3 Versez lentement un tiers du lait bouillant, en fouettant, pour que le mélange reste lisse. Versez la préparation dans la casserole, en continuant à fouetter.

4 Laissez frémir à feu doux 3 à 4 min, en fouettant sans arrêt jusqu'à ce que la crème épaississe. Versez dans un bol, couvrez et laissez refroidir, en remuant de temps à autre pour éviter la formation d'une peau.

Soufflés à l'orange et au citron

Ce soufflé rafraîchissant est parfait pour terminer un dîner hivernal un peu riche. Préparez la Crème pâtissière de base à l'avance, et incorporez la meringue juste avant la cuisson. Utilisez du jus d'orange frais. Le mélange étant léger et délicat, les ramequins individuels sont préférables à un grand moule à soufflé.

POUR 6 À 8 PERSONNES
320 g environ de Crème pâtissière de base
  (voir ci-dessus)
le zeste râpé et le jus de 1 gros citron
le zeste râpé de 1 grosse orange
50 cl de jus d'orange frais
3 cuil. à soupe de Grand Marnier
2 blancs d'œufs
50 g de sucre en poudre
POUR PRÉPARER LES MOULES :
40 g de beurre, fondu
4 à 6 cuil. à soupe d'amandes ou de noisettes,
  ou de chocolat noir râpé

1 Préparez la crème pâtissière de base et ajoutez les zestes d'agrumes. Versez le jus de citron et le jus d'orange dans une casserole. Portez à ébullition et laissez bouillir jusqu'à ce qu'il en reste 20 cl. Incorporez à la crème pâtissière et laissez refroidir. Ajoutez le Grand Marnier.

2 Badigeonnez des ramequins individuels de deux couches de beurre fondu. Parsemez les amandes ou les noisettes, ou le chocolat râpé (voir page ci-contre). Préchauffez le four à 190 °C (th. 6).

3 Peu avant de servir, fouettez les blancs d'œufs en neige ferme et ajoutez le sucre peu à peu, en fouettant, pour obtenir une meringue. Incorporez-la à la crème. Versez le mélange dans les moules préparés. Égalisez le dessus. Placez les ramequins sur la plaque du four et mettez à cuire jusqu'à ce que les soufflés soient gonflés et dorés – 12 à 15 min pour des ramequins de 12 cl, 15 à 18 min pour des ramequins de 15 cl.

4 Servez aussitôt, directement dans les ramequins ou en démoulant les soufflés sur les assiettes.

Soufflé à la rhubarbe et à la vanille

POUR 6 À 8 PERSONNES

500 g de rhubarbe rose et tendre

2 cuil. à soupe d'eau (facultatif)

1 gousse de vanille

100 g de sucre en poudre

320 g environ de Crème pâtissière
de base (page 99)

2 blancs d'œufs

POUR PRÉPARER LES MOULES :

40 g de beurre, fondu

4 à 6 cuil. à soupe d'amandes, de noisettes,
ou de chocolat noir râpé

POUR DÉCORER (FACULTATIF) :

sucre glace, pour poudrer

ACCOMPAGNEZ D'UNE BOULE DE GLACE À LA
VANILLE OU AU GINGEMBRE (PAGES 57-58),
OU D'UN SORBET AU FROMAGE BLANC
(PAGE 76), SERVIS DANS UN PETIT PLAT
INDIVIDUEL

Pour ce dessert, utilisez de la rhubarbe « forcée », rose et tendre. Elle est excellente de décembre à mars, mais vous en trouverez également au début de l'été et plus tard, en fin d'automne.

1 Épluchez la rhubarbe et coupez-la en petits morceaux. Lavez si nécessaire, et égouttez. Mettez les morceaux de rhubarbe dans une casserole. Si vous n'avez pas lavé la rhubarbe, ajoutez 2 cuil. à soupe d'eau.

2 Ajoutez la gousse de vanille et la moitié du sucre. Chauffez lentement, en remuant, jusqu'à ce que le sucre soit dissous. Couvrez et laissez frémir 5 min, jusqu'à ce que la rhubarbe soit tendre. Mettez-la dans une passoire fine posée sur une jatte et laissez égoutter.

3 Versez le jus dans la casserole. Ajoutez la gousse de vanille. Laissez bouillir jusqu'à réduction de moitié, pour concentrer la saveur, puis reversez le jus dans la purée de rhubarbe. Jetez la gousse de vanille.

4 Versez le mélange dans le bol d'un mixer ou d'un blender et mixez en purée fine. Versez dans une jatte et laissez refroidir.

5 Préparez la crème pâtissière de base et laissez refroidir.

6 Pendant ce temps, enduisez des ramequins ou un plat à soufflé de 1 l de deux couches de beurre fondu, puis tapissez d'amandes ou de noisettes, ou de chocolat noir râpé (voir page 98). Préchauffez le four à 190 °C (th. 6).

7 Mélangez la purée de rhubarbe et la crème pâtissière. Battez les blancs d'œufs en neige ferme dans une grande jatte. Incorporez le sucre en poudre peu à peu, au fouet, jusqu'à obtention d'une meringue luisante. Incorporez-la à la rhubarbe.

8 Répartissez aussitôt le mélange dans les ramequins préparés, ou versez-le dans le grand moule à soufflé, et égalisez avec une spatule ou le dos d'une cuillère. Faites cuire au four jusqu'à ce que les soufflés soient gonflés et dorés – 12 à 15 min pour des ramequins de 12 cl, 15 à 18 min pour des ramequins de 15 cl, 25 à 30 min pour un grand moule. Si vous avez le temps, poudrez rapidement de sucre glace. Servez aussitôt.

Soufflé épicé au coing

Vous trouverez des coings dorés et parfumés à la fin de septembre.
Les coings, qui sont des fruits très anciens, ressemblent à des grosses
poires rondes – hors saison, vous pourrez d'ailleurs les remplacer par
des poires fermes. La chair du coing est dure et immangeable crue.
Je la fais pocher dans un léger sirop de sucre aromatisé avec des épices
chinoises, ce qui lui donne une jolie couleur rose et un délicieux parfum.
Dans cette recette, la chair est ensuite réduite en purée.

1 Pelez le coing avec un couteau éplucheur. Coupez-le en quartiers
(un couteau solide est nécessaire) et retirez le cœur. Détaillez la chair
en petits cubes. Mettez-les dans une casserole avec le sirop de base.
2 Ajoutez le cinq-épices et le zeste d'orange. Portez à ébullition, puis
couvrez et laissez frémir 15 min environ, jusqu'à ce que les morceaux
de coing soient tendres. Égouttez et jetez les épices entières (gardez
le sirop pour un autre usage). Réduisez la chair du coing en purée,
au mixeur ou au blender. Vous devez obtenir 30 cl environ de purée.
Versez dans une jatte, laissez refroidir puis mettez au réfrigérateur.
3 Préparez la crème pâtissière de base et laissez refroidir.
4 Badigeonnez des ramequins individuels ou un moule à soufflé de 1 l
de deux couches de beurre fondu. Tapissez d'amandes ou de noisettes
en poudre (voir page 98). Préchauffez le four à 190 °C (th. 6).
5 Mélangez la purée de coings, au fouet, avec la crème pâtissière.
Fouettez les blancs d'œufs en neige dans une grande jatte. Incorporez
le sucre peu à peu, au fouet, pour obtenir une meringue. Incorporez-la
au mélange précédent.
6 Répartissez la préparation dans les ramequins, ou versez-la dans
un grand plat à soufflé, et égalisez avec une spatule ou le dos d'une
cuillère. Posez-les sur la plaque du four et mettez à cuire jusqu'à ce que
les soufflés soient gonflés et dorés – 12 à 15 min pour des ramequins
de 12 cl, 15 à 18 min pour des ramequins de 15 cl, 25 à 30 min pour un
grand soufflé.
7 Dès la sortie du four, vous pouvez éventuellement poudrer les soufflés
de sucre glace. Servez aussitôt.

POUR 6 À 8 PERSONNES
1 gros coing (500 g environ)
30 cl de Sirop de base (page 200)
2 étoiles de badiane
1 gros bâton de cannelle
½ cuil. à café de poudre de cinq-épices
2 lanières de zeste d'orange
320 g environ de Crème pâtissière de base
  (page 99)
2 blancs d'œufs
2 cuil. à soupe de sucre en poudre
POUR PRÉPARER LES MOULES :
40 g de beurre fondu
4 à 6 cuil. à soupe d'amandes ou de noisettes
POUR DÉCORER (FACULTATIF) :
sucre glace, pour poudrer

Petits soufflés au chocolat blanc et au Kahlua

Ces petits soufflés poudrés de cacao sont très appétissants. La crème pâtissière de base enrichie de chocolat blanc convient mieux pour des soufflés individuels. Je les fais cuire au-dessus d'une couche de cerises macérées et les sers avec un Coulis chaud à la prune (page 11). Posez simplement une cuillère de coulis au milieu du soufflé brûlant.

1 Cassez le chocolat blanc et mettez-le dans une grande jatte. Chauffez le lait jusqu'au point d'ébullition et versez-le lentement sur le chocolat, en mélangeant jusqu'à ce qu'il soit fondu.

2 Tamisez la Maïzena et la farine ensemble. Dans une jatte, battez les jaunes d'œufs avec 50 g de sucre. Ajoutez les farines et mélangez bien.

3 Versez lentement le mélange lait-chocolat, en fouettant vigoureusement. Transférez le mélange dans la casserole et mélangez sur feu doux, jusqu'à épaississement et obtention d'une crème lisse. Laissez frémir 30 s environ et retirez du feu.

4 Faites bouillir la liqueur de café dans une petite casserole, jusqu'à ce qu'elle ait réduit de moitié environ. Incorporez-la à la crème pâtissière au chocolat. Laissez refroidir.

5 Badigeonnez les moules à soufflé de deux couches de beurre fondu. Tapissez-les de chocolat râpé, ou des noisettes ou des amandes en poudre (page 98). Si vous utilisez des cerises, répartissez-les dans les ramequins. Préchauffez le four à 190 °C (th. 6).

6 Incorporez la crème au mélange de chocolat refroidi, pour le rendre moins épais. Fouettez les blancs d'œufs en neige ferme dans une jatte, puis ajoutez 25 g de sucre peu à peu, tout en fouettant, pour obtenir une meringue. Incorporez-la à la crème pâtissière au chocolat.

7 Répartissez le mélange dans les moules préparés et égalisez le dessus avec une spatule. Posez-les sur la plaque du four et faites cuire jusqu'à ce que les soufflés soient gonflés et dorés – 12 à 15 min pour des ramequins de 12 cl, 15 à 18 min pour des ramequins de 15 cl. Poudrez de cacao au sortir du four et servez aussitôt.

POUR 6 PERSONNES

150 g de chocolat blanc

25 cl de lait

10 g de Maïzena

15 g de farine

3 gros œufs, les blancs séparés des jaunes

75 g de sucre en poudre

10 cl de liqueur de café (Kahlua ou Tia Maria)

6 cuil. à soupe de Cerises macérées (page 13), ou de cerises noires en conserve, égouttées (facultatif)

4 cuil. à soupe de crème fraîche

POUR PRÉPARER LES MOULES :

40 g de beurre, fondu

4 à 6 cuil. à soupe de chocolat noir râpé, ou d'amandes ou de noisettes en poudre

POUR DÉCORER (FACULTATIF) :

cacao en poudre, pour poudrer

crêpes, clafoutis, beignets et babas

Crêpes

Cette pâte à crêpes est la plus simple. Avec deux œufs au lieu d'un, vous obtiendrez une pâte plus riche. Pour des crêpes plus légères, séparez les blancs des jaunes ; ajoutez les jaunes à la pâte ; battez les blancs en neige molle, puis incorporez-les à la pâte. Vous pouvez aussi aromatiser la pâte, par exemple avec des épices en poudre ou des amandes grillées et hachées. Pour confectionner de sublimes crêpes au chocolat, ajoutez 2 cuil. à soupe de pâte de chocolat à la noisette (Nutella).

POUR 12 À 16 CRÊPES
125 g de farine
2 bonnes pincées de sel
1 ou 2 œufs moyens
1 cuil. à soupe de beurre, fondu
30 cl de lait
huile de tournesol, pour graisser la poêle

1 Mettez la farine et le sel dans le bol du mixer. Ajoutez l'œuf (ou les œufs), le beurre et la moitié du lait. Mixez pour obtenir une pâte lisse, en raclant les parois du bol une ou deux fois pour éliminer les grumeaux. Ajoutez le reste du lait tout en actionnant l'appareil.
2 Laissez reposer la pâte 30 min, éventuellement – aujourd'hui, cela n'est plus nécessaire, car les farines sont parfaitement raffinées.
3 Faites cuire les crêpes (en suivant les instructions données page suivante), en remuant la pâte de temps à autre. Vous devriez obtenir environ 12 à 16 crêpes fines d'un diamètre de 20 cm. Ajoutez la garniture de votre choix et de la crème, de la glace ou du coulis. Servez.

Crêpes soufflées

Pour faire des crêpes soufflées, il faut les mêmes ingrédients que ci-dessus, mais 2 œufs. Séparez les blancs des jaunes, puis mixez les jaunes avec le reste des ingrédients. Battez les blancs en neige molle et incorporez-les à la pâte. Faites cuire comme des crêpes classiques, mais procédez délicatement, pour ne pas chasser l'air des blancs.

GARNITURE DE CRÊPES Pour un dessert simple, badigeonnez les crêpes de confiture de fraises maison, roulez-les et couronnez d'une cuillerée de Crème Chantilly (page 50).

Pour les transformer en entremets, les possibilités sont infinies. Vous pouvez les garnir de fruits émincés ou de baies, par exemple de tranches de pêche ou de fraise, de framboises ou de myrtilles fraîches, ou d'un mélange de fruits frais. Les fruits rôtis font également une garniture délicieuse – les meilleurs sont les pommes, les poires, les pêches blanches, les prunes et l'ananas (voir pages 34-43). Vous pouvez associer ces fruits avec l'une des crèmes aromatisées des pages 51-52.

Pour un dessert prestigieux, servez les crêpes avec une sauce (page 110) et un filet de crème liquide, une cuillerée de Crème Chantilly ou de Crème fraîche aromatisée à la citronnelle (page 50), ou encore une boule ou un copeau de glace maison (pages 57-63).

GARNISSEZ LES CRÊPES AVEC UN MÉLANGE DE BAIES ROUGES ET SERVEZ-LES AVEC DE LA CRÈME FLEURETTE

CUISSON DES CRÊPES

La réussite des crêpes tient à leur cuisson à une température constante. Investissez dans une poêle de bonne qualité – à fond épais et dans un matériau répartissant bien la chaleur. Les poêles en fonte ou en aluminium épais sont les meilleures. Un revêtement antiadhésif facilitera le travail, surtout pour la confection des premières crêpes, mais si vous huilez bien une poêle ordinaire et si vous évitez de la frotter avec un tampon abrasif, elle prendra une « patine » naturelle au fil des ans. Une poêle antiadhésive de médiocre qualité, quant à elle, perdra rapidement ses qualités. La poêle à crêpes idéale a un diamètre de 20 à 23 cm et elle présente un bord incurvé, pour que la crêpe puisse glisser facilement.

Préparer une poêle à crêpes neuve
Pour préparer une poêle neuve traditionnelle en fer ou en aluminium, il faut d'abord la laver et la sécher. Placez ensuite la poêle vide sur feu modéré et chauffez lentement 10 min, jusqu'à ce qu'elle soit très chaude et qu'une « brume » de chaleur s'en dégage. Retirez du feu et essuyez délicatement avec un tampon de papier absorbant trempé dans une huile végétale neutre. Assurez-vous que toute la surface est bien enduite d'huile, puis essuyez-la à nouveau avec un tampon de papier absorbant propre. Vous pouvez alors faire cuire votre première crêpe.

Cuire les crêpes

1 Pour prélever la pâte dans la jatte, une petite louche est nécessaire. La plupart des crêpes se font avec 2 à 3 cuil. à soupe de pâte. Versez une petite quantité d'huile de tournesol neutre dans une tasse. Chauffez une poêle de 20 à 23 cm de diamètre à sec, jusqu'à ce qu'elle soit très chaude. Ajoutez quelques gouttes d'huile, inclinez la poêle pour graisser le fond et jetez l'huile superflue.

2 Versez 2 à 3 cuil. à soupe de la pâte que vous aurez prélevée avec la louche.

3 Inclinez aussitôt la poêle dans tous les sens, pour bien répartir la pâte. (La pâte superflue peut être reversée dans la jatte.) Remettez rapidement la poêle sur le feu et laissez cuire 1 à 2 min, jusqu'à ce que la pâte prenne et que de petits trous apparaissent à la surface.

4 Glissez une spatule sous la crêpe et retournez-la. Faites cuire l'autre côté 30 s.

5 Faites glisser la crêpe cuite sur un torchon propre posé sur une grille. Faites cuire les autres crêpes de la même façon, en les empilant au fur et à mesure et en les enveloppant dans le torchon. Lorsque vous aurez fait plusieurs crêpes, vous n'aurez plus besoin de graisser la poêle.

6 Si vous les servez rapidement, gardez-les au chaud dans un four tiède. Si vous les préparez à l'avance, il vaut mieux les envelopper dans une double épaisseur de film plastique, ou dans un grand sac en plastique alimentaire, pour les empêcher de se dessécher. Vous les réchaufferez 10 à 15 min au four à 180 °C (th. 6), en les enveloppant dans du papier d'aluminium.

SAUCES POUR CRÊPES

La Crème Chantilly (page 50) est l'accompagnement classique des crêpes, mais il existe une grande variété de sauces qui leur conviennent, notamment la Sauce au chocolat (page 131).

Sauce caramel

POUR 35 CL ENVIRON

250 g de sucre en poudre

3 cuil. à soupe d'eau

12 cl de crème fraîche

2 cuil. à soupe de lait concentré sucré

75 g de beurre

Très bonne avec les crêpes et la glace, elle convient également à la tarte Tatin et au gâteau de riz. Elle se garde une semaine au réfrigérateur, dans un bocal à couvercle à vis. Réchauffez à feu doux avant de servir.

1 Mettez le sucre et l'eau dans une petite casserole à feu doux. Mélangez, puis laissez le sucre se dissoudre lentement – cette opération dure 10 min environ –, en secouant la casserole une ou deux fois. Remplissez l'évier d'eau froide.

2 Montez le feu et laissez cuire jusqu'à obtention d'un caramel blond. Ne le laissez pas trop foncer, il serait amer. Retirez du feu et stoppez la cuisson en posant le fond de la casserole dans l'eau froide.

3 Ajoutez le reste des ingrédients dans la casserole et fouettez jusqu'à ce que la consistance soit lisse. Servez chaud.

Sauce à l'orange et au citron

POUR 14 CL ENVIRON

25 cl de jus d'orange

1 bonne cuil. à café de Maïzena

1 cuil. à soupe d'eau

1 cuil. à soupe de jus de citron

1 cuil. à soupe de Cointreau

2 cuil. à café de Sirop de base (page 200), ou de sucre glace

1 Faites réduire le jus d'orange de moitié dans une petite casserole.

2 Diluez la Maïzena dans l'eau, de façon à obtenir une pâte lisse, et ajoutez le jus de citron. Hors du feu, incorporez la Maïzena au jus d'orange bouillant.

3 Remettez sur le feu jusqu'aux premiers frémissements, en fouettant vigoureusement. Laissez cuire 30 s, puis ajoutez le Cointreau et le sirop de base, ou le sucre glace. Laissez refroidir un peu. Servez tiède.

Sauce Melba aux framboises

POUR 20 CL ENVIRON

250 g de framboises, choisies un peu trop mûres

1 cuil. à café de jus de citron

un peu de sucre glace (facultatif)

1 cuil. à soupe d'eau-de-vie de framboise (facultatif)

1 Mettez les framboises dans le bol du mixer ou du blender et réduisez-les en purée fine. Passez la purée à travers une passoire, en appuyant avec le dos d'une louche. Jetez les graines.

2 Ajoutez le jus de citron et sucrez, éventuellement, avec le sucre glace. Parfumez, selon votre goût, avec l'eau-de-vie. Servez à température ambiante.

Crêpes au lait aigre

La pâte est facile à faire au robot. Les crêpes sont cuites dans une poêle légèrement graissée ou sur un gril huilé. Le lait aigre donne à la pâte une saveur un peu acide. Vous le trouverez dans les crémeries, les supermarchés et les boutiques de produit diététiques. Je sers souvent ces petites crêpes avec des prunes ou des figues rôties et des copeaux de glace ou de la Crème Chantilly (page 50), arrosées d'un filet de sirop d'érable.

1 Mettez la farine, le sel, la levure, le bicarbonate de soude, le sucre et les graines de vanille dans le bol d'un robot et mixez rapidement.
2 Ajoutez les jaunes d'œufs, le beurre, le lait aigre et le lait. Mixez pour obtenir une pâte lisse, en raclant les parois du bol une ou deux fois. Versez dans une jatte.
3 Battez les blancs d'œufs en neige molle dans une autre jatte. Incorporez-les à la pâte.
4 Chauffez une poêle à fond épais (ou un gril) jusqu'à ce qu'elle soit très chaude, puis huilez-la légèrement.
5 Prélevez un peu de pâte avec une petite louche, et versez-en 1 ou 2 cuil. à soupe dans la poêle, pour faire une crêpe de 10 cm de diamètre environ. Renouvelez cette opération trois fois, pour cuire 4 petites crêpes en même temps. Laissez cuire les crêpes 1 min environ, jusqu'à ce que le dessus soit pris et que des petits trous apparaissent à la surface.
6 Retournez les crêpes et faites dorer légèrement l'autre côté. Faites-les glisser sur un torchon placé sur une grille. Confectionnez les autres crêpes de la même façon, en les empilant au fur et à mesure. Servez chaud.

POUR 4 PERSONNES
175 g de farine
¹/₂ cuil. à café de sel fin
¹/₂ cuil. à café de levure chimique
¹/₂ cuil. à café de bicarbonate de soude
1 cuil. à soupe de sucre en poudre
les graines de 1 gousse de vanille
2 œufs moyens, les blancs séparés des jaunes
15 g de beurre, fondu et refroidi
20 cl de lait aigre (lait Ribot, petit-lait)
10 cl de lait
un peu d'huile de tournesol, pour graisser la poêle

DÉLICIEUX AVEC DES PRUNES RÔTIES (PAGE 41) OU DES FIGUES NOIRES RÔTIES, SIROP ÉPICÉ AU VINAIGRE BALSAMIQUE (PAGE 42), DE LA CRÈME CHANTILLY (PAGE 50) ET UN FILET DE SIROP D'ÉRABLE

Crêpes Suzette

POUR 4 PERSONNES
Pâte à crêpes (page 107)
6 grosses oranges
50 g de sucre roux
10 cl environ de Grand Marnier
huile de tournesol, pour graisser la poêle
une noix de beurre, pour réchauffer les crêpes

Dans cette recette, la pâte à crêpes est aromatisée avec du zeste d'orange râpé, et les crêpes sont nappées d'une sauce à l'orange chaude, rehaussée de Grand Marnier. Ce dessert n'est pas conseillé pour une grande tablée – mieux vaut ne pas dépasser 4 personnes.

1 Préparez la pâte à crêpes. Râpez finement le zeste de 2 oranges et incorporez-le à la pâte.

2 Pour la sauce, prélevez finement le zeste de 2 autres oranges, à l'aide d'une mandoline, et coupez-le en fine julienne. Faites-le blanchir 1 min, égouttez-le et séchez-le. Réservez. Pressez le jus de 3 oranges et passez-le, pour éliminer les pépins. Épluchez et détaillez les oranges restantes en quartiers, en retirant l'écorce et la peau blanche amère avec un petit couteau aiguisé, puis en les découpant entre les membranes pour les détacher (illustration page 33). Réservez.

3 Dans une casserole à fond épais, chauffez le sucre à feu doux jusqu'à ce qu'il soit fondu, sans remuer mais en secouant la casserole. Lorsque le sucre est complètement fondu, ajoutez la julienne de zeste d'orange et laissez frémir 2 min, ou jusqu'à ce que le sirop forme un caramel blond. Ne laissez pas le sucre brûler, la sauce serait amère.

4 Quand le sirop commence à caraméliser, ajoutez délicatement le Grand Marnier – faites attention aux éclaboussures – et laissez cuire 1 min environ, jusqu'à ce que l'alcool soit évaporé.

5 Ajoutez le jus d'orange et laissez bouillir jusqu'à réduction de moitié. Retirez du feu, ajoutez les quartiers d'orange et laissez macérer jusqu'à ce qu'ils soient chauds.

6 Pendant ce temps, faites cuire les crêpes (voir page 109) et gardez-les au chaud, enveloppées dans un torchon, jusqu'à usage.

7 Au moment de servir, faites fondre un peu de beurre dans une grande poêle. Mettez une crêpe dans la poêle. Réchauffez-la quelques secondes et pliez-la en quatre. Renouvelez l'opération avec une ou deux autres crêpes (pour une portion), en les faisant glisser sur une assiette à dessert chaude au fur et à mesure. Arrosez de sauce à l'orange, qui doit comporter des quartiers d'orange et de la julienne de zeste. Procédez de la même façon pour les autres portions.

Clafoutis aux cerises et aux amandes

Je me suis inspiré d'une ancienne recette classique. On verse la pâte
à crêpes, aromatisée avec des amandes, sur une couche de cerises
dénoyautées dans un plat peu profond, et on fait cuire au four.
Vous pouvez préparer la pâte et les fruits à l'avance, mais attendez
la dernière minute pour les assembler et les faire cuire. La pâte sera
meilleure si elle repose 24 h. Vous pouvez faire un grand clafoutis
ou 6 clafoutis individuels, selon la variante (ci-dessous).

1 Préparez la pâte la veille : mettez les amandes en poudre, la farine,
le sel et le sucre dans le bol d'un robot. Mixez quelques secondes.
Ajoutez les œufs, les jaunes d'œufs et la crème. Mixez pour obtenir une
pâte lisse, en raclant les parois du bol une ou deux fois. Versez dans
une jatte, couvrez et mettez au réfrigérateur 24 h.
2 Le jour même, dénoyautez les cerises et séchez-les si elles sont
particulièrement juteuses. Enduisez l'intérieur d'une grande sauteuse
de 23 à 25 cm de diamètre, pouvant aller au four, de beurre mou.
3 Préchauffez le four à 190 °C (th. 6). Mettez les cerises dans un plat
à gratin. Battez la pâte dans la jatte et versez-la uniformément sur
les cerises. Faites cuire 20 min environ, jusqu'à ce que le clafoutis soit
gonflé et doré. Le milieu peut être plus plat que les bords, mais il doit
être ferme. Dans le cas contraire, faites cuire encore quelques minutes.
4 Poudrez de sucre glace et servez aussitôt.

Faire des clafoutis individuels

Beurrez 6 moules à tartelettes de 10 cm de diamètre. Répartissez les
cerises dans les moules. Versez la pâte sur les cerises et faites cuire
au four préchauffé à 200 °C (th. 7) 12 min environ.

POUR 6 PERSONNES

50 g d'amandes en poudre

15 g de farine

une bonne pincée de sel de mer

100 g de sucre en poudre

2 gros œufs

3 jaunes d'œufs

25 cl de crème fraîche

**300 g de cerises bien mûres, ou 250 g de Cerises
    macérées (page 13), égouttées**

un peu de beurre mou, pour graisser la poêle

sucre glace, tamisé, pour poudrer

Tempura aux fruits

POUR 4 À 6 PERSONNES

125 g de crème de riz

25 cl de bière légère

30 cl d'eau froide

1 jaune d'œuf

2 blancs d'œufs

5 à 7 morceaux de fruits différents par portion
(parmi les suivants : poire mûre mais ferme,
pomme à couteau, banane, prune, abricots,
½ petit ananas)

le jus de 1 citron

huile de tournesol, pour la friture

sucre glace, tamisé, pour poudrer

sucre vanillé (page 129), pour poudrer

Pour renouveler les beignets aux fruits, nous utilisons de la crème de riz à la place de la farine pour confectionner des pâtes à frire de style oriental. Les tranches de fruit sont rapidement plongées dans la pâte, de façon qu'elles soient à peine enrobées. Un peu de bière légère donne un léger goût de levure à la pâte. Vérifiez la température de l'huile à l'aide d'un thermomètre à sucre.

1 Préparez la pâte : mettez la crème de riz dans une grande jatte. Ajoutez la bière et l'eau et battez au fouet pour obtenir une pâte lisse. Incorporez le jaune d'œuf, au fouet également.

2 Préparez les fruits : épluchez la pomme et/ou la poire, coupez-la en deux, retirez le cœur, puis détaillez-la en tranches de 5 mm d'épaisseur. Coupez la banane en deux dans la longueur, puis coupez chaque moitié en deux. Tournez ces fruits dans le jus de citron, pour éviter qu'ils ne s'oxydent. Épluchez l'ananas et détaillez-le en tranches de 1 cm d'épaisseur ; coupez chaque tranche en deux et ôtez le cœur. Coupez les prunes et les abricots en quatre ; jetez les noyaux. Vous devez avoir environ 5 à 7 morceaux de fruit par portion.

3 Au moment de faire frire les beignets, fouettez les blancs d'œufs en neige molle dans une jatte. Incorporez-les à la pâte, avec une grande cuillère en métal. Versez de l'huile de tournesol dans une casserole à parois épaisses, assez haute, jusqu'au tiers et chauffez à 180 °C.

4 Poudrez un morceau de fruit de sucre glace, trempez-le rapidement dans la pâte et plongez-le dans l'huile brûlante. Répétez rapidement l'opération avec 2 autres morceaux de fruits. Faites frire environ 2 min, jusqu'à ce qu'ils soient dorés et croustillants. Retirez et égouttez sur du papier absorbant.

5 Faites cuire le reste des fruits de la même façon, en plusieurs fois, en les trempant dans la pâte au dernier moment. Vérifiez également que la température de l'huile est toujours de 180 °C ; si elle baisse, attendez qu'elle remonte avant de continuer la friture. Gardez les beignets au chaud, dans le four, sur une plaque à pâtisserie, sans les couvrir, jusqu'à ce que vous ayez terminé la friture.

6 Servez les beignets le plus vite possible, pendant qu'ils sont chauds et croustillants. Poudrez-les légèrement de sucre vanillé.

DES PETITES BOULES DE GLACE À LA
VANILLE (PAGE 57) ACCOMPAGNENT
PARFAITEMENT CES BEIGNETS DE FRUITS

Babas au rhum au citron et au miel

Les babas sont des petits gâteaux individuels à la levure de boulanger, cuits traditionnellement dans des moules en couronne et imbibés d'un sirop aromatisé au rhum. Ils sont délicieux avec des abricots glacés et de la crème Chantilly. Vous pouvez aussi leur ajouter quelques pistaches hachées.

1 Mélangez la farine et le sel dans une grande jatte. Émiettez la levure fraîche, ou ajoutez la levure chimique. Incorporez le zeste de citron et mélangez.

2 Chauffez légèrement le miel, pour le liquéfier. Dans une jatte, mélangez le miel, au fouet, avec la vanille et 3 œufs.

3 Ajoutez ce mélange et le beurre à la farine et battez vigoureusement, au mixeur, au moins 3 min, jusqu'à obtention d'une pâte lisse.

4 Battez légèrement les œufs restants dans un bol et ajoutez-les à la pâte, peu à peu. À vitesse moyenne, l'opération dure 5 min. Incorporez les raisins secs en même temps que la dernière portion d'œufs battus.

5 Couvrez la jatte et laissez la pâte lever au chaud, jusqu'à ce qu'elle double de volume. La pâte étant très riche, cela peut prendre plusieurs heures, mais vérifiez toutes les 30 min environ.

6 Enduisez généreusement 6 moules à baba de beurre mou. Enfoncez délicatement votre poing dans la pâte levée et divisez-la en 6 pâtons. Mettez-les dans les moules. Couvrez avec un film plastique légèrement graissé et laissez gonfler dans un endroit chaud 30 min environ, jusqu'à ce que la pâte atteigne les trois quarts du moule.

7 Préchauffez le four à 190 °C (th. 6). Retirez le film plastique et posez les moules sur la plaque du four. Faites cuire 20 min environ, jusqu'à ce que les babas soient gonflés et dorés, mais élastiques sous le doigt. Laissez reposer 5 min dans les moules. Démoulez les babas sur une grille, en les détachant des moules avec un couteau de table. Laissez tiédir.

8 Piquez les babas avec une fine brochette, sur le dessus et les côtés, puis remettez-le dans les moules. Mélangez le rhum avec le sirop chaud. Versez lentement le sirop sur les babas, de façon qu'ils soient complètement imprégnés.

9 Quand tout le sirop est absorbé, retournez les babas sur les assiettes et mettez au réfrigérateur jusqu'au moment de servir. Remplissez alors les babas d'abricots glacés et couronnez d'une quenelle de crème Chantilly. Garnissez avec le reste des abricots, arrosés de sirop.

POUR 6 À 8 PERSONNES

250 g de farine
1 cuil. à café de sel fin
15 g de levure de boulanger,
   ou 1 sachet de levure chimique
le zeste râpé de 1 citron
2 petites cuil. à soupe de miel liquide
1 cuil. à café d'extrait de vanille
6 œufs moyens
100 g de beurre mou, presque coulant,
   plus un peu pour graisser le moule
75 g de raisins secs
25 cl de Sirop de base chaud (page 200)
9 cl de rhum blanc

POUR SERVIR :

abricots glacés (page 43)
crème Chantilly (page 50)

POUR UN DESSERT APPÉTISSANT,
GARNISSEZ GÉNÉREUSEMENT LES BABAS
DE VOLUTES DE CRÈME CHANTILLY

entremets et tartes

Tarte moelleuse aux pruneaux et à l'armagnac

Une crème veloutée enrichie de pruneaux macérés dans l'armagnac pour une tarte qui ne demande aucun accompagnement, si ce n'est, peut-être, une boule de glace. Elle est parfaite pour le déjeuner dominical.

1 Mettez les pruneaux et le thé dans une casserole. Portez à ébullition et laissez frémir 1 min. Laissez refroidir 30 min. Égouttez et dénoyautez les pruneaux. Versez l'armagnac dans une jatte et laissez-les macérer.
2 Étalez finement la pâte sur un plan de travail fariné. Soulevez-la avec le rouleau et posez-la dans un cercle à pâtisserie de 24 cm de diamètre et haut de 3 à 3,5 cm, placé sur une plaque à pâtisserie tapissée de papier cuisson (ou dans un moule à tarte à fond amovible).
3 Appuyez sur les bords, avec une boulette de pâte (les doigts pourraient la déchirer). Laissez la pâte déborder.
4 Couvrez l'abaisse de pâte de papier d'aluminium, en enveloppant bien les bords, et remplissez de haricots secs. (Ne piquez pas le fond à la fourchette, le liquide s'infiltrerait sous la pâte.) Mettez le fond de tarte au réfrigérateur 20 min. Préchauffez le four à 190 °C (th. 6).
5 Pendant ce temps, mettez le lait et la crème dans une casserole avec le zeste de citron. Fendez la gousse de vanille et raclez les graines dans la casserole, avec la pointe d'un couteau. Ajoutez la gousse. Chauffez à feu doux jusqu'à ébullition. Retirez du feu, incorporez le sucre et laissez reposer 30 min.
6 Posez le moule sur une plaque et faites cuire au four 15 min. Retirez du four et baissez la température à 150 °C (th. 4). Retirez avec précaution le papier d'aluminium et les haricots secs du fond de tarte.
7 Hachez les deux tiers des pruneaux en morceaux et parsemez-les sur le fond de tarte. Battez les jaunes d'œufs avec les œufs dans une jatte. Retirez le zeste de citron et la gousse du lait et portez-le à ébullition. Versez le lait bouillant sur les œufs battus, en fouettant constamment.
8 Réduisez le reste des pruneaux en purée, au robot. Le moteur étant toujours en action, ajoutez le mélange précédent, en le versant lentement, pour obtenir une crème uniforme. Passez-la à travers une passoire dans une jatte, en appuyant avec le dos d'une louche.
9 Remettez le fond de tarte au four, en sortant la plaque au maximum. Versez-y la crème aux pruneaux – elle doit presque atteindre le bord du fond de tarte. Repoussez la plaque dans le four, très délicatement, et faites cuire 50 min à 1 h, jusqu'à ce que la crème soit ferme.
10 Avec un couteau aiguisé, coupez la pâte à ras du bord du moule (voir à droite). Laissez tiédir, puis démoulez avec précaution et glissez la tarte sur un grand plat de service. Servez tiède.

POUR 6 PERSONNES
**200 g de pruneaux d'Agen moelleux
(ne nécessitant pas de trempage)**
20 cl environ de thé Earl Grey léger
3 cuil. à soupe d'armagnac
350 g environ de Pâte sucrée (page 202)
40 cl de lait
20 cl de crème fraîche
3 lanières de zeste de citron
1 gousse de vanille
75 g de sucre en poudre
2 jaunes d'œufs
2 œufs

CETTE TARTE EST AUSSI BONNE SERVIE TELLE QUELLE QUE COURONNÉE D'UNE BOULE DE GLACE À LA VANILLE (PAGE 57)

Entremets à la crème à l'orange

Cet entremets à l'ancienne est composé d'une épaisse sauce parfumée que recouvre un délicieux biscuit soufflé. La préparation, coulante et légèrement grumeleuse, est peu appétissante avant la cuisson, mais une sorte de miracle s'opère dans le four, et la transformation est surprenante. Je me suis toujours demandé qui avait pu inventer une telle recette, à moins qu'il ne s'agisse d'un accident ? Utilisez un plat en verre résistant à la chaleur, qui laissera apparaître les différentes couches. Pour un repas entre amis, ajoutez un filet de Grand Marnier ou de Cointreau.

POUR 4 À 6 PERSONNES

30 cl de jus d'orange frais

le zeste râpé et le jus de 1 citron

3 cuil. à soupe de Grand Marnier ou de Cointreau (facultatif)

60 g de beurre mou, plus un peu pour graisser le plat

100 g de sucre en poudre

4 gros œufs, les blancs séparés des jaunes

60 g de farine avec poudre levante incorporée

½ cuil. à café de levure chimique

15 cl de lait

sucre glace, pour poudrer

1 Mettez les jus d'orange et de citron dans une casserole. Portez à ébullition et laissez réduire de moitié, à 15 cl. Laissez refroidir et incorporez, éventuellement, la liqueur.

2 Beurrez les parois d'un plat à soufflé de 1 l ou d'un autre plat à four semblable. Préchauffez le four à 180 °C (th. 6).

3 Dans une jatte, battez le beurre avec le sucre et le zeste de citron jusqu'à obtention d'un mélange crémeux. Ajoutez les jaunes d'œufs, l'un après l'autre, tout en battant. Mélangez la farine et la levure chimique, et incorporez-les à la préparation, en battant.

4 Versez lentement le jus d'orange, puis le lait, en mélangeant à la cuillère en bois. Si des grumeaux se forment ou si le mélange tourne, cela n'a pas d'importance.

5 Fouettez les blancs en neige molle dans une autre jatte. Incorporez-en un tiers au mélange précédent, puis ajoutez délicatement le reste, en imprimant un mouvement en huit à la cuillère.

6 Posez le plat beurré dans un plat à four, puis versez-y le mélange. Versez de l'eau bouillante dans le plat à four pour faire un bain-marie et mettez au four. Laissez cuire 1 h à 1 h 15 min, jusqu'à ce que l'entremets soit doré et ferme sur le dessus, mais crémeux en dessous. Baissez légèrement la température en fin de cuisson si le dessus commence à brunir.

7 Retirez le plat du bain-marie et laissez reposer 10 min au moins. Poudrez l'entremets avec du sucre glace avant de servir. Pour servir, enfoncez bien la cuillère jusqu'au fond du plat pour prendre la crème aromatisée. Cet entremets ne demande aucun accompagnement.

Pudding de pain aromatisé au Baileys

POUR 6 PERSONNES

50 g de beurre mou

$^1/_2$ baguette (environ 150 g), coupée en fines
    tranches

60 g de raisins secs ou d'airelles séchées,
    ou un mélange des deux

2 jaunes d'œufs

2 gros œufs

40 g de sucre en poudre

30 cl de crème fraîche

30 cl de lait

4 cuil. à soupe de liqueur au café (Baileys),
    ou plus, à votre goût

sucre roux, pour saupoudrer

3 cuil. à soupe de confiture d'abricots

La plupart des chefs semblent posséder chacun leur version du fameux « bread and butter pudding » anglais (pudding au pain), à base de pannetone, de pains au chocolat ou de brioche. Je préfère, quant à moi, les croissants, ou de fines tranches de baguette – le pain donne un pudding beaucoup plus léger et absorbe mieux la riche crème aux œufs. Quelques cuillerées de liqueur au café en font un dessert exquis. Servez le pudding chaud mais non brûlant, arrosé d'un filet de Baileys.

1 Graissez les parois d'un plat à four peu profond de 1,5 l avec une noix de beurre. Tartinez les tranches de pain avec le reste du beurre. Disposez le pain dans le plat, sur plusieurs couches, en parsemant chaque couche de raisins secs.

2 Battez les jaunes d'œufs et les œufs avec le sucre dans une grande jatte, jusqu'à ce que le mélange soit mousseux. Incorporez la crème, le lait et la liqueur au café. Versez lentement la préparation sur le pain.

3 Appuyez sur les tranches de pain avec les doigts, de façon à bien les imbiber du mélange. Laissez reposer 20 min environ, pour que le pain absorbe le maximum de crème aux œufs. Préchauffez le four à 180 °C (th. 6).

4 Posez le plat dans un plat à four, dans lequel vous verserez de l'eau bouillante jusqu'à mi-hauteur. (La cuisson au bain-marie évite que la crème aux œufs ne tourne en eau.) Saupoudrez de sucre roux et faites cuire 40 à 50 min.

5 Peu avant la fin de la cuisson, chauffez la confiture d'abricots, pour la liquéfier.

6 Nappez la surface du pudding avec la confiture et laissez reposer 15 min avant de servir, pour que la crème continue à cuire et se raffermisse. Arrosez chaque portion, éventuellement, d'un filet de Baileys.

Crumble à la rhubarbe et aux pommes

Les crumbles sont réputés pour être nourrissants. Celui-ci est très léger et cuit dans une sauteuse pouvant aller au four. La garniture est caramélisée tout en gardant son parfum de fruits, et le mélange de la croûte est suffisamment mince pour devenir très croustillant. De nombreux fruits, dont les pommes, et beaucoup d'épices, telles la vanille et la muscade, se marient avec la rhubarbe.

1 Préchauffez le four à 190 °C (th. 6). Épluchez la rhubarbe, puis coupez-la en tronçons de 5 cm de long. Lavez-la, si nécessaire, et essuyez-la avec un torchon. Coupez la pomme en quatre, pelez-la et ôtez le cœur. Détaillez-la en morceaux de 2 cm.

2 Chauffez une sauteuse en fonte ou à fond épais jusqu'à ce qu'elle commence presque à fumer.

3 Tournez les tronçons de rhubarbe et les morceaux de pomme dans le sucre vanillé. Mettez-les dans la poêle et étalez-les sur une seule couche. Si la poêle est suffisamment chaude, les fruits vont caraméliser presque instantanément. Laissez cuire quelques minutes, puis retournez délicatement les fruits à la spatule – ils doivent rester intacts et ne pas se transformer en compote.

4 Continuez la cuisson encore 3 à 5 min, jusqu'à ce que les fruits soient tendres sous la pointe d'un couteau. Retirez du feu et laissez un peu refroidir.

5 Pendant ce temps, préparez la croûte : mettez la farine et le beurre dans le bol d'un robot, et mixez brièvement pour obtenir un mélange semblable à de la chapelure. Ajoutez le sucre roux et mixez encore quelques secondes. Râpez la muscade directement dans le mélange, ajoutez les flocons d'avoine et mélangez brièvement.

6 Éparpillez le mélange précédent sur les fruits – sans l'écraser ni l'égaliser. Faites cuire au four 20 min, jusqu'à ce que le dessus soit bien doré. Laissez reposer 10 min avant de servir.

SUCRE VANILLÉ Il suffit de mettre 3 gousses de vanille dans un bocal contenant environ 500 g de sucre en poudre. En quelques jours, vous obtiendrez du sucre délicieusement parfumé. Ce procédé permet de récupérer les gousses de vanille fendues dont vous avez prélevé les graines et qui peuvent encore communiquer leur parfum.

POUR 4 PERSONNES

500 g de rhubarbe rose et tendre

1 grosse pomme boskoop ou braeburn

100 g de sucre vanillé (voir ci-dessous)

CROÛTE :

100 g de farine

50 g de beurre froid, coupé en petits dés

50 g de sucre roux

muscade fraîchement râpée, à votre goût

40 g de flocons d'avoine

SERVEZ AVEC DE LA CRÈME ANGLAISE (PAGE 193), DE LA CRÈME FRAÎCHE OU UNE BOULE DE GLACE À LA VANILLE OU AU GINGEMBRE (PAGES 57-58)

Pudding caramélisé à la banane et aux noix de pecan

POUR 4 À 6 PERSONNES

ENROBAGE :

50 g de beurre mou

50 g de sucre roux

50 g de demi-noix de pecan

PUDDING :

1 grosse banane bien mûre

3 fruits de la Passion bien mûrs, ou 1 citron

125 g de beurre mou

125 g de sucre

3 œufs moyens

100 g de farine avec poudre levante incorporée

¼ de cuil. à café de sel fin

½ cuil. à café de levure chimique

75 g de chapelure blanche

SERVEZ AVEC DE LA CRÈME ANGLAISE
(PAGE 193), DE LA CRÈME FRAÎCHE OU MA
SAUCE SIMPLE AU CARAMEL (CI-DESSOUS)

C'est le pudding le plus simple à préparer : il se fait tout seul au mixeur.

1 Graissez légèrement un moule à pudding de 1 l résistant à la chaleur. Battez le beurre en crème avec le sucre roux directement dans le moule, puis étalez le mélange sur la base et les parois de celui-ci, sur un tiers de la hauteur. Enfoncez 6 demi-noix de pecan dans le beurre, en formant un cercle. Hachez le reste des noix et réservez.

2 Écrasez la banane en purée. Si vous utilisez des fruits de la Passion, partagez-les en deux, prélevez la pulpe, mettez-la dans une passoire posée sur une jatte et pressez-la bien pour en extraire le jus ; jetez les graines. Sinon, râpez le zeste du citron et pressez le jus.

3 Mettez le beurre, le sucre, les œufs, la farine, le sel, la levure chimique et le jus des fruits de la Passion, ou le zeste et le jus de citron, dans le bol du mixer ou du blender. Mixez pour obtenir un mélange lisse.

4 Ajoutez la purée de banane, les noix de pecan hachées et la chapelure. Mélangez en actionnant le moteur brièvement.

5 Versez le mélange dans le moule à pudding. Couvrez avec un grand morceau de papier sulfurisé posé sur du papier d'aluminium, plissés ensemble au centre – pour permettre au pudding de gonfler –, en les maintenant sous le bord du moule avec de la ficelle ou un élastique.

6 Placez le moule dans un cuit-vapeur ou dans une grande casserole remplie d'eau bouillante jusqu'à mi-hauteur du moule. Laissez cuire 2 h à la vapeur, en vérifiant le niveau de l'eau toutes les 30 min environ.

7 Retirez le moule de la casserole et laissez reposer 10 min. Ôtez le couvercle de papier, puis glissez la lame d'un couteau de table entre le pudding et le moule sur le pourtour. Démoulez sur un plat chaud. Servez.

Sauce simple au caramel

30 cl de crème fraîche

170 g de sucre roux

4 cuil. à soupe de sirop de glucose

70 g de beurre

1 Mettez la moitié de la crème dans une casserole à fond épais. Ajoutez le reste des ingrédients. Portez à ébullition à feu doux, en mélangeant, jusqu'à ce que le sucre soit dissous. Montez le feu et laissez bouillir 10 min environ, jusqu'à ce que le mélange prenne une teinte caramel blond, en remuant une ou deux fois.

2 Retirez du feu et laissez refroidir, en remuant de temps à autre. Quand la sauce est froide, incorporez le reste de la crème, au fouet. Servez à température ambiante. Si vous préparez la sauce à l'avance, sortez-la du réfrigérateur 1 h au moins avant de servir : elle doit être coulante.

Pudding au chocolat

Cette succulente variante du pudding caramélisé à la banane et aux noix de pecan ravira les amateurs de chocolat. Il est également très facile à préparer – le plus important est de vérifier régulièrement le niveau de l'eau dans le bain-marie. Je sers ce riche pudding avec une sauce au chocolat blanc (voir ci-dessous) ou de la crème liquide.

1 Graissez légèrement un moule à pudding de 1 l résistant à la chaleur. Préparez l'enrobage du pudding : battez le beurre en crème avec le sucre directement dans le moule, puis étalez le mélange sur la base et les parois de celui-ci, sur un tiers de la hauteur.

2 Mixez les ingrédients du pudding, sauf la chapelure, au mixer ou au blender jusqu'à obtention d'une pâte lisse. Ajoutez la chapelure et actionnez l'appareil rapidement, pour l'incorporer.

3 Versez le mélange dans le moule à pudding. Couvrez avec du papier cuisson et du papier d'aluminium, plissés ensemble au centre – pour permettre au pudding de gonfler –, en les maintenant sous le bord du moule avec de la ficelle ou un élastique solide.

4 Faites cuire le pudding à la vapeur, dans un cuit-vapeur ou une grande casserole contenant de l'eau bouillante jusqu'à mi-hauteur, pendant 2 h. Vérifiez régulièrement le niveau de l'eau, et rajoutez de l'eau bouillante si nécessaire.

5 Laissez le pudding reposer 10 min avant de le démouler.

ENROBAGE :

50 g de sucre roux

50 g de beurre mou

PUDDING :

125 g de sucre en poudre ou de sucre roux

125 g de beurre mou

3 œufs moyens

2 cuil. à soupe d'extrait de café

100 g de farine avec poudre levante incorporée

25 g de cacao en poudre

¼ de cuil. à café de sel fin

½ cuil. à café de levure chimique

75 g de chapelure blanche fraîche

POUR SERVIR, NAPPEZ LE PUDDING D'UNE SAUCE AU CHOCOLAT BLANC, POUR LE CONTRASTE

Sauce au chocolat

Pour cette sauce, vous pouvez utiliser du chocolat noir, du chocolat au lait ou du chocolat blanc de bonne qualité.

1 Cassez le chocolat en morceaux. Mettez-les dans une jatte résistant à la chaleur et pouvant aller au four à micro-ondes, ou dans une petite casserole. Ajoutez la crème.

2 Mettez 1 min 30 s au four à micro-ondes réglé sur puissance maximale, ou posez la casserole sur feu très doux, jusqu'à ce que le chocolat soit fondu. Mélangez le chocolat avec la crème. Laissez tiédir. Servez.

100 g de chocolat noir, au lait ou blanc

15 cl de crème fraîche

Pudding de riz thaï à la noix de coco et à la citronnelle

250 g de riz thaï au jasmin

1 tige de citronnelle fraîche, fendue
partiellement

50 cl d'eau

½ cuil. à café de sel fin

100 g de sucre en poudre

20 cl de lait de coco

4 cuil. à soupe de crème fraîche, plus un peu
pour servir (facultatif)

POUR SERVIR :

2 mangues, coupées en tranches

COURONNEZ LE PUDDING DE TRANCHES
DE MANGUE FRAÎCHE (COMME ILLUSTRÉ),
OU SERVEZ AVEC UN COULIS DE MANGUE
(PAGE 11) OU DES TRANCHES DE MANGUE
CARAMÉLISÉES (PAGE 42)

C'est peut-être le pudding de riz le plus rapide à préparer. J'utilise du riz thaï délicatement parfumé au jasmin et légèrement collant, que je fais cuire dans de l'eau salée et auquel j'ajoute ensuite du sucre et du lait de coco, selon la méthode thaï traditionnelle. Pour l'enrichir davantage, je vous conseille d'incorporer un peu de crème fraîche. Servez ce pudding chaud et crémeux avec des tranches de mangue.

1 Mettez le riz, la citronnelle, l'eau et le sel dans une casserole moyenne à fond épais. Portez à ébullition, en remuant une ou deux fois, puis baissez le feu, couvrez et laissez frémir 12 min.

2 Retirez la casserole du feu et laissez reposer, à couvert, 5 min.

3 Retirez la citronnelle. Ajoutez le sucre, mélangez jusqu'à ce qu'il soit dissous, puis incorporez le lait de coco. Laissez reposer, à couvert, encore 5 min. Ajoutez la crème fraîche.

4 Laissez tiédir le pudding – il sera meilleur que chaud. Pour servir, disposez des tranches de mangue sur le dessus et accompagnez, éventuellement, de crème fraîche.

Variante

Ce pudding est également délicieux froid, et vous pourrez le servir comme du riz au lait. Laissez le pudding refroidir complètement, puis incorporez un peu de crème liquide, pour le rendre moins compact. Disposez des tranches de mangue, d'abricot ou de pêche dans 4 coupes, puis recouvrez-les de riz. Mettez au réfrigérateur avant de servir, parsemé de pistaches ou d'amandes grillées et hachées.

Trifle aux pêches et aux cerises

Un bon « trifle » doit avoir la texture d'une crème aux fruits, crémeuse mais non coulante. Celui-ci – mon préféré – est composé d'une base de macarons (ou d'amaretti) trempés dans de l'eau-de-vie de framboise, que l'on recouvre de pêches et de fruits rouges, en alternant les couches, lesquels sont nappés d'une riche crème anglaise, que je fouette pour la rendre plus légère. Pour les plus gourmands, je couronne le tout de crème fouettée. (La crème anglaise que j'utilise ici est plus riche que ma recette de base de la page 193.)

1 Préparez la crème anglaise : mettez la crème et le lait dans une casserole à fond épais. Ajoutez 1 cuil. à soupe de sucre. Fendez la gousse de vanille et raclez les graines dans la casserole. Portez lentement à ébullition sur feu doux. Pendant ce temps, battez le reste de sucre avec les jaunes d'œufs dans une grande jatte. Versez un tiers du lait, peu à peu, en battant constamment.

2 Versez le mélange dans la casserole et laissez cuire à feu doux, en remuant constamment avec une cuillère en bois, jusqu'à ce que la crème soit assez épaisse pour napper le dos de la cuillère. Passez la crème dans une jatte, couvrez et laissez refroidir. Mettez au réfrigérateur.

3 Préparez le trifle : trempez les pêches dans de l'eau bouillante 30 s, puis plongez-les dans de l'eau froide. Pelez-les, en faisant glisser la peau, partagez-les en deux, dénoyautez-les et émincez-les finement. Réservez.

4 Écrasez les macarons, ou les amaretti, et répartissez-les dans 6 verres à vin. Arrosez d'eau-de-vie de framboise ou de xérès, puis appuyez légèrement sur les biscuits pour les en imprégner. Ajoutez les pêches émincées et les fruits rouges, en alternant les couches. Mettez au réfrigérateur 30 min.

5 Battez la crème anglaise bien froide, au fouet, jusqu'à ce qu'elle mousse. Répartissez-la dans les verres.

6 Fouettez, éventuellement, la crème fraîche avec le sucre glace. Couronnez chaque trifle d'une cuillerée de ce mélange. Servez frais.

POUR 6 PERSONNES

CRÈME ANGLAISE :

30 cl de crème fraîche

10 cl de lait

50 g de sucre en poudre

1 gousse de vanille

6 jaunes d'œufs

TRIFLE :

2 grosses pêches bien mûres

100 g de macarons, ou d'amaretti

6 cuil. à soupe d'eau-de-vie de framboise,
    ou de xérès mi-sec

150 g de cerises, dénoyautées, de framboises
    ou d'autres fruits rouges

POUR SERVIR (FACULTATIF) :

150 g de crème liquide

2 cuil. à café de sucre glace

Tarte streusel aux pommes golden

POUR 6 PERSONNES

350 g environ de Pâte sucrée (page 202)

4 ou 5 grosses pommes golden delicious
   (à défaut, granny smith)

50 g de beurre

3 à 4 cuil. à soupe de calvados

100 g de raisins secs

150 g de framboises (facultatif)

STREUSEL :

75 g de farine

1/2 cuil. à café de cannelle en poudre

40 g de beurre

40 g de sucre roux

2 cuil. à soupe de noisettes, grillées et hachées,
   ou 2 sablés, finement écrasés

POUR SERVIR :

crème Chantilly (page 50)

LA CRÈME CHANTILLY ACCOMPAGNE
PARFAITEMENT CETTE TARTE STREUSEL

Les tartes aux pommes sont toujours appréciées. Cette recette associe le moelleux de la tarte et le croustillant du streusel. La pâte est très friable et s'émiette : pour la couper plus facilement, utilisez un grand couteau de cuisine dont vous aurez plongé la lame dans de l'eau bouillante ; essuyez-la et coupez la tarte aussitôt.

1 Étalez finement la pâte sucrée. Foncez un moule à tarte à fond amovible de 21 cm de diamètre et de 3 à 3,5 cm de haut, en laissant la pâte retomber sur le pourtour. Couvrez le fond de tarte de papier d'aluminium et de haricots secs. Mettez 20 min au réfrigérateur. Préchauffez le four à 190 °C (th. 6).

2 Pendant ce temps, préparez la garniture : coupez les pommes en quartiers, pelez-les, ôtez le cœur, puis détaillez-les en dés de 2 cm. Chauffez le beurre dans une grande sauteuse, jusqu'à ce qu'il grésille. Ajoutez les dés de pomme et faites sauter 5 à 7 min environ, jusqu'à ce qu'ils soient dorés et presque cuits. Versez le calvados, en remuant, pour déglacer, et laissez cuire jusqu'à ce que tout le liquide soit évaporé. Laissez refroidir.

3 Faites cuire le fond de tarte à blanc 15 min. Retirez du four, puis enlevez le papier d'aluminium et les haricots. Baissez la température à 170 °C (th. 5). Avec un couteau aiguisé, coupez la pâte à ras du moule. Versez les pommes. Parsemez de raisins secs et, éventuellement, de framboises.

4 Préparez le streusel : mélangez la farine et la cannelle dans une jatte. Incorporez le beurre, peu à peu, en émiettant le mélange du bout des doigts, jusqu'à ce qu'il ait la consistance de la chapelure. Ajoutez le sucre et les noisettes hachées, ou les sablés écrasés. Étalez le streusel uniformément sur les fruits.

5 Enfournez et faites cuire 30 min, jusqu'à ce que le dessus de la tarte soit doré et croustillant. Posez le moule sur une grille et laissez tiédir. Pour démouler, soulevez le fond du moule et glissez la tarte sur un grand plat. Servez chaud, avec de la crème Chantilly.

Tartelettes à la mélasse

POUR 24 MINITARTELETTES

300 g de mélasse

85 g de chapelure blanche fraîche

60 g d'amandes en poudre

1 œuf, battu

15 cl de crème fraîche

500 g de Pâte sucrée (page 202)

4 cuil. à soupe environ de confiture
de framboises ou d'abricots,
légèrement chauffée

Cette recette, qui s'inspire de la tourte classique anglaise et du pie aux noix de pecan américain, remet au goût du jour la fameuse tarte à la mélasse. J'ajoute des œufs et des amandes à la garniture, pour lui donner plus de tenue – préparée la veille, elle sera meilleure –, et je la fais cuire dans une base de pâte sucrée. Vous pouvez confectionner 24 minitartelettes ou une grande tarte pour 6 à 8 personnes.

1 Préparez la garniture la veille : mettez la mélasse, la chapelure, les amandes en poudre, l'œuf et la crème dans le bol d'un mixer ou d'un blender. Mixez jusqu'à obtention d'une pâte lisse. Mettez au réfrigérateur 24 h.

2 Divisez la pâte en deux. Abaissez chaque pâton en un rectangle de 3 mm d'épaisseur environ. Posez chaque abaisse sur une plaque de 12 moules à muffins de 4 à 5 cm de diamètre. Laissez reposer 15 à 20 min, de façon que la pâte s'affaisse naturellement dans les alvéoles, puis appuyez avec une boulette de pâte pour la faire adhérer.

3 Préchauffez le four à 180 °C (th. 6). Déposez ½ cuil. à café environ de confiture dans chaque cavité. Remplissez de garniture jusqu'aux trois quarts. Faites cuire 10 min, puis baissez la température à 150 °C (th. 4). Poursuivez la cuisson 10 min.

4 Sortez les 2 plaques de moules à muffins du four. Découpez la pâte autour des alvéoles, à l'aide d'un emporte-pièce du même diamètre que les tartelettes et d'un petit couteau aiguisé. Retirez la pâte en excès.

5 Remettez les moules au four 10 à 15 min, jusqu'à ce que les tartelettes soient dorées. Laissez reposer dans les moules 5 à 10 min, pour qu'elles se raffermissent. Démoulez avec précaution et laissez refroidir sur une grille.

Grande tarte à la mélasse, pour 6 à 8 personnes

1 Il faut seulement 350 g de pâte sucrée. Préparez la garniture comme ci-dessus et mettez au réfrigérateur 24 h. Abaissez la pâte. Foncez un moule à tarte à fond amovible de 21 cm de diamètre et de 2 cm de haut au moins, en laissant la pâte retomber. Laissez reposer 20 min.

2 Préchauffez le four à 180 °C (th. 6). Étalez la confiture sur le fond de tarte et versez la garniture dessus. Posez le moule sur la plaque du four et faites cuire 15 min. Baissez la température à 150 °C (th. 4) et poursuivez la cuisson 20 min.

3 Retirez le moule du four, et coupez la pâte à ras du moule. Faites cuire encore 15 à 20 min. Laissez refroidir dans le moule 30 min au moins, puis soulevez le fond et glissez la tarte sur un plat. Servez.

DÉLICIEUX AVEC DE LA CRÈME FRAÎCHE
AROMATISÉE À LA CITRONNELLE (PAGE 50)

Crème brûlée au café

Les crèmes brûlées peuvent être aromatisées avec de nombreux parfums. Au restaurant, nous en servons, dans des petits pots, au basilic, au romarin et à la lavande. Pour cette recette, vous devez disposer de tasses à café pouvant aller au four – comme le service espresso sur l'illustration page ci-contre. Les grains de café enrobés de chocolat ajoutent une note élégante.

1 Préchauffez le four à 140 °C (th. 4). Graissez légèrement 6 tasses à café pouvant aller au four et posez-les sur une plaque.
2 Mettez la crème et le lait dans une casserole à fond épais. Chauffez lentement jusqu'à frémissement. Ajoutez le café et, éventuellement, la liqueur au café.
3 Battez les jaunes d'œufs dans une grande jatte résistant à la chaleur, jusqu'à ce qu'ils soient jaune pâle et mousseux. Versez le contenu de la casserole sur les jaunes d'œufs, en trois fois, en fouettant vigoureusement. Incorporez le sucre, au fouet. Passez dans une jatte à travers une passoire fine.
4 Répartissez le mélange dans les tasses à café. Faites cuire au four 45 min, jusqu'à ce que les crèmes soient à peine prises sur le dessus. Pour vérifier la cuisson, inclinez légèrement une tasse : la crème doit couler sur le bord, tout en étant plus ferme au centre. Retirez du four et laissez refroidir. Le mélange épaissira en refroidissant. Mettez au réfrigérateur jusqu'à usage.
5 Au moment de servir, saupoudrez 1 cuil. à café de sucre roux sur le dessus de chaque crème et caramélisez avec un petit chalumeau de cuisine. Servez aussitôt, avec, éventuellement, quelques grains de café au chocolat.

Note : si vous n'avez pas de chalumeau, vous pouvez faire caraméliser les crèmes en plaçant les tasses sous un gril très chaud. Néanmoins, vous devrez veiller à ce que le gril soit brûlant, pour éviter que la crème ne fonde. Si vos tasses risquent de ne pas supporter la chaleur du gril, supprimez cette étape.

POUR 6 PERSONNES
35 cl de crème fraîche
12,5 cl de lait (UHT de préférence)
5 cl de café fort (double espresso)
1 cuil. à soupe de liqueur au café (Kahlua ou Tia Maria) (facultatif)
6 jaunes d'œufs
75 g de sucre en poudre
POUR SERVIR :
2 cuil. à soupe de sucre roux, pour caraméliser
grains de café enrobés de chocolat (facultatif)

Tarte Tatin aux poires

POUR 4 PERSONNES

6 poires conférence

100 g de beurre mou

100 g de sucre en poudre

300 g environ de Pâte feuilletée minute
(page 209), de Pâte feuilletée au mascarpone
(page 208), ou une bonne marque
du commerce

Au restaurant, nous confectionnons des tartelettes, que nous faisons cuire dans des petites sauteuses en cuivre, mais vous pouvez également préparer une grande tarte pour plusieurs personnes. À défaut d'un vrai moule à tarte Tatin, de 21 cm de diamètre et de 6 cm de haut, vous devez disposer d'un moule peu profond en métal pouvant aller au four, tel qu'une sauteuse, une poêle à paella ou un plat à gratin en fonte. Les poires coupées sont mises au réfrigérateur au moins 12 h à l'avance, pour qu'elles puissent sécher un peu. Peu importe si elles noircissent, puisque le caramel va les recouvrir.

1 Préparez les poires la veille : pelez-les aussi finement que possible. Coupez-les en quartiers et retirez le cœur. Disposez-les sur une grande assiette, sur une couche, et mettez au réfrigérateur, sans couvrir, au moins 12 h, pour qu'elles sèchent un peu. (Cela évite que les poires ne rendent trop de jus pendant la cuisson, ce qui diluerait le caramel.)

2 Au moment de confectionner la tarte, préchauffez le four à 200 °C (th. 7). Étalez le beurre en couche épaisse sur le fond d'un moule à tarte Tatin ou d'un autre moule pouvant aller au four (voir ci-dessus). Saupoudrez le sucre, en couche uniforme.

3 Enfoncez les quartiers de poire dans le beurre, côté coupé vers le haut, en les disposant en cercle et en mettant un quartier au centre.

4 Chauffez le moule sur feu modéré, de façon que le beurre et le sucre fondent et forment un caramel. Secouez le moule de temps à autre, pour faciliter la formation du caramel, mais ne mélangez pas. Laissez cuire 10 min environ, jusqu'à ce que les poires commencent à s'attendrir, puis retirez du feu.

5 Abaissez la pâte sur une planche en un cercle de 24 cm de diamètre (vous pouvez prendre un moule à gâteau comme gabarit). Couvrez avec un film plastique et mettez au réfrigérateur 1 à 2 h.

6 Avec le rouleau à pâtisserie, soulevez l'abaisse et posez-la sur le moule. Enfoncez la pâte dans le moule, sur le pourtour, de façon à enfermer les fruits. Percez la pâte en plusieurs endroits avec la pointe d'un couteau.

7 Faites cuire 15 min, puis baissez la température à 180 °C (th. 5) et laissez cuire encore 10 à 15 min, jusqu'à ce que la pâte soit dorée et croustillante. (Vous pouvez retirer une partie du jus en excès en cours de cuisson, pour éviter de diluer le caramel, en veillant à ne pas vous brûler.)

8 Laissez reposer 10 min, puis retournez la tarte sur un grand plat de service. Servez chaud.

LA TARTE TATIN EST MEILLEURE CHAUDE, AVEC DES BOULES OU DES COPEAUX DE GLACE À LA VANILLE, COURONNÉE DE CRÈME FOUETTÉE OU DE CRÈME FRAÎCHE

Tourte aux fruits d'automne

Confectionnez cette tourte dans une tourtière de 23 cm de diamètre, d'une contenance de 1,20 l.

1 Étalez la pâte en un cercle de la taille d'une tourtière de 1,20 l, plus 2 à 3 cm tout autour, sur 5 mm d'épaisseur. Retournez la tourtière sur la pâte et découpez-y un couvercle de pâte d'un diamètre à peine supérieur. Posez-le sur du papier cuisson, couvrez avec un film plastique et réservez. Abaissez de nouveau les restes de pâte, et découpez-y des bandes de 1 cm de large. Couvrez et réservez.

2 Pelez les pommes et les poires. Coupez-les en quartiers, puis en gros morceaux, après avoir ôté le cœur. Dénoyautez les pêches, ou les prunes, et coupez-les en quartiers. Il n'est pas nécessaire de les peler.

3 Poêlez les fruits en deux fois : chauffez 30 g de beurre dans une poêle, ajoutez la moitié des fruits et saupoudrez de la moitié du sucre et des épices. Laissez cuire à feu doux 5 min, puis versez les fruits dans la tourtière. Renouvelez l'opération avec le reste des fruits.

4 Placez une cheminée à tourte au centre des fruits – cela permet de soulever la pâte, pour qu'elle soit plus croustillante. Laissez refroidir.

5 Mouillez le pourtour de la tourtière et appuyez les bandes de pâte sur le bord, en soudant les extrémités. Enduisez-les d'œuf battu. Soulevez délicatement l'abaisse de pâte, avec un rouleau à pâtisserie, et posez-la sur les fruits, après avoir fait une entaille en croix au centre si vous utilisez une cheminée. Soudez légèrement les bords.

6 Soulevez la tourtière en l'air, dans une main, et avec un petit couteau aiguisé que vous tiendrez en biais, coupez la pâte qui dépasse. Appuyez fermement sur le pourtour, avec votre index replié. En même temps, remontez le bourrelet de pâte en le fendant horizontalement avec un couteau, pour dessiner des feuilles en pâte.

7 Pour décorer la tourte, vous pouvez faire un bord festonné – en pinçant le bourrelet entre le pouce et l'index et en le rentrant avec la pointe d'un couteau –, ou découper des feuilles ou d'autres formes dans les restes de pâte. Enduisez le couvercle de pâte et le bourrelet d'œuf battu, appliquez les décorations et badigeonnez-les également d'œuf battu. Saupoudrez d'un peu de sucre et mettez au réfrigérateur 20 min. Pendant ce temps, préchauffez le four à 190 °C (th. 6).

8 Posez la tourte sur la plaque du four et faites cuire 30 à 40 min, jusqu'à ce que la croûte soit dorée et croustillante. Baissez légèrement la température vers la fin de la cuisson si la pâte fonce trop vite. Laissez reposer 20 min avant de servir.

POUR 6 PERSONNES

450 g de Pâte aromatisée à l'orange (page 203)
3 grosses pommes granny smith
3 grosses poires conférence
4 grosses pêches, ou 8 grosses prunes rouges
60 g de beurre
60 g de sucre en poudre
1 cuil. à café de poudre de cinq-épices

POUR LE COUVERCLE DE PÂTE :

1 jaune d'œuf, battu avec 2 cuil. à café d'eau
1 à 2 cuil. à café de sucre en poudre

AVEC DE LA CRÈME ANGLAISE (PAGE 193),
DE LA CRÈME LIQUIDE OU DE LA GLACE
À LA VANILLE (PAGE 57), CETTE TARTE
DEVIENT UN ENTREMETS DÉLICIEUX

occasions spéciales

Pannacottas à l'orange

Ce dessert est plus facile à réaliser qu'une crème au caramel ou une crème brûlée. Nous servons les pannacottas à peine pris, de façon qu'ils tremblotent de manière appétissante quand le serveur les apporte à la table. Je les accompagne souvent de figues rôties et de quartiers d'orange, mais des fruits rouges sont tout aussi délicieux.

1 Mettez le sirop de glucose, la moitié du sucre et l'eau dans une casserole à fond épais. Faites dissoudre le sucre à feu doux, en remuant une ou deux fois. Avec un pinceau à pâtisserie trempé dans de l'eau chaude, humectez les parois de la casserole, pour éliminer les cristaux de sucre qui pourraient faire cristalliser le sirop.

2 Quand le sucre est totalement dissous, portez à ébullition et laissez cuire, sans remuer, pour obtenir un caramel blond (le thermomètre à sucre doit indiquer 125 °C). Dès que le caramel est prêt, retirez du feu et plongez le fond de la casserole dans de l'eau froide pour arrêter la cuisson. Laissez refroidir. Le sirop de glucose donne du brillant et de la viscosité au sirop (voir note).

3 Placez 6 moules à dariole ou des ramequins de 12 cl sur la plaque du four.

4 Mettez la crème et le lait dans une grande casserole et portez lentement à ébullition. Quand le liquide commence à monter, baissez le feu. Laissez bouillir 5 min environ, jusqu'à réduction d'un tiers.

5 Pendant ce temps, faites tremper les feuilles de gélatine dans une jatte d'eau froide, jusqu'à ce qu'elles soient très molles. Retirez-les de l'eau et pressez-les entre les mains pour les essorer.

6 Retirez la casserole du feu. Ajoutez le reste du sucre, le zeste d'orange et la gélatine, en remuant jusqu'à ce qu'elle soit complètement dissoute. Laissez refroidir. Versez la liqueur, ou le rhum et mélangez.

7 Versez le caramel refroidi dans les moules, puis ajoutez lentement le mélange précédent. Laissez prendre au réfrigérateur.

8 Au moment de servir, glissez une lame de couteau entre le pannacotta et le bord du moule, renversez sur une petite assiette et secouez pour démouler. Couronnez, éventuellement, avec des lanières de zeste d'orange confit. Servez avec des figues rôties, le cas échéant, et des quartiers d'orange, ou des fruits rouges.

Note : au restaurant, nous conservons ce sirop dans des bouteilles en plastique, et nous en nappons les desserts juste avant de servir. Le sirop de glucose l'empêche de durcir.

POUR 6 PERSONNES

4 cuil. à soupe de sirop de glucose

300 g de sucre en poudre

3 cuil. à soupe d'eau

60 cl de crème fraîche

15 cl de lait

3 feuilles de gélatine

le zeste râpé de 2 oranges

2 cuil. à soupe de Cointreau, ou de rhum blanc

POUR SERVIR :

figues vertes rôties au miel (page 42) (facultatif)

quartiers d'orange, fraises ou framboises

lanières de zeste d'orange confit (page 47) (facultatif)

DÉLICIEUX AVEC DES FIGUES VERTES RÔTIES AU MIEL (PAGE 42), DES QUARTIERS D'ORANGE ET DU ZESTE D'ORANGE CONFIT (PAGE 47)

Tarte moka au chocolat

POUR 6 À 8 PERSONNES

300 g environ de Pâte au chocolat (page 203)

200 g de chocolat noir fondu (environ 60 % de cacao)

BISCUIT :

1 blanc d'œuf (de préférence, œuf d'une semaine)

40 g de sucre en poudre

50 g d'amandes en poudre

1 cuil. à soupe de farine

2 cuil. à soupe d'extrait de café

2 cuil. à soupe de liqueur au café (Tia Maria)

CRÈME MOKA :

12 cl de crème fraîche

4 cuil. à soupe de lait

2 cuil. à soupe de café fort frais, refroidi

1 gros œuf, battu

50 g de sucre

EXQUIS AVEC DE LA CRÈME CHANTILLY (PAGE 50) ET QUELQUES FRAMBOISES OU DES QUARTIERS D'ORANGE

Cette tarte se compose d'une croûte au chocolat fondante, d'un biscuit léger au café imbibé de liqueur et d'une garniture de crème au chocolat veloutée. Je vous conseille de faire le fond de tarte et le biscuit à l'avance, et la garniture quelques heures avant de servir.

1 Préparez un gabarit pour le biscuit : tapissez une plaque avec du papier cuisson. Posez le fond amovible d'un moule à tarte de 21 cm de diamètre et de 3 à 3,5 cm de haut sur le papier. Tracez-en le pourtour. Remettez le fond dans le moule.

2 Abaissez la pâte sur un plan de travail légèrement fariné – la pâte étant molle, il vous sera peut-être plus facile de l'étaler avec les doigts. Foncez le moule, en laissant la pâte retomber sur le pourtour. Piquez le fond avec une fourchette, tapissez-le de papier d'aluminium et de haricots secs. Laissez au réfrigérateur 15 à 20 min.

3 Préchauffez le four à 190 °C (th. 6). Faites cuire le fond de tarte à blanc 15 min. Retirez le papier d'aluminium et les haricots, coupez la pâte à ras du moule et laissez cuire encore 10 min, jusqu'à ce que la pâte soit croustillante. Laissez refroidir. Baissez la température à 170 °C (th. 5).

4 Étalez un tiers du chocolat fondu sur le fond de tarte, en couche uniforme. Gardez le reste du chocolat à température ambiante.

5 Préparez le biscuit : dans une jatte, battez le blanc d'œuf en neige ferme – il montera mieux s'il est à température ambiante et si l'œuf a quelques jours –, puis incorporez le sucre pour obtenir une meringue. Avec une cuillère en métal, incorporez délicatement les amandes en poudre et la farine. Étalez le mélange sur le rond de papier cuisson (ou déposez-le à la poche à douille). Faites cuire 12 min. Laissez reposer 5 min, puis retirez le papier avec précaution et laissez refroidir sur une grille. Chauffez l'extrait de café et la liqueur au café. Laissez refroidir.

6 Préparez la crème moka : portez la crème et le lait à ébullition, versez le mélange sur le reste du chocolat fondu, en remuant, pour obtenir un mélange lisse. Laissez refroidir, puis incorporez le café fort. Battez l'œuf avec le sucre. Mélangez avec la crème chocolatée.

7 Avant d'assembler la tarte, chauffez le four à 150 °C (th. 4). Mettez le disque de biscuit dans le fond de tarte et arrosez avec le sirop aromatisé au café. Posez le moule à tarte sur la plaque du four, à mi-hauteur, en la tirant au maximum à l'extérieur. Versez la crème au chocolat jusqu'au bord. Repoussez la plaque et faites cuire 40 min environ. La garniture doit être molle – elle se raffermira en refroidissant.

8 Laissez refroidir, jusqu'à ce que la garniture ait la consistance d'une crème fouettée. Démoulez sur un plat et servez à température ambiante.

Cheesecake au potiron

Ce gâteau d'une belle couleur se compose d'un mince disque de biscuit et d'une garniture légère au potiron et au mascarpone. Accompagnez ce dessert d'une ou deux cuillerées de poires ou de prunes rôties. Pour que la purée de potiron soit plus savoureuse, je la prépare à l'avance et je la congèle : en décongelant, la pulpe se sépare de l'eau, et vous pouvez jeter celle-ci pour que le parfum du potiron soit plus concentré.

1 Préparez la purée de potiron : retirez les graines et le cœur filandreux du potiron, puis pelez la peau aussi finement que possible. Coupez la chair en petits dés. Chauffez le beurre dans une poêle. Ajoutez le potiron et 25 g de sucre. Laissez cuire 10 min environ, jusqu'à ce que le potiron soit tendre. Mixez-le en purée lisse et laissez refroidir. Vous pouvez préparer cette purée un ou plusieurs jours à l'avance et la congeler pour en concentrer l'arôme (voir ci-dessus).

2 Préparez le biscuit : préchauffez le four à 200 °C (th. 7). Battez les blancs d'œufs en neige assez ferme dans une jatte. Incorporez le sucre en poudre, peu à peu, puis les jaunes d'œufs. Mélangez la Maïzena et la farine, puis incorporez-les délicatement au mélange.

3 Tapissez une plaque avec du papier cuisson. Étalez la pâte du biscuit sur un carré de 30 cm de côté environ, sur une épaisseur uniforme. Faites cuire 7 à 10 min, jusqu'à ce que le biscuit soit doré et élastique sous le doigt. Retournez-le sur une grille, laissez refroidir et retirez le papier. Baissez la température du four à 170 °C (th. 6).

4 Pour le cheesecake, un moule à gâteau démontable de 23 à 24 cm de diamètre et de 6 cm de haut environ est nécessaire. Coupez un rond dans le biscuit à la taille exacte de l'intérieur du moule, en vous guidant avec le fond de celui-ci – il vaut mieux réduire le biscuit s'il est trop grand, plutôt que le couper trop petit et laisser ainsi des espaces où s'infiltrerait la garniture. Mettez-le dans le moule.

5 Préparez la garniture : dans une jatte, mélangez le mascarpone avec la crème fraîche, la crème aigre, 50 g de sucre, les graines ou l'extrait de vanille et les jaunes d'œufs. Ajoutez la purée de potiron.

6 Battez les blancs d'œufs en neige ferme, puis ajoutez le reste du sucre, peu à peu, tout en fouettant. Incorporez-les délicatement au mélange au potiron. Versez la garniture sur la base de biscuit et faites cuire 40 à 45 min, jusqu'à ce que le dessus soit légèrement ferme.

7 Laissez le cheesecake refroidir dans le moule, puis mettez au réfrigérateur. Glissez la lame d'un couteau sur le pourtour du moule, et démoulez avec précaution sur un plat. Servez coupé en parts, poudré de sucre glace.

POUR 6 À 8 PERSONNES

BASE DE BISCUIT :

3 œufs moyens, les blancs séparés des jaunes

70 g de sucre en poudre

40 g de Maïzena

40 g de farine

GARNITURE :

700 g environ de potiron frais, non pelé

50 g de beurre

100 g de sucre en poudre blanc ou roux

200 g de mascarpone

12,5 cl de crème fraîche

7 cl de crème aigre (ou acidulée avec le jus de 1 citron)

les graines de 2 gousses de vanille, ou 1 cuil. à café d'extrait de vanille

2 gros œufs, les blancs séparés des jaunes

POUR SERVIR :

sucre glace, tamisé, pour poudrer

SERVEZ SIMPLEMENT POUDRÉ DE SUCRE GLACE, COMME ILLUSTRÉ, OU AVEC DES PRUNES RÔTIES (PAGE 41), DES POIRES RÔTIES (PAGE 43) OU DE LA GLACE À L'EAU DE FLEUR D'ORANGER (PAGE 52)

Cornets aux fruits rouges en pâte filo

POUR 4 PERSONNES

2 ou 3 feuilles de pâte filo de 28 x 40 cm environ

100 g environ de beurre, fondu

5 cuil. à soupe de sucre glace, tamisé,
   plus un peu pour poudrer

400 g de framboises

400 g de petites fraises mûres

250 g de mascarpone

25 cl de crème fleurette

30 cl de crème fraîche

POUR SERVIR :

Coulis de fraise ou de framboise (page 11)

fruits tendres, tels que fraises, framboises
   et groseilles

Rien n'est plus facile à utiliser que la pâte filo. Il suffit de savoir manier un pinceau à pâtisserie trempé dans du beurre fondu. Entourez des moules à cornets en métal de carrés beurrés de pâte filo, et faites cuire au four jusqu'à ce que la pâte soit croustillante. Laissez refroidir, puis garnissez d'une crème parfumée aux fruits rouges ou tout autre arôme, comme la Crème à la pistache (page 52). Servez un ou deux cornets par personne, avec un coulis de fruits rouges et des fruits d'été. En saison, ajoutez quelques fraises des bois.

1 Préchauffez le four à 190 °C (th. 6). Découpez 10 carrés de 12 cm dans la pâte. Travaillez avec un seul carré de pâte filo à la fois ; couvrez les autres avec un film plastique, pour les empêcher de sécher. Enduisez un carré de pâte filo de beurre et saupoudrez légèrement de sucre glace.

2 Enroulez le carré de pâte autour d'un moule à cornet, sans trop serrer, pour qu'il se démoule facilement après cuisson. La pâte ne doit pas dépasser le bord du moule. Posez sur une plaque non adhésive. Procédez de la même façon pour former 7 autres cornets – il reste 2 carrés de pâte, au cas où vous en casseriez.

3 Faites cuire les cornets en pâte filo 12 à 15 min, jusqu'à ce qu'ils soient dorés et croustillants. Laissez refroidir quelques minutes, puis démoulez en les faisant délicatement glisser sur une grille. Laissez refroidir complètement.

4 Mettez les framboises et les fraises dans une jatte. Écrasez-les à la fourchette, puis ajoutez le sucre glace. Battez le mascarpone avec la crème fleurette et la crème fraîche dans une autre jatte. Incorporez ce mélange aux fruits. Remplissez une poche à douille, équipée d'un large embout, du mélange et réservez au réfrigérateur jusqu'à usage.

5 Au moment de servir, garnissez les cornets avec la crème aux fruits rouges et poudrez-les avec du sucre glace. Versez un peu de coulis de fraise ou de framboise dans chaque assiette. Disposez 2 cornets sur les assiettes. Servez accompagné de fruits tendres.

Tiramisu et ses deux variantes

POUR 6 PERSONNES
CRÈME À LA VANILLE :
100 g de sucre en poudre
5 cuil. à soupe d'eau
3 jaunes d'œufs
250 g de mascarpone
10 cl de crème fraîche
5 cuil. à soupe de yaourt grec
1 gousse de vanille
30 cl de crème fleurette
GARNITURE :
350 g de Cerises macérées (page 13)
chocolat noir râpé, pour parsemer
OU POUR UN TIRAMISU TRADITIONNEL :
20 cl de café fort frais, refroidi
3 cuil. à soupe de rhum
12 biscuits à la cuillère italiens, ou 12 boudoirs
50 g de chocolat noir râpé

Au restaurant, nous servons parfois des petits-fours faits de collerettes miniatures en chocolat, garnies de crème de tiramisu. Cette crème à la vanille peut en effet servir pour de nombreux desserts, en particulier avec des cerises macérées, dans de jolies coupes. Vous pouvez aussi, pour un tiramisu plus traditionnel, alterner des couches de crème avec des biscuits à la cuillère trempés dans une sauce au rhum et au café. Dans ce cas, choisissez les vrais boudoirs, qui gardent mieux leur forme.

1 Préparez la crème à la vanille : mettez le sucre et l'eau dans une petite casserole et faites fondre à feu doux. Montez le feu et laissez bouillir 5 min environ, jusqu'à ce que le sirop épaississe : le thermomètre à sucre doit indiquer 120 °C – à défaut de thermomètre, plongez une petite cuillerée à café de sirop dans de l'eau glacée : il doit former une boule ferme et translucide.
2 Avec un fouet électrique, fouettez les jaunes d'œufs dans une jatte ne craignant pas la chaleur, posée sur un torchon humide pour la stabiliser. Quand ils commencent à pâlir et épaissir, réchauffez le sirop de sucre rapidement et versez-le délicatement le long de la jatte, tout en fouettant. Continuez à battre encore 3 à 4 min, puis laissez refroidir.
3 Mettez le mascarpone, la crème fraîche et le yaourt dans une jatte. Fendez la gousse de vanille et raclez les graines dans la jatte. Battez vigoureusement et incorporez au mélange œufs-sirop refroidi.
4 Fouettez la crème fleurette en mousse ferme dans une jatte, puis incorporez-la au mélange précédent. Couvrez et mettez au réfrigérateur jusqu'au moment de servir.

Tiramisu aux cerises macérées
Répartissez les cerises macérées dans des verres à vin. Versez la crème à la vanille sur les cerises. Parsemez un peu de chocolat noir râpé à la surface du tiramisu.

Tiramisu traditionnel
Mélangez le café et le rhum dans une jatte peu profonde. Trempez rapidement la moitié des biscuits dans le mélange, un par un, et disposez-les, sur une couche, dans une jolie coupe en verre. Recouvrez avec la moitié de la crème à la vanille. Trempez le reste des biscuits dans le mélange café-rhum et posez-les sur la crème. Nappez avec le reste de la crème, puis parsemez le chocolat râpé. Mettez au réfrigérateur au moins 2 h avant de servir.

Tartelettes au citron et au fruit de la Passion

Les tartes au citron classiques du commerce offrant rarement le parfum des tartes maison : n'hésitez pas à en faire de temps à autre. La crème au citron se raffermit en refroidissant et vous ne devez pas vous alarmer si elle vous paraît encore un peu liquide quand vous sortez les tartelettes du four. Pour que la pâte soit croustillante, faites cuire les fonds de tarte à blanc, garnissez-les de crème et mettez au four à température peu élevée, pour que la crème reste d'un beau jaune pâle.

1 Divisez la pâte en 6 portions et écrasez-les légèrement en boule. Abaissez-les finement. Foncez 6 moules de 10 cm de diamètre, en laissant la pâte retomber sur le pourtour (si elle est un peu collante, étalez-la avec les doigts, après les avoir passés dans le sucre glace). Pressez la pâte dans les moules, en insistant sur le fond et les parois. Placez les moules à tartelette sur la plaque du four et mettez au réfrigérateur 20 à 30 min. Préchauffez le four à 180 °C (th. 6).

2 Pendant ce temps, râpez le zeste de 2 citrons et réservez ; pressez le jus des citrons. Prélevez la pulpe des fruits de la Passion, mettez-la dans une petite casserole et ajoutez le jus de citron. Portez à ébullition et laissez réduire d'un tiers, pour en obtenir 15 cl. Passez dans une jatte à travers une passoire, en appuyant pour extraire le maximum de jus. Laissez refroidir.

3 Tapissez les moules de papier d'aluminium et remplissez-les de haricots secs. Faites cuire les fonds de tartelette à blanc 15 min. Retirez le papier d'aluminium et les haricots, et coupez le bord de la pâte à ras des moules. Faites cuire encore 5 min, puis retirez du four et réservez. Baissez la température à 140 °C (th. 4).

4 Battez le sucre avec les jaunes d'œufs et le zeste de citron dans une terrine, jusqu'à ce que le mélange devienne jaune pâle. Incorporez la crème fleurette et le jus des fruits refroidi – ne vous inquiétez pas si le mélange tourne.

5 Versez la crème au citron dans les fonds de tartelette et faites cuire à four très doux 30 min environ, jusqu'à ce que la garniture soit légèrement prise. Laissez refroidir lentement dans le four éteint, 1 h environ. Sortez du four, laissez refroidir complètement et mettez au réfrigérateur.

6 Pour que le dessus des tartelettes soit croustillant, poudrez avec la moitié du sucre glace et caramélisez légèrement avec un chalumeau. Poudrez avec le reste de sucre et caramélisez à nouveau. À défaut de chalumeau, passez les tartelettes sous un gril brûlant.

POUR 6 PERSONNES

500 g de Pâte sucrée (page 202)

4 citrons

4 fruits de la Passion mûrs, partagés en deux

180 g de sucre en poudre

6 jaunes d'œufs, battus

15 cl de crème fleurette

2 cuil. à soupe de sucre glace, pour poudrer

LE SUCRE GLACE CARAMÉLISÉ DONNE AUX TARTELETTES UNE TOUCHE PROFESSIONNELLE

Profiteroles au café et au chocolat

POUR 6 PERSONNES
400 g environ de Pâte à choux (page 203)
GARNITURE :
30 cl de Crème pâtissière (page 195)
150 g de chocolat noir, cassé en morceaux
3 cuil. à soupe d'eau
4 cuil. à soupe de crème fraîche
2 cuil. à soupe d'extrait de café
3 cuil. à soupe de liqueur de café (Baileys,
    Tia Maria ou Kahlua) (facultatif)

La pâte à choux est d'une grande simplicité. Si vous savez peser, battre et manier une poche à douille, ce dessert est l'enfance de l'art ! Préparez les choux et la garniture à l'avance, et assemblez-les à la dernière minute. La garniture est une simple crème pâtissière enrichie de crème fraîche et d'extrait de café, puis fouettée en une mousse légère et crémeuse. Pour les rendre brillants, nous trempons les choux dans du chocolat noir fondu, et nous les servons avant que le chocolat ne durcisse.

1 Préchauffez le four à 200 °C (th. 7). Tapissez une grande plaque à pâtisserie avec du papier cuisson. Remplissez une grande poche à douille, équipée d'un embout simple de 1,5 cm de diamètre environ, de pâte à choux. Déposez une noisette de pâte sous les quatre coins du papier, pour le maintenir en place.
2 Façonnez 20 choux environ, de la taille d'une noix, en les espaçant régulièrement pour leur permettre de gonfler.
3 S'ils sont trop pointus, appuyez légèrement sur le dessus avec le dos d'une cuillère mouillée. Faites cuire au four environ 20 min, jusqu'à ce que les choux soient gonflés et dorés. Sortez-les du four et laissez-les refroidir sur une grille. (Vous pouvez confectionner les choux à l'avance et les conserver dans un récipient hermétique ou les congeler.)
4 Préparez la crème pâtissière et laissez refroidir. Au moment de remplir les choux, mettez le chocolat et l'eau dans un petit bol. Placez-le au four à micro-ondes réglé sur la puissance maximale environ 2 min, ou posez-le au-dessus d'une casserole d'eau frémissante, pour faire fondre le chocolat. Remuez jusqu'à ce que le mélange soit lisse et laissez tiédir.
5 Avec un mixeur à main, incorporez la crème fraîche et l'extrait de café à la crème pâtissière refroidie, jusqu'à ce qu'elle soit lisse et crémeuse. Ajoutez, éventuellement, la liqueur. Remplissez une poche à douille, équipée d'un embout simple de 1 cm de diamètre, du mélange. Percez la base des choux avec la pointe de l'embout et garnissez-les de crème.
6 Au moment de servir, nappez chaque chou de chocolat fondu. Posez-les sur un grand plat de service ou sur des assiettes à dessert.

Vacherins aux fraises et à la crème au fruit de la Passion

Un vacherin est une couronne de meringue garnie de crème fouettée et de fruits parfumés, comme les fraises des bois ou autres fruits rouges. Vous pouvez confectionner les bases de meringue un ou deux jours à l'avance et les conserver dans un récipient hermétique. Au restaurant, nous les faisons cuire au four à feu très doux, pour que la meringue sèche et reste d'un blanc brillant. Les fours professionnels sont plus performants que les fours ménagers, et il est parfois difficile d'obtenir une température basse constante, surtout avec le gaz. Si la température la plus basse est encore trop élevée, essayez de maintenir la porte du four entrouverte avec une cuillère en bois. Si vos vacherins colorent légèrement, c'est sans importance : ils seront quand même excellents.

1 Préchauffez le four à la plus basse température, 110 °C (th. 2) au maximum. Tapissez 2 plaques à pâtisserie de papier cuisson. Tracez 6 cercles de 8 cm de diamètre sur le papier.

2 Fouettez les blancs d'œufs, avec le jus de citron, en neige ferme – pas trop longtemps, pour éviter qu'ils ne deviennent secs et granuleux. Incorporez le sucre peu à peu, cuillerée à soupe par cuillerée à soupe, pour obtenir une meringue lisse et luisante.

3 Remplissez une poche à douille, équipée d'un embout simple de 1 à 1,5 cm de diamètre, de meringue. Formez des cercles concentriques sur chacun des cercles sur le papier. Posez deux cercles sur le pourtour de chaque disque de meringue, pour former de petits paniers.

4 Faites cuire au four au moins 2 h, ou jusqu'à 8 h si votre four est vraiment réglé très bas. Le temps exact dépend de la température, mais il est facile de voir quand les paniers sont cuits. Soulevez un panier avec une spatule : s'il se détache tout seul, est croustillant à l'extérieur et encore un peu mou à l'intérieur, il est prêt. Laissez reposer 10 min, puis détachez délicatement le papier et laissez refroidir sur une grille.

5 Pendant ce temps, préparez la crème : prélevez la pulpe des fruits de la Passion et mettez-la dans une petite casserole. Portez à ébullition et laissez réduire de moitié. Versez la pulpe dans une passoire posée sur une jatte. Appuyez avec une cuillère en bois pour extraire le maximum de jus. Jetez les graines.

6 Incorporez le mascarpone et la crème fraîche à la crème aigre. Mélangez avec le jus des fruits de la Passion. Ajoutez, éventuellement, un peu de sucre glace. Fouettez la crème fleurette et incorporez-la au mélange précédent.

7 Au moment de servir, versez la crème au fruit de la Passion dans les paniers en meringue et couronnez de fruits. Poudrez de sucre glace.

POUR 6 PERSONNES

3 blancs d'œufs (de préférence, œufs d'une semaine)

quelques gouttes de jus de citron

150 g de sucre en poudre

CRÈME AU FRUIT DE LA PASSION :

6 fruits de la Passion

200 g de mascarpone

15 cl de crème fraîche

7 cl de crème aigre (ou acidulée avec le jus de 1 citron)

un peu de sucre glace (facultatif)

15 cl de crème fleurette

POUR SERVIR :

250 g environ d'un mélange de framboises, groseilles et fraises des bois, émincées (ou très petites)

sucre glace, pour poudrer

Pithiviers aux cerises

POUR 2 PITHIVIERS DE 2 OU 3 PORTIONS CHACUN

400 g de Pâte feuilletée pur beurre (page 206),
   ou 340 g de pâte feuilletée toute faite

1 jaune d'œuf, battu avec une bonne pincée de
   sel et un filet d'eau froide, pour badigeonner
   le dessus du pithiviers

GARNITURE :

100 g de beurre mou

125 g de sucre glace, tamisé

1 gros œuf

1 jaune d'œuf

125 g de poudre d'amandes

15 g de Maïzena

2 cuil. à soupe de kirsch

100 g environ de Cerises macérées (page 13),
   ou de cerises acidulées au sirop, bien
   égouttées

La ville de Pithiviers, près d'Orléans, est célèbre pour cette spécialité à base d'amandes. La tradition vient sans doute de la galette des rois, bien que celle-ci soit plus simple à l'origine, et certainement moins riche.

La base du pithiviers est ma Pâte feuilletée pur beurre, qui conserve bien sa forme. Les cerises fraîches macérées sont une parfaite garniture. Vous pouvez les remplacer par des cerises montmorency (cerises acidulées) au sirop, que vous égoutterez soigneusement et que vous relèverez de kirsch.

1 Préparez la garniture : battez le beurre en crème avec le sucre glace dans une jatte, jusqu'à ce que le mélange soit pâle et mousseux, puis incorporez l'œuf et le jaune. Mélangez la poudre d'amandes avec la Maïzena et incorporez au mélange précédent avec le kirsch.
2 Séchez les cerises avec du papier absorbant et ajoutez-les au mélange. Partagez la garniture en deux portion égales. Mettez au réfrigérateur.
3 Divisez la pâte feuilletée en deux, enveloppez une des moitiés et réservez. Coupez l'autre moitié en deux portions inégales. Étalez la plus grosse en un cercle de 13 cm de diamètre, que vous découperez soigneusement en vous guidant sur un moule.
4 Étalez l'autre portion de pâte sur une plus faible épaisseur, et découpez-y un cercle de 11 cm de diamètre.
5 Posez le petit rond de pâte sur une tôle à pâtisserie tapissée de papier cuisson. Posez une portion de garniture au milieu et enduisez les bords de la pâte avec de l'œuf battu. Assouplissez le bord du grand rond de pâte avec les doigts.
6 Posez le grand rond sur la garniture, de façon que les bords coïncident. Appuyez sur la garniture, pour chasser les poches d'air, et soudez les bords avec les doigts. Vous devez avoir une bordure de 4 cm de large.
7 Découpez un bord festonné puis, avec la pointe du couteau, quadrillez le bord de la pâte. Marquez une série de lignes partant du centre (sans couper la pâte). Le gâteau doit ressembler à la couronne de l'un des Rois mages, ou au turban du Grand Vizir. Mettez au réfrigérateur 30 min. Confectionnez le second pithiviers de la même façon. Préchauffez le four à 220 °C (th. 8).
8 Enduisez uniformément les pithiviers d'œuf battu. Faites cuire 15 min, jusqu'à ce que le dessus soit doré, puis baissez la température à 190 °C (th. 6) et faites cuire encore 20 min. Laissez reposer 15 min, puis glissez délicatement les gâteaux sur une grille et laissez refroidir complètement. Coupez chaque pithiviers en 2 ou 3 portions et servez.

Petits puddings d'été

Le pudding d'été anglais est un excellent dessert, mais je ne peux me résoudre à le faire avec du pain blanc mou. Je préfère alterner trois petits cercles de brioche finement émincée avec des fruits tendres de saison et quelques cuillerées de coulis de framboise. Servi bien frais, avec des fruits et une ou deux cuillerées de coulis, il est tout aussi délicieux et plus léger que le pudding anglais traditionnel, et plus facile à servir. Un emporte-pièce rond de 5 à 6 cm de diamètre est nécessaire. À défaut, prenez une petite boîte de conserve vide de même dimension et découpée aux deux extrémités, que vous aurez soigneusement lavée à l'eau bouillante au préalable.

POUR 8 PERSONNES
1 Brioche maison de 500 g (page 210),
   ou 1 brioche du commerce de 400 g
2 portions de Coulis de cassis (page 12)
250 g de fraises (assez grosses de préférence)
75 g de mûres ou de groseilles, égrenées
75 g de myrtilles
un peu de sucre en poudre (facultatif)
POUR SERVIR :
125 g de petites framboises

1 Retirez la croûte de la brioche, puis coupez-la en 8 longues tranches minces. (Elle sera plus facile à couper si vous la mettez au réfrigérateur toute la nuit.) Versez le coulis de cassis dans une assiette creuse.

2 Avec un emporte-pièce de 5 à 6 cm de diamètre, découpez 3 cercles dans chaque tranche de brioche.

3 Préparez les fruits : émincez les fraises en rondelles, dans la largeur. Partagez les mûres et les myrtilles en deux – pour qu'elles puissent reposer à plat entre les couches de brioche. Saupoudrez légèrement de sucre si les fruits sont acides.

4 Placez l'emporte-pièce sur un petit carré de papier cuisson de 8 cm de côté environ, posé sur une planche. Trempez rapidement un cercle de brioche dans le coulis de cassis, de façon à bien l'enrober. Mettez-le dans l'emporte-pièce.

5 Disposez une couche de fraises émincées, en les faisant se chevaucher, sur le cercle de brioche. Recouvrez-les avec un autre cercle de brioche trempé dans le coulis. Étalez une couche de mûres et de myrtilles, et posez un dernier cercle de brioche trempé dans le coulis. Ne trempez pas trop la brioche, pour que le pudding ne s'affaisse pas. Appuyez légèrement pour tasser les trois couches de brioche et les deux couches de fruits.

6 Avec une spatule, retournez le pudding sur une assiette à dessert. Retirez avec précaution l'emporte-pièce et le papier. Confectionnez les autres puddings de la même façon. Décorez de framboises et arrosez de coulis avant de servir.

Gâteau au chocolat

POUR 6 À 8 PERSONNES

POUR TAPISSER LE MOULE :

25 g de beurre fondu

25 g de chocolat noir râpé

GÂTEAU :

350 g de chocolat noir (environ 60 % de cacao)

1 cuil. à soupe de café instantané

2 cuil. à soupe d'eau bouillante

2 à 3 cuil. à soupe de cognac

4 gros œufs, les blancs séparés des jaunes

100 g de beurre mou

une bonne pincée de sel

200 g de sucre en poudre

POUR SERVIR :

crème fleurette ou crème fraîche allégée

DÉLICIEUX AVEC DE LA CRÈME FLEURETTE
OU DE LA CRÈME FRAÎCHE ALLÉGÉE

Tout chef se doit d'avoir sa recette de gâteau au chocolat, qu'il baptise le plus souvent de façon dithyrambique « merveille », « exquis » ou « délice ». Voici donc la mienne : c'est le meilleur gâteau au chocolat qui soit ! Je me suis inspiré des petits fondants chauds au chocolat que nous servons en hiver : j'ai pensé qu'en supprimant la farine et le cacao pour confectionner un gros gâteau à déguster froid, il y avait une chance pour qu'il soit plébiscité... Le dessus devient léger et croquant à la cuisson et se transforme en base croustillante quand le gâteau est retourné.

1 Préparez le moule : coupez un rond de papier cuisson aux dimensions du fond d'un moule à gâteau ou à manqué démontable de 20 cm de diamètre. Réservez. Nappez l'intérieur du moule de beurre fondu et laissez figer au réfrigérateur. Tapissez les parois de chocolat râpé. Posez le rond de papier dans le fond. Réservez.

2 Préparez le gâteau : cassez le chocolat et mettez-le dans une grande jatte résistant à la chaleur. Faites dissoudre le café dans l'eau bouillante, ajoutez le cognac et versez le mélange sur le chocolat. Mettez au four à micro-ondes réglé sur la puissance maximale 2 min, ou posez la jatte sur une casserole d'eau frémissante jusqu'à ce que le chocolat soit fondu. Mélangez et laissez refroidir. Préchauffez le four à 180 °C (th. 6).

3 Battez les jaunes d'œufs avec le sucre dans une jatte jusqu'à ce qu'ils soient crémeux. Incorporez le chocolat refroidi.

4 Dans une autre jatte, fouettez les blancs d'œufs en neige ferme avec la pincée de sel, puis incorporez le sucre peu à peu, au fouet, jusqu'à obtention d'une meringue ferme et luisante.

5 Incorporez délicatement la meringue, en trois fois, dans le mélange au chocolat. Versez la préparation dans le moule et égalisez la surface. Faites cuire environ 40 min au four, jusqu'à ce que le gâteau soit bien levé et le dessus croustillant – il peut se fendre ici ou là, ce qui est normal, et le mélange en dessous doit être encore mou.

6 Éteignez le four et laissez le gâteau refroidir lentement, porte fermée, 1 h environ. Retirez du four et laissez complètement refroidir à température ambiante, pour que le gâteau reste moelleux.

7 Pour démouler le gâteau, passez la lame d'un couteau sur le pourtour du moule, puis retournez-le sur un plat de service. Coupez en tranches avec un couteau trempé dans de l'eau bouillante et essuyé. Servez avec de la crème fleurette ou de la crème allégée.

Tarte aux fraises au vinaigre balsamique

Les entremets individuels raffinés que nous servons au restaurant seraient relativement difficiles à réaliser chez vous. C'est pourquoi, comme la plupart des recettes de ce chapitre, cette tarte est préparée pour plusieurs et servie entière. Vous la couperez devant vos convives. Pour le fond de tarte, vous utiliserez de la pâte aromatisée à l'orange ou de la pâte sucrée. La première est plus sablée, la seconde plus légère et plus croustillante. Après cuisson, le fond de tarte est garni d'une mousse de fraises, couronnée de fraises tournées dans du vinaigre balsamique vieux. Cette recette, qui contient des œufs à peine cuits, est déconseillée aux personnes fragiles (risque de salmonellose).

POUR 4 À 6 PERSONNES

450 g environ de Pâte aromatisée à l'orange (page 203), ou de Pâte sucrée (page 202)

400 g de fraises, équeutées

3 feuilles de gélatine

2 gros œufs, battus

3 jaunes d'œufs

80 g de sucre en poudre

75 g de beurre mou

2 cuil. à soupe de vinaigre balsamique vieux

1 Abaissez la pâte sur 3 mm d'épaisseur. Foncez un moule à tarte à fond amovible de 20 cm de diamètre et de 3 à 3,5 cm de haut, en laissant retomber la pâte sur le pourtour. Piquez le fond avec une fourchette, tapissez de papier d'aluminium et remplissez de haricots secs. Mettez au réfrigérateur 20 min. Préchauffez le four à 190 °C (th. 6).

2 Posez le moule sur la plaque du four et faites cuire le fond de tarte à blanc 15 min. Retirez le papier d'aluminium et les haricots. Avec un couteau aiguisé, coupez la pâte à ras du moule. Remettez au four 10 min, ou jusqu'à ce que la pâte soit cuite. Laissez refroidir.

3 Pour la garniture, réservez la moitié des fraises, en choisissant les plus belles. Réduisez le reste en purée au robot. Passez, éventuellement, à travers une passoire pour éliminer les graines.

4 Faites tremper les feuilles de gélatine dans une jatte d'eau froide 5 min environ, jusqu'à ce qu'elles ramollissent.

5 Chauffez la purée de fraises dans une casserole jusqu'à frémissement. Battez les œufs avec les jaunes et le sucre dans une jatte jusqu'à ce qu'ils soient crémeux. Ajoutez la purée de fraises, en battant bien. Versez le mélange dans la casserole et mélangez 3 min environ, à feu très doux, jusqu'à ce que la purée épaississe légèrement. Retirez du feu.

6 Essorez les feuilles de gélatine en les pressant entre les mains. Incorporez-les à la purée de fraises, en remuant jusqu'à ce qu'elles soient fondues. Passez à travers une passoire et laissez refroidir.

7 Battez le beurre en crème, puis incorporez peu à peu le mélange de fraises refroidi. Versez la garniture dans le fond de tarte et laissez prendre au réfrigérateur.

8 Pendant ce temps, émincez les fraises réservées et tournez-les dans le vinaigre balsamique. Au moment de servir, soulevez le fond du moule et glissez la tarte sur un plat de service. Disposez les fraises émincées sur le dessus.

Fruits rouges au sabayon gratiné

POUR 6 PERSONNES

500 à 600 g de fruits rouges d'été assortis
   (par exemple, fraises, framboises, myrtilles,
   groseilles et fraises des bois)

2 à 3 cuil. à soupe de crème de pêche (facultatif)

SABAYON :

6 jaunes d'œufs

90 g de sucre glace, tamisé

1 cuil. à soupe de champagne tiède, ou d'eau

½ cuil. à café de Maïzena

1 cuil. à soupe de sirop de glucose

Pour un superbe dessert estival, servez un mélange de fruits rouges parfumés sur de jolies assiettes à dessert et arrosez de volutes d'un onctueux sabayon. Un filet de champagne donne une touche festive à cet entremets. Pour gagner du temps, vous pouvez préparer le sabayon à l'avance et le garder au réfrigérateur. Assurez-vous que les fruits rouges sont bien froids, fouettez le sabayon très frais, jusqu'à ce qu'il soit mousseux, et faites gratiner la surface avec un chalumeau – vous trouverez cet ustensile dans les boutiques spécialisées.

1 Équeutez les fruits, si nécessaire, et mettez-les au réfrigérateur.

2 Préparez le sabayon : mettez tous les ingrédients dans une grande jatte supportant la chaleur, posée sur une casserole d'eau frémissante. Avec un fouet métallique ou un batteur électrique, fouettez le mélange lentement et régulièrement, jusqu'à ce qu'il commence à prendre une teinte crème pâle.

3 Augmentez la vitesse et continuez à fouetter 10 min environ, jusqu'à obtention d'une mousse stable. Quand vous soulevez les batteurs, ils doivent laisser un ruban de mousse avec lequel on pourrait presque écrire.

4 Retirez la jatte de la casserole et laissez tiédir, en fouettant de temps à autre. Quand le sabayon est froid, couvrez et mettez au réfrigérateur (il se garde 24 h).

5 Au moment de servir, mélangez les fruits, éventuellement, avec la crème de pêche. Répartissez les fruits sur 6 assiettes à dessert.

6 Fouettez le sabayon jusqu'à ce qu'il épaississe et mousse, et versez-le sur les fruits. Passez rapidement un chalumeau sur la surface, pour faire gratiner le sabayon. Servez aussitôt.

Variante

Remplacez le mélange de fruits rouges par 125 g de groseilles rouges et 3 ou 4 pêches mûres. Préparez le sabayon comme indiqué. Égrenez les groseilles et faites-les pocher quelques minutes dans 3 à 4 cuil. à soupe de Sirop de base (page 200), jusqu'à ce qu'elles commencent à crever. Émincez finement les pêches, répartissez les tranches sur des assiettes à dessert et nappez de compote de groseilles. Fouettez le sabayon, versez-le sur les fruits et terminez comme indiqué ci-dessus.

accompagnements et chocolats

Tuiles aux amandes ou aux noisettes

POUR 24 TUILES ENVIRON
250 g d'amandes ou de noisettes en poudre
4 blancs d'œufs
50 g de sucre en poudre
25 g de farine

Des petits biscuits posés sur l'assiette, comme ces tuiles, transforment un simple dessert aux fruits, une mousse ou une glace en délice raffiné. Selon leur destination, vous pouvez confectionner des tuiles plates, des tuiles arrondies ou des tuiles paniers, ces dernières pouvant accueillir des boules de glace ou de sorbet.

1 Passez la poudre d'amandes ou de noisettes à travers une passoire fine. Préchauffez le four à 180 °C (th. 6). Posez une feuille de papier siliconé sur une grande plaque à pâtisserie. Vous pouvez aussi tapisser la plaque avec du papier cuisson, mais il n'est pas aussi efficace.
2 Battez les blancs d'œufs dans une jatte, jusqu'à ce qu'ils moussent (ne les battez pas en neige). Incorporez le sucre, la farine et la poudre d'amandes ou de noisettes, pour former une pâte lisse. Vous devrez façonner et faire cuire les tuiles en plusieurs tournées.
3 Avec une cuillère à dessert chaude, prélevez une cuillerée à café du mélange et déposez-le sur la plaque préparée. Étalez-le en formant un cercle avec le dos de la cuillère chaude. Confectionnez ainsi 5 ou 6 cercles, pas plus, en les espaçant bien.
4 Faites cuire 7 min, jusqu'à ce que les tuiles soient dorées. Laissez reposer quelques secondes sur la plaque, puis détachez-les avec une spatule. Formez les tuiles comme indiqué (voir ci-dessous) et laissez refroidir. Elles deviennent croustillantes en refroidissant. Renouvelez l'opération avec le reste de la pâte. Les tuiles se conservent 2 à 3 jours dans un récipient hermétique.

Façonner les tuiles
TUILES PLATES Mettez les tuiles sur une grille et posez une lourde plaque de four sur le dessus pour qu'elles s'aplatissent en refroidissant.
TUILES PANIERS Posez chaque tuile dans un moule individuel à brioche, ou un autre moule cannelé, et appuyez sur la tuile avec un autre moule (illustration en haut, à droite). Démoulez avec précaution. Vous pouvez aussi poser chaque tuile sur une petite orange, et appuyer délicatement pour former des paniers arrondis.
TUILES ARRONDIES Arrondissez les tuiles sur un mince rouleau à pâtisserie, en les maintenant en place jusqu'à ce qu'elles durcissent, puis retirez-les avec précaution (illustration en bas, à gauche et à droite).

Variantes
Avant de faire cuire les tuiles, ajoutez au mélange de base 1 cuil. à soupe de noix de coco en poudre, de graines de sésame ou de pavot.

Sablés aux noisettes

POUR 20 SABLÉS ENVIRON

200 g de farine

$^1/_4$ de cuil. à café de sel

125 g de beurre mou

90 g de sucre en poudre, plus un peu
   pour poudrer (facultatif)

1 gros œuf, battu

50 g de noisettes, grillées et réduites
   en poudre fine

1 Mélangez la farine et le sel. Battez le beurre en crème avec le sucre, au mixeur, jusqu'à ce que le mélange soit léger et crémeux. Incorporez l'œuf, peu à peu.

2 À vitesse très réduite, ajoutez la farine, cuillerée par cuillerée, puis les noisettes. Arrêtez de mélanger dès que la pâte se forme.

3 Posez la pâte sur un film alimentaire. Formez un boudin de 4 cm de diamètre et enveloppez-le bien. Mettez au réfrigérateur 2 h au moins.

4 Préchauffez le four à 160 ºC (th. 5). Coupez des cercles de pâte de 5 mm d'épaisseur. Posez-les sur une plaque antiadhésive et piquez-les avec une fourchette. Faites cuire 20 min environ – les sablés doivent être d'un jaune très pâle.

5 Laissez reposer 1 min, et faites glisser sur une grille. Saupoudrez les sablés de sucre pendant qu'ils refroidissent.

Sablés aux noisettes et au chocolat

Trempez les sablés refroidis dans 100 g de chocolat noir fondu, en les nappant à demi. Laissez-les durcir sur du papier cuisson.

Sablés au cumin

POUR 20 SABLÉS ENVIRON

2 jaunes d'œufs

60 g de sucre en poudre, plus un peu
   pour poudrer (facultatif)

60 g de beurre mou

85 g de farine

$^3/_4$ de cuil. à café de levure chimique

$^3/_4$ de cuil. à café de graines de cumin,
   légèrement grillées

Ces sablés au parfum original fondent littéralement dans la bouche. La pâte bretonne étant assez molle, elle est plus facile à étaler à la main.

1 Battez les jaunes d'œufs avec le sucre dans une grande jatte, jusqu'à ce qu'ils aient la consistance d'une crème épaisse. Incorporez le beurre, peu à peu.

2 Mélangez la farine et la levure, versez dans la jatte, ajoutez le cumin et mélangez. Pétrissez en pâte lisse. Enveloppez dans un film plastique et mettez au réfrigérateur. Préchauffez le four à 150 ºC (th. 4).

3 Sur une planche farinée, abaissez la pâte sur 3 mm d'épaisseur – pour qu'elle reste froide, trempez vos doigts dans de l'eau glacée à mesure que vous l'étalez. Découpez-y des cercles avec un emporte-pièce de 5 à 6 cm de diamètre. Posez-les sur une plaque antiadhésive et mettez au réfrigérateur 30 min.

4 Piquez la pâte avec une fourchette et saupoudrez, éventuellement, de sucre. Faites cuire 12 à 15 min – les bords doivent être dorés. Laissez reposer 1 min, faites glisser sur une grille et laissez refroidir.

Langues-de-chat

Ces biscuits classiques sont traditionnellement servis avec les glaces ou les mousses.

1 Préchauffez le four à 160 °C (th. 5). Tapissez une plaque à pâtisserie avec du papier cuisson.
2 Battez le beurre en crème avec le sucre dans une jatte, jusqu'à ce que le mélange soit pâle et mousseux. Incorporez les blancs d'œufs, peu à peu, puis la vanille. Ajoutez la farine et mélangez rapidement.
3 Remplissez une poche à douille, équipée d'un embout simple de 1 à 1,5 cm de diamètre, du mélange. Formez des bâtonnets de 4 à 5 cm de long sur la plaque, en les espaçant bien.
4 Faites cuire 10 à 12 min – les bords doivent être dorés, mais le milieu jaune pâle. Laissez reposer les biscuits 1 min, pour les raffermir un peu, puis détachez-les et mettez-les à refroidir sur une grille. Ils se gardent quelques jours dans un récipient hermétique.

POUR 30 LANGUES-DE-CHAT ENVIRON
60 g de beurre
100 g de sucre en poudre
2 blancs d'œufs, légèrement battus
½ cuil. à café d'extrait de vanille
70 g de farine

Financiers

Ces délicieux petits gâteaux sont parfaits pour accompagner les desserts. Pour que leur parfum soit encore plus prononcé, nous les nappons de caramel.

1 Faites fondre le beurre dans une casserole à fond épais, à feu doux, puis montez le feu et laissez cuire jusqu'à ce qu'il prenne une coloration noisette. Retirez du feu, laissez reposer 2 min, puis versez avec précaution dans une jatte, en laissant les résidus dans le fond de la casserole – jetez-les. Laissez refroidir à température ambiante : le beurre doit être coulant.
2 Mélangez le sucre, les amandes en poudre et la farine. Ajoutez, s'il y a lieu, les raisins secs. Incorporez, au fouet, le beurre fondu et les blancs d'œufs. Couvrez la jatte et laissez reposer 24 h au réfrigérateur.
3 Préchauffez le four à 200 °C (th. 7). Graissez légèrement et farinez deux plaques de 12 moules à muffins. Remplissez les moules de mélange, jusqu'aux trois quarts. Faites cuire 8 à 10 min.
4 Laissez tiédir, puis démoulez sur une grille pendant qu'ils sont encore chauds. Les financiers sont meilleurs quand ils sont frais, mais ils peuvent se conserver 2 ou 3 jours dans un récipient hermétique.

POUR 18 À 24 FINANCIERS
125 g de beurre légèrement salé
175 g de sucre en poudre
125 g d'amandes en poudre
25 g de farine
50 g de raisins secs (facultatif)
3 blancs d'œufs moyens, légèrement battus

Boudoirs

POUR 20 BOUDOIRS ENVIRON

3 gros œufs, les blancs séparés des jaunes

70 g de sucre en poudre

40 g de Maïzena

40 g de farine

sucre glace, pour poudrer

Ce sont de simples biscuits en forme de doigt, faits à partir d'une génoise légère. Les boudoirs maison sont bien meilleurs que les biscuits industriels. Servez-les avec de la glace, ou utilisez-les pour confectionner un délicieux trifle.

1 Préchauffez le four à 200 °C (th. 7). Tapissez une grande plaque à pâtisserie avec du papier cuisson.

2 Dans une grande jatte, battez les blancs d'œufs en neige ferme. Incorporez le sucre, au fouet, peu à peu, cuillerée par cuillerée. Battez les jaunes d'œufs dans une autre jatte, puis incorporez-les aux blancs d'œufs.

3 Tamisez la farine avec la Maïzena. Incorporez délicatement au mélange précédent, en fouettant légèrement, pour obtenir une texture lisse et veloutée.

4 Remplissez une poche à douille, équipée d'un embout simple de 1,5 cm de diamètre, du mélange. Déposez une noisette de mélange sous chaque coin du papier cuisson, pour le maintenir en place sur la plaque à pâtisserie, puis confectionnez des bâtonnets de 5 à 6 cm de long, en les espaçant bien.

5 Pour une jolie finition, tamisez du sucre glace sur les biscuits et laissez reposer 10 min. Faites cuire 7 à 10 min, jusqu'à ce que les biscuits soient tout juste dorés. Poudrez à nouveau de sucre glace.

6 Laissez reposer les boudoirs quelques minutes sur la plaque, puis faites-les glisser sur une grille et laissez refroidir.

Boudoirs au chocolat

Réduisez la quantité de Maïzena à 30 g, et ajoutez 10 g de cacao en poudre au mélange farine-Maïzena.

Utiliser une poche à douille : équipez une grande poche à douille en plastique d'un embout simple ou cannelé de la taille appropriée. Tenez la poche dans une main, et repliez le haut sur un tiers de la hauteur. Remplissez à demi la poche de la garniture indiquée. Dépliez la moitié supérieure et tordez doucement le haut. La garniture doit remplir l'embout, mais pas encore sortir.

Pour déposer la garniture, maintenez la poche en biais, la partie tordue entre le pouce et l'index – c'est la main qui presse. Tenez l'embout de l'autre main, simplement pour le guider. N'appuyez pas l'embout sur la surface quand vous déposez la garniture : laissez un espace de 1 à 2 cm, pour qu'elle puisse s'écouler librement.

Macarons à la vanille

POUR 60 MINIMACARONS ENVIRON
140 g d'amandes en poudre
240 g de sucre glace, tamisé
les graines de 2 gousses de vanille,
   ou 1 cuil. à café d'extrait de vanille
2 blancs d'œufs (de préférence, œufs
   d'une semaine)
GARNITURE (FACULTATIF) :
100 g de mascarpone
100 g de yaourt grec
1 cuil. à soupe de sucre glace, tamisé
10 cl de crème fraîche

Nous aromatisons les macarons avec des pâtes au chocolat, au citron, à la framboise et à la pistache destinées aux professionnels, mais vous pouvez confectionner des macarons tout aussi délicieux à la vanille ou au chocolat. Il est important que les blancs d'œufs soient à température ambiante, et que les œufs aient quelques jours : ils absorberont plus d'air quand vous les fouetterez et monteront mieux.

1 Tapissez deux grandes plaques à pâtisserie avec du papier cuisson.
2 Dans une jatte, mélangez la poudre d'amandes avec le sucre glace et les graines de vanille, ou l'extrait.
3 Dans une autre jatte, battez les blancs d'œufs en neige ferme. Incorporez-les au mélange précédent. Tapotez la jatte sur la table, pour éliminer les poches d'air.
4 Remplissez une grande poche à douille, équipée d'un embout simple de 1 cm de diamètre, avec ce mélange. Déposez des petits tas de pâte bien nets, de 3 cm de diamètre environ, sur les plaques. S'ils sont trop pointus, appuyez sur le dessus avec le dos d'une cuillère mouillée. Laissez reposer 20 min, jusqu'à ce qu'une peau se forme en surface.
5 Préchauffez le four à 150 °C (th. 4). Faites cuire les macarons, à mi-hauteur du four, 20 à 25 min, jusqu'à ce qu'ils soient assez fermes. Laissez reposer 5 min sur les plaques, puis faites glisser sur une grille et laissez refroidir. L'extérieur doit être croustillant et l'intérieur moelleux. Conservez 3 jours au plus, dans un récipient hermétique.
6 Si vous voulez coller les macarons par deux, préparez la garniture : battez le mascarpone avec le yaourt et le sucre glace dans une jatte. Dans une autre jatte, fouettez la crème en mousse assez ferme, puis incorporez-la au mélange précédent. Au moment de servir, collez les macarons par deux avec un peu de garniture.

Macarons au chocolat

1 Mélangez 15 g de farine, 25 g de cacao en poudre et 90 g de sucre glace dans une jatte. Ajoutez 100 g d'amandes en poudre. Fouettez les blancs de 2 gros œufs en neige ferme, puis incorporez 90 g de sucre en poudre, cuillerée par cuillerée. Ajoutez les ingrédients secs.
2 Confectionnez, faites cuire et refroidir les macarons comme ci-dessus.
3 Préparez, éventuellement, une ganache : portez à frémissement 15 cl de crème fraîche, et versez-la dans une jatte sur 150 g de chocolat noir cassé en morceaux. Mélangez, puis ajoutez 1 cuil. à soupe de cognac ou de rhum. Laissez refroidir et épaissir. Collez les macarons par deux avec la ganache (comme ci-dessus).

Madeleines aux amandes et au citron

POUR 20 MADELEINES ENVIRON

75 g de beurre mou

3 œufs moyens

80 g de sucre en poudre

40 g d'amandes en poudre

80 g de farine

le zeste râpé de 1 citron

sucre glace, tamisé, pour poudrer

Originaires de Lorraine, ces petits gâteaux légers aromatisés au citron sont traditionnellement faits avec du beurre noisette et cuits dans des moules spécifiques. Il en existe de nombreuses variantes. Ma version comporte des amandes en poudre, qui apportent leur parfum et leur texture. Faites-les cuire dans des plaques à madeleines ou, à défaut, dans des moules à tartelettes.

1 Faites fondre le beurre à feu doux dans une casserole, puis montez le feu et laissez-le prendre une coloration noisette, sans le laisser brûler. Retirez aussitôt du feu. Laissez reposer 5 min, puis décantez le beurre dans une jatte, en laissant les résidus solides dans la casserole – jetez-les. Laissez refroidir à température ambiante.

2 Avec un batteur électrique, battez les œufs avec le sucre dans une jatte 5 min environ, jusqu'à ce que le mélange épaississe – quand vous soulevez les batteurs, il doit rester une trace.

3 Mélangez les amandes en poudre avec la farine et le zeste de citron dans une autre jatte. Incorporez peu à peu au mélange précédent. Ajoutez lentement le beurre refroidi, en le faisant couler sur le bord de la jatte et en l'incorporant délicatement. Couvrez et laissez reposer 2 h.

4 Pendant ce temps, préchauffez le four à 190 °C (th. 6). Graissez et farinez légèrement 2 plaques de 12 madeleines. Versez le mélange dans les moules préparés – si vous n'avez qu'un seul moule à madeleines, faites-les cuire en plusieurs «fournées».

5 Faites cuire 8 à 9 min, jusqu'à ce que le dessus soit juste ferme et souple au toucher. Laissez reposer 2 min, puis démoulez sur une grille et laissez refroidir. Poudrez de sucre glace. Les madeleines sont meilleures fraîches, mais elles se conservent quelques jours dans un récipient hermétique.

Variantes

MADELEINES AU CHOCOLAT Réduisez la quantité de farine à 60 g, et mélangez-la avec 20 g de cacao en poudre.

MADELEINES À L'ORANGE Remplacez le zeste de citron par le zeste râpé d'une orange.

ACCOMPAGNEZ LES DESSERTS CRÉMEUX, TELLES LES GLACES ET LES MOUSSES, DE MADELEINES, OU DE TUILES AUX AMANDES OU AUX NOISETTES (PAGE 170), POUR UN CONTRASTE DE TEXTURE AGRÉABLE. LES LANGUES-DE-CHAT (PAGE 173), FINANCIERS (PAGE 173) OU SABLÉS (PAGE 172) SONT ILLUSTRÉS SUR LA DOUBLE PAGE SUIVANTE.

Petites meringues

Je fais ces petites meringues avec une pâte à meringue française, mais vous pouvez, bien entendu, lui préférer la meringue italienne (page 197), plus stable. Dans les deux cas, vous obtiendrez un meilleur résultat avec un batteur électrique qu'avec un fouet à main. Les meringues sèchent à four très doux – la durée de cuisson varie en fonction du four. L'idéal serait que les meringues restent blanches après cuisson, mais cela n'est pas toujours possible.

1 Préchauffez le four à la température la plus basse – moins de 120 °C. Tapissez deux plaques à pâtisserie avec du papier cuisson ou du papier siliconé.
2 Dans une grande jatte parfaitement propre – sans traces de graisse –, battez les blancs d'œufs en neige très ferme avec le jus de citron. Les blancs en neige doivent être satinés, ni secs ni granuleux.
3 Ajoutez le sucre peu à peu, cuillerée par cuillerée. Si vous utilisez de l'extrait de vanille, ajoutez-le avec la dernière cuillerée de sucre. Vous devez obtenir une meringue ferme et luisante.
4 Remplissez une grande poche à douille, équipée d'un embout cannelé de 1,5 cm de diamètre, de meringue. Déposez des petites étoiles ou des volutes de 5 à 6 cm de diamètre environ sur les plaques à pâtisserie préparées, en les espaçant légèrement pour leur permettre de gonfler. Vous devriez obtenir 24 à 30 meringues.
5 Faites cuire 1 h 30 à 2 h, selon la température du four. Si les meringues se colorent, maintenez la porte du four entrouverte avec une cuillère en bois, pour abaisser la température. Les meringues doivent rester aussi blanches que possible. Elles sont prêtes quand vous pouvez les détacher facilement du papier. Posez-les sur une grille et laissez-les refroidir, elles deviendront croustillantes. Servez après refroidissement ou conservez jusqu'à 5 jours dans un récipient hermétique.

POUR 24 À 30 MERINGUES
3 blancs d'œufs
quelques gouttes de jus de citron
150 g de sucre vanillé (page 129),
   ou de sucre semoule ordinaire,
   plus 1 cuil. à café d'extrait de vanille

CHOCOLATS

Que serait un livre sur les desserts sans un chapitre consacré au chocolat ? Dans tous les ouvrages culinaires, ces pages sont les plus populaires et les plus souvent consultées. Nous proposons de nombreux desserts au chocolat dans notre restaurant, et nous accompagnons toujours le café d'une petite assiette de délicieux chocolats maison, fourrés d'une garniture subtile aromatisée au thym, au miel, aux graines de sésame et même au sel de mer.

Quelques notions sur les différentes qualités de chocolat sont indispensables pour réussir la cuisson du chocolat. La qualité de ce dernier est déterminée par la variété de fèves de cacao et le pourcentage de cacao (le parfum) et de beurre de cacao (la matière grasse) Le pourcentage de cacao peut varier de 30 % à 80 %. Plus la proportion de cacao sera importante, plus la texture sera croquante et le parfum authentique. Du chocolat à 70 % casse nettement. Le chocolat dont la proportion de cacao est moindre contient davantage de beurre de cacao et autres matières grasses et crèmes. Le chocolat contenant une proportion élevée de beurre de cacao représente la plus grosse part du marché des sucreries, chocolats au lait et bonbons. Mais il ne faut pas dénigrer le chocolat au lait. Il existe de très bonnes marques, et nous utilisons au restaurant un chocolat d'excellente qualité appelé Jivara, de Valrhona, ma marque favorite.

Pour que le goût de chocolat soit plus intense, choisissez une marque contenant au moins 60 % de cacao. Cette proportion est indiquée sur l'emballage. Le chocolat à 70 % de cacao, bien qu'il soit très fin, peut être légèrement trop amer pour certaines mousses, et en refroidissant il devient trop ferme à mon goût. Par exemple, mon Gâteau au chocolat (page 164) est plus moelleux et plus onctueux s'il est fait avec du chocolat à 60 % de cacao. Le chocolat blanc ne contient pas de cacao, d'où sa couleur, mais de la vanille et du beurre de cacao, qui lui donnent sa saveur particulière et sa texture satinée.

La confection du chocolat est une science exacte. Quand nous préparons nos chocolats ou trempons les boules de glace dans le chocolat fondu, nous cherchons à obtenir un aspect satiné. Ce résultat ne s'acquiert qu'avec une machine spéciale qui mélange le chocolat fondu à température constante. Ces appareils sont vendus dans les boutiques spécialisées, mais ils coûtent très cher et sont donc réservés aux véritables amateurs, fortunés...

Les différentes qualités de chocolat et leurs usages

• 70 % de cacao et plus : idéal si l'on désire une saveur légèrement amère. Nous le choisissons pour la crème ganache. Nous utilisons une qualité appelée Guanaja.

• 60 à 65 % de cacao, également connu sous le nom de couverture : parfait pour les puddings et les mousses, et pour napper les gâteaux.

• 40 % de cacao, qualité chocolat au lait : convient pour les mousses crémeuses.

• Le chocolat blanc ne contient pas de cacao, mais les bonnes marques sont délicieusement onctueuses et conviennent pour les desserts et pour napper les gâteaux.

Faire fondre le chocolat

1 Cassez le chocolat en petits morceaux dans une grande jatte résistant à la chaleur, que vous poserez sur une casserole d'eau à peine frémissante. Veillez à ce que l'eau ne devienne pas trop chaude et qu'elle n'entre pas en contact avec le chocolat, ce qui le ferait «tourner».

2 Remuez de temps à autre, jusqu'à ce que le chocolat soit fondu et bien lisse. Retirez aussitôt la jatte de la casserole et laissez le chocolat refroidir.

• Vous pouvez aussi faire fondre le chocolat au four à micro-ondes : cassez-le en petits morceaux dans une jatte pouvant aller au four à micro-ondes. Chauffez sur maximum ou moyen, par impulsions de 30 s, en remuant entre deux. Deux minutes au plus suffisent pour une plaque de 150 g, selon la puissance de votre four.

• Il est plus délicat de faire fondre du chocolat blanc, qui réclame une chaleur encore plus douce. Nous le plaçons souvent sur le bord de la cuisinière, pour qu'il fonde lentement – en 1 à 2 h.

• Pour une ganache, qui sert à confectionner les truffes, je préfère utiliser de la crème bouillante pour faire fondre le chocolat. Cassez-le dans une jatte. Chauffez la crème jusqu'au point d'ébullition, puis versez-la lentement sur le chocolat, en mélangeant toujours dans le même sens jusqu'à ce qu'il soit bien lisse (illustration ci-dessous).

• Le chocolat doit être fondu avec précaution, pour éviter de le surchauffer, ce qui le ferait «tourner» – il se transforme alors en une masse épaisse et pâteuse. Pour éviter cela également, si vous devez ajouter de la crème, de l'alcool ou de l'eau, faites-le avant de le chauffer, et non après. Si le chocolat «tourne» le seul remède consiste à essayer de dissoudre la pâte dans un peu d'eau chaude, afin de la rendre beaucoup plus liquide.

Truffes au chocolat noir et au miel

Les truffes sont très simples à faire, bien qu'il faille un certain temps pour les modeler et les enrober. Commencez par préparer une riche ganache – mélange de crème et de chocolat –, que vous mettrez au réfrigérateur avant de confectionner les truffes. Vous les enroberez ensuite de chocolat fondu, puis vous les poudrerez de cacao. Deux qualités de chocolat sont nécessaires : du chocolat amer à 70 % de cacao pour la ganache, et du chocolat de couverture à 55 ou 60 % de cacao pour enrober les truffes.

1 Mettez la crème fraîche et la crème fleurette dans une casserole avec le sirop de glucose et chauffez jusqu'au point d'ébullition. Cassez le chocolat noir en petits morceaux dans une jatte résistant à la chaleur. Versez lentement le mélange crème-sirop bouillant, en tournant toujours dans le même sens. Ajoutez de même le miel chaud. Raclez bien le fond de la jatte, en remontant, pour vous assurer que le mélange est homogène.

2 Laissez refroidir la ganache jusqu'à 35-40 °C, puis incorporez le beurre coupé en dés, en tournant jusqu'à ce qu'il soit fondu. Versez la ganache sur un plat et laissez refroidir et raffermir, jusqu'à ce qu'une mince croûte se forme en surface.

3 Pour modeler les truffes, formez des billes avec une petite cuillère et roulez-les entre les paumes ; posez-les sur une assiette. Vous pouvez également faire des « allumettes » : remplissez une poche à douille, équipée d'un embout de 1 cm de diamètre, de ganache et déposez des bâtonnets de 5 cm de long environ sur une planche. Mettez à durcir au réfrigérateur.

4 Faites fondre le chocolat de couverture dans une jatte posée sur une casserole d'eau à peine frémissante. Pour enrober les boules ou les allumettes, piquez-les, une par une, avec une brochette en bois et trempez-les dans le chocolat fondu. Passez-les aussitôt dans le cacao tamisé, de façon à les enrober uniformément, et laissez raffermir au réfrigérateur jusqu'au moment de servir. Consommez dans les 3 ou 4 jours.

Note : pour clarifier le beurre, faites-le fondre, puis versez-le avec précaution dans une jatte, en laissant les résidus solides dans le fond de la casserole. Mettez ensuite le beurre clarifié au réfrigérateur pour qu'il se solidifie.

POUR 500 G DE TRUFFES ENVIRON

12,5 cl de crème fraîche

2,5 cl de crème fleurette

2 cuil. à soupe de sirop de glucose

250 g de chocolat noir (environ 70 % de cacao)

65 g de miel de forêt ou de fleurs sauvages, chaud

65 g de beurre clarifié solidifié, coupé en dés (voir note)

125 g environ de chocolat de couverture (55 à 60 % de cacao)

cacao en poudre, tamisé, pour enrober

Tartelettes à la ganache

POUR 24 TARTELETTES ENVIRON

300 g environ de Pâte au chocolat (page 203)

GARNITURE DE GANACHE :

15 cl de lait

25 cl de crème fraîche

250 g de chocolat noir (70 % de cacao,
  tel que Guanaja de Valrhona)

Préparez la pâte au chocolat et faites cuire les fonds de tartelettes à l'avance ; vous les garnirez au moment de servir. Vous pouvez ajouter des Cerises macérées (page 13) ou des Fruits macérés (page 13) avant de remplir les fonds de tartelettes de ganache. Servez à température ambiante, pour que la garniture reste moelleuse.

1 Abaissez la pâte au chocolat sur une surface farinée, sur 5 mm d'épaisseur. Avec un emporte-pièce de 6 cm de diamètre, découpez-y 24 cercles, avec lesquels vous tapisserez 2 plaques de 12 moules à minitartelettes. Piquez les fonds de tartelettes et laissez reposer 20 min au réfrigérateur. Préchauffez le four à 200 °C (th. 7).
2 Faites cuire les fonds de tartelettes à blanc 10 à 12 min, en piquant le fond s'il gonfle. Laissez raffermir quelques minutes dans les moules, puis démoulez avec précaution et laissez refroidir sur une grille.
3 Préparez la garniture : portez à ébullition le lait et la moitié de la crème dans une petite casserole. Cassez le chocolat en petits morceaux dans une jatte. Versez la crème brûlante, en tournant dans le même sens jusqu'à ce que le chocolat soit fondu et bien lisse. Laissez tiédir.
4 Dans une jatte, fouettez le reste de la crème et incorporez-la à la ganache. Remplissez une poche à douille, équipée d'un embout cannelé, du mélange. Déposez la ganache dans les fonds de tartelettes. Pour donner un aspect brillant, passez la flamme d'un chalumeau, ou laissez quelques secondes sous un gril brûlant.

Rochers caramélisés au chocolat et aux noisettes

POUR 24 ROCHERS ENVIRON

200 g de sucre en poudre

1 ou 2 cuil. à soupe d'eau

50 g de beurre

100 g de noisettes entières

200 g de chocolat noir (55 ou 60 % de cacao)

Du chocolat blanc ou du chocolat au lait peuvent aussi convenir.

1 Tapissez une plaque à pâtisserie avec du papier cuisson. Dans une casserole à fond épais, faites fondre le sucre dans l'eau à feu très doux. Quand il est dissous, incorporez le beurre. Montez le feu et laissez bouillir jusqu'à obtention d'un caramel bond. Retirez du feu.
2 Plongez 3 noisettes dans le caramel, retirez-les aussitôt avec une cuillère en métal et mettez-les sur la plaque préparée. Confectionnez ainsi 24 « rochers ». Laissez refroidir et durcir.
3 Faites fondre le chocolat (voir page 183). Trempez chaque rocher dans le chocolat et laissez durcir sur du papier cuisson. Conservez 3 jours au plus, dans un récipient hermétique.

Boules de glace à la fraise enrobées de chocolat blanc

Des brochettes en bois de 15 cm de long permettent de tremper les boules de glace dans le chocolat.

POUR 20 À 24 BOULES
1,20 l environ de Glace à la fraise (page 58)
200 g de chocolat blanc

1 Quand la glace est prise, mettez-la dans un récipient peu profond et placez au congélateur jusqu'à ce qu'elle soit assez ferme pour la modeler en boules. Tapissez deux petits plateaux de papier cuisson. Couvrez un bloc de mousse pour fleuriste (à défaut, un paquet de sucre en poudre) de papier d'aluminium – pour piquer les boules de glace.
2 Avec une cuillère parisienne, formez les boules de glace en travaillant rapidement, et posez-les sur les plaques préparées. Mettez les plaques au congélateur à chaque fois que vous avez confectionné 6 à 8 boules, pour qu'elles ne fondent pas. Laissez-les durcir au congélateur.
3 Pendant ce temps, faites fondre le chocolat blanc dans une jatte posée sur de l'eau bouillante (voir page 183), puis laissez-le tiédir.
4 Piquez les boules de glace sur une brochette, une par une, et trempez-les dans le chocolat fondu. Enfoncez les brochettes dans le bloc de mousse pour fleuriste. Le chocolat doit durcir instantanément.
5 Quand le chocolat est durci, retirez les boules de glace des brochettes et nappez le dessous. Conservez au congélateur un jour au plus avant de servir. Servez dans des caissettes en papier plissé ou sur des pique-olives.

Mousse au chocolat aux caramels croquants

Rien ne vaut une mousse au chocolat aérienne servie dans des petits verres à vin. Celle-ci est aromatisée avec des caramels croquants maison.

POUR 8 À 12 PERSONNES
300 g de chocolat noir (60 % de cacao)
30 cl de Crème anglaise (page 193)
15 cl de crème fraîche
100 g de Caramels croquants (page 201)

1 Cassez le chocolat en morceaux dans une jatte. Faites tiédir la crème anglaise et versez-la lentement sur le chocolat, en tournant jusqu'à ce qu'il soit fondu. Si nécessaire, posez la jatte sur une casserole d'eau frémissante. Laissez refroidir à température ambiante, en remuant.
2 Fouettez la crème fraîche en mousse ferme. Incorporez-la au mélange précédent. Réduisez les caramels croquants en fines miettes, au robot. Ajoutez-les à la préparation.
3 Répartissez la mousse au chocolat dans des petits verres à vin, à la cuillère ou à la poche à douille équipée d'un embout cannelé. Servez à température ambiante.

recettes de base

Crème anglaise

Cette sauce délicieuse accompagne de nombreux desserts. Elle sert également de base pour confectionner diverses glaces. Je préfère utiliser du lait UHT (longue conservation), qui semble lui donner plus de tenue. La crème anglaise est facile à préparer : il suffit de la faire cuire à feu très, très doux, car la moindre surchauffe la ferait « tourner ». Si vous cuisinez au gaz, mieux vaut employer un diffuseur de chaleur. Un thermomètre à sucre vous permettra de vérifier le degré de cuisson – la crème est prête lorsqu'il indique 82 °C. Pour rehausser la saveur, ajoutez une gousse de vanille.

POUR 60 CL ENVIRON
25 cl de lait (UHT de préférence)
25 cl de crème fraîche
50 g de sucre en poudre
1 gousse de vanille
6 jaunes d'œufs

1 Mettez le lait et la crème dans une casserole à fond épais avec 1 cuil. à soupe de sucre – pour empêcher le lait de déborder.
2 Maintenez l'extrémité de la gousse de vanille avec le pouce, et faites glisser la lame d'un couteau sur toute la longueur de la gousse, pour l'aplatir – et détacher les graines. Fendez la gousse dans la longueur.
3 Prélevez les graines de vanille avec la pointe d'un couteau et mettez-les dans la casserole, avec la gousse vide. Portez lentement à ébullition.
4 Pendant ce temps, battez au fouet les jaunes d'œufs et le reste du sucre dans une grande jatte posée sur un torchon plié – pour la stabiliser –, jusqu'à obtention d'un mélange jaune pâle et crémeux.
5 Quand le liquide est sur le point de bouillir, versez-en un tiers sur les œufs, peu à peu, en fouettant bien.
6 Versez le mélange dans la casserole, en remuant. Faites cuire à feu très doux, en tournant à la cuillère en bois jusqu'à ce que la crème épaississe légèrement et nappe la cuillère – passez un doigt sur le dos de la cuillère : il doit laisser une empreinte.
7 Retirez aussitôt la casserole du feu et passez la crème dans une jatte froide. Couvrez et laissez refroidir, en remuant de temps à autre pour empêcher la formation d'une peau. Mettez au réfrigérateur jusqu'à usage. La crème anglaise se garde 2 à 3 jours au réfrigérateur, mais elle ne peut pas se congeler (sauf en sorbetière, pour faire de la glace).

Crème anglaise à la menthe
Supprimez la gousse de vanille. Portez le lait et la crème à ébullition. Retirez du feu et ajoutez les feuilles de 6 brins de menthe fraîche. Laissez infuser 30 min, jetez les feuilles et portez à ébullition. Continuez comme ci-dessus.

Crème pâtissière

La crème pâtissière est la base des soufflés sucrés classiques. C'est également la garniture idéale pour les fonds de tarte et les pâtisseries tels les éclairs. Elle doit être lisse et suffisamment cuite – pour ne pas avoir un goût de farine. La plupart des recettes ne nécessitent que la moitié de la proportion donnée ici, mais il est plus facile de préparer une grande quantité de pâte, d'utiliser ce dont vous aurez besoin et de conserver le reste au réfrigérateur (2 à 3 jours au plus). Le lait UHT (longue conservation) la rend plus stable.

1 Mettez le lait et la crème dans une casserole à fond épais avec 1 cuil. à soupe de sucre, les graines de vanille et la gousse vide. Portez lentement à ébullition sur feu doux.

2 Pendant ce temps, dans une grande jatte, battez l'œuf au fouet avec les jaunes d'œufs et le reste du sucre, jusqu'à ce que le mélange soit jaune pâle et crémeux.

3 Tamisez un tiers de la Maïzena dans la jatte et fouettez vigoureusement : le mélange doit être lisse. Incorporez le reste de la Maïzena en deux fois, en procédant de la même manière.

4 Quand le lait est sur le point de bouillir, versez-en un tiers sur le mélange précédent, en battant bien. Retirez la gousse de vanille.

5 Versez la préparation dans la casserole, en fouettant. Laissez frémir 3 à 4 min à feu doux, en fouettant vigoureusement, jusqu'à ce que la crème soit lisse et épaisse. Elle doit être bien cuite, pour ne pas avoir un goût de farine.

6 Versez la crème pâtissière dans une jatte, couvrez et laissez refroidir. Mettez au réfrigérateur jusqu'à usage.

POUR 65 CL ENVIRON

35 cl de lait

15 cl de crème épaisse

75 g de sucre en poudre

1 gousse de vanille, fendue dans la longueur, les graines extraites (voir page 193)

1 gros œuf

3 jaunes d'œufs

40 g de Maïzena

MERINGUES

Il existe trois sortes de meringues : la meringue ordinaire ou meringue française, la meringue italienne et la meringue suisse. La première, mélange de sucre en poudre et de blancs d'œufs fouettés en neige ferme et brillante, est la plus simple. Pour la plupart des recettes à base de meringue, ce simple mélange suffira, mais il doit être utilisé aussitôt sous peine de retomber en eau. Comme les chefs n'ont pas le temps, pendant le service, de fouetter des blancs d'œufs, ils préfèrent utiliser de la meringue italienne, qui se prépare avec du sirop de sucre bouillant, comme la pâte à bombe. Celle-ci a en effet l'avantage de se garder plusieurs heures au réfrigérateur. La meringue suisse est très ferme : les blancs sont fouettés avec le sirop brûlant, puis le mélange est battu sur une casserole d'eau frémissante, pour le stabiliser davantage.

Meringue française

POUR 50 CL ENVIRON
2 blancs d'œufs, à température ambiante
une pincée de sel, ou quelques gouttes
**   de jus de citron**
100 g de sucre semoule

Simple et vite faite, cette meringue se fait cuire aussitôt préparée – dans les 10 min qui suivent sa confection, sinon, elle retombe en eau. C'est celle que l'on utilise pour la tarte au citron meringuée ou de simples meringues fourrées de crème Chantilly.

1 Mettez les blancs d'œufs dans une grande jatte. Ajoutez le sel, ou le jus de citron, et 1 cuil. à soupe de sucre. Commencez par battre lentement, au batteur électrique, puis plus vite, pour finir au maximum. Fouettez jusqu'à ce que les blancs soient fermes et forment de petits pics, sans trop insister : le mélange deviendrait sec et granuleux.
2 Incorporez le sucre cuillerée par cuillerée, tout en fouettant.
3 Fouettez jusqu'à ce que la meringue soit lisse et luisante et forme une neige très ferme. Utilisez-la le plus vite possible.

Meringue italienne

Cette meringue – la favorite des chefs – possède une texture satinée et reste stable, ce qui permet de la garder jusqu'à 8 heures au réfrigérateur. On incorpore, au fouet, du sirop de sucre bouillant (et non du sucre en poudre) dans les blancs d'œufs battus en neige, ce qui les « cuit » et leur confère leur stabilité. La méthode est simple, à condition de posséder un thermomètre à sucre pour vérifier la température du sirop. La présence de sirop de glucose empêche le sucre de cristalliser.

POUR 60 CL ENVIRON
120 g de sucre en poudre
1 cuil. à café de sirop de glucose
2 cuil. à soupe d'eau
2 blancs d'œufs

1 Mettez le sucre, le glucose et l'eau dans une petite casserole à fond épais et faites chauffer à feu doux, en remuant une ou deux fois. Quand le sirop de sucre est transparent, montez le feu et placez, le cas échéant, un thermomètre à sucre dans la casserole.
2 Pendant ce temps, mettez les blancs d'œufs dans une jatte très propre et fouettez en neige pas trop ferme, au batteur électrique.
3 Faites bouillir le sirop 5 à 7 min, jusqu'au stade du « boulé ». Le thermomètre doit indiquer 120 °C (si vous plongez une goutte de sirop brûlant dans un verre d'eau froide, elle doit former une boule ferme et transparente).
4 Tout en battant à vitesse lente, versez le sirop en filet sur les blancs d'œufs battus.
5 Continuez à fouetter encore 5 min, jusqu'à ce que le mélange refroidisse à température ambiante. La meringue italienne doit être lisse et satinée, très ferme et d'un blanc brillant.

Pâte à bombe

POUR 35 À 40 CL
10 cl d'eau
150 g de sucre en poudre
5 jaunes d'œufs

Elle est utilisée pour les mousses et les parfaits glacés, qui demandent une mousse légère mais stable de jaunes d'œufs battus avec du sucre. Un sirop de sucre bouillant est incorporé, au fouet, aux jaunes d'œufs, puis fouetté sur une casserole d'eau frémissante pour « cuire » la mousse et la rendre plus stable. Le sirop de sucre doit bouillir jusqu'à la température adéquate ; le thermomètre à sucre n'est pas indispensable, mais il est très utile. Le petit batteur électrique est pratique. La pâte à bombe se conserve un jour ou deux au réfrigérateur, mais il faut la fouetter avant usage. Elle se congèle, mais vous devrez la fouetter à nouveau après décongélation et l'utiliser aussitôt.

1 Mettez l'eau et le sucre dans une petite casserole à fond épais et chauffez lentement pour dissoudre le sucre, en remuant une ou deux fois. Quand le sirop de sucre est transparent, montez le feu et mettez, le cas échéant, un thermomètre à sucre dans la casserole.
2 Pendant ce temps, fouettez les jaunes d'œufs dans une jatte, au batteur électrique, à la vitesse maximal, pour obtenir un mélange jaune pâle, épais et crémeux.
3 Laissez bouillir le sirop 5 à 7 min, jusqu'au stade du « boulé ». Le thermomètre doit indiquer 120 °C (si vous plongez une goutte de sirop brûlant dans un verre d'eau froide, elle doit former une boule ferme et transparente). Le sirop commence également à se colorer à peine sur les bords. Dès que le sirop atteint ce stade, retirez du feu.
4 Versez le sirop brûlant sur les jaunes d'œufs battus, sans cesser d'actionner le batteur électrique (illustration en haut, à droite).
5 Continuez à battre à la vitesse maximale, pour que la pâte à bombe double de volume et devienne onctueuse (illustration en bas, à gauche).
6 Quand le mélange a pris la consistance d'une mousse épaisse (illustration en bas, à droite), il peut être utilisé pour les crèmes glacées et les parfaits. Pour les mousses cependant, la texture devra être encore plus ferme. Posez alors la jatte sur une casserole d'eau frémissante et fouettez encore 5 min, jusqu'à ce que le mélange soit épais et brillant, et forme des petits pics. Retirez la jatte de la casserole et laissez refroidir, tout en fouettant.
7 Utilisez la pâte à bombe à température ambiante, ou conservez au réfrigérateur 2 jours au plus. Dans ce cas, fouettez-la avant de l'utiliser.

Sirop de base

POUR 75 CL ENVIRON
500 g de sucre cristallisé ou en poudre
50 cl d'eau
1 citron

C'est l'un des produits de base que j'utilise le plus pour confectionner mes desserts. Il est toujours utile d'en conserver au réfrigérateur, pour assaisonner les fruits frais, pocher les fruits ou faire des terrines. Nous trempons aussi des fines tranches de fruits dans ce sirop, avant de les faire sécher. Vous pouvez l'aromatiser à votre goût (voir suggestions page 10). En fait, je vous conseille de garder au réfrigérateur du sirop de base nature et du sirop aromatisé. Il se conserve jusqu'à 3 semaines.

La recette de base donne un sirop assez concentré ; certaines recettes demandent un sirop plus léger (voir ci-dessous).

1 Mettez le sucre et l'eau dans une casserole à fond épais et chauffez lentement, jusqu'à ce que le sucre soit dissous, en mélangeant une ou deux fois.
2 Pendant ce temps, prélevez 3 lanières de zeste sur le citron, avec un zesteur ou une mandoline, et ajoutez-les dans la casserole.
3 Quand le sucre est dissous, portez le sirop à ébullition et laissez bouillir environ 5 min.
4 Laissez refroidir. Retirez le zeste de citron et versez le sirop dans une bouteille ou un bocal. (Vous pouvez laisser le zeste de citron dans le sirop, pour lui donner plus de parfum, mais il a tendance à le teinter en jaune).

Sirop de base léger
Pour obtenir un sirop plus léger, la quantité d'eau doit être plus importante : pour 50 cl d'eau, vous utiliserez donc seulement 250 g de sucre. (Pour 65 cl de sirop environ).

Vous pouvez aussi simplement diluer le sirop de base (ci-dessus) avec 25 cl d'eau bouillante. (Pour 1 l de sirop environ).

Caramels croquants

Ces caramels croquants sont tout simplement des caramels à l'ancienne mode. Si vous aimez l'intérieur des barres chocolatées, vous apprécierez également mes caramels. Écrasez-les et mélangez-les à de la crème glacée ou du sorbet au citron, parsemez-en les mousses et les glaces, ou cassez-les en morceaux et dégustez-les comme des bonbons.

1 Tapissez une plaque de four peu profonde avec du papier cuisson. Pour liquéfier le miel et le sirop de glucose, plongez-les, dans leurs contenants respectifs, dans une casserole d'eau bouillante. Versez ensuite la quantité indiquée de sirop et de miel directement dans une casserole à fond épais – préalablement pesée – posée sur la balance.
2 Posez la casserole sur feu doux. Ajoutez le sucre et l'eau. Chauffez, en remuant de temps à autre, jusqu'à ce que le sucre soit dissous.
3 Montez le feu à modéré et laissez cuire jusqu'à ce que le sirop commence à se teinter de caramel blond – le thermomètre à sucre doit indiquer à peine 150 °C. Ajoutez le bicarbonate de soude, qui va mousser comme s'il allait entrer en éruption. Versez aussitôt le mélange, en couche uniforme, sur la plaque préparée.
4 Laissez refroidir 1 h, jusqu'à ce que le caramel soit ferme et croustillant, puis cassez-le en morceaux.
5 Si vous avez besoin de caramel écrasé pour une recette, mixez-le au robot jusqu'à la texture requise ou écrasez-le légèrement dans une jatte avec l'extrémité d'un rouleau à pâtisserie.

POUR 400 G DE CARAMELS ENVIRON
75 g de miel liquide
140 g de sirop de glucose
400 g de sucre en poudre
5 cuil. à soupe d'eau
20 g de bicarbonate de soude

Pâte sucrée

POUR 1 KG DE PÂTE ENVIRON

250 g de beurre mou

180 g de sucre en poudre

3 ou 4 gousses de vanille

2 gros œufs, battus

500 g de farine

$^1/_4$ de cuil. à café de sel de mer fin

La pâte sucrée est très utilisée pour les tartes. Préparez une grande quantité de pâte, et divisez-la en 3 ou 4 portions. Enveloppez les portions que vous n'utilisez pas aussitôt dans un film plastique et mettez-les au congélateur. Pour obtenir un bon résultat, préparez la pâte sucrée au batteur électrique, puis pétrissez-la légèrement à la main.

1 Avec un batteur électrique, battez le beurre avec le sucre dans une jatte, jusqu'à ce qu'il soit lisse et crémeux, mais pas mousseux. Fendez les gousses de vanille, puis raclez les graines, avec la pointe d'un couteau, dans le mélange.

2 À vitesse lente, incorporez les œufs battus, peu à peu, en arrêtant le batteur une ou deux fois pour racler les parois de la jatte.

3 Mélangez la farine et le sel. À vitesse lente, ajoutez la farine, en trois ou quatre fois. Dès que le mélange commence à former une pâte granuleuse, arrêtez l'appareil.

4 Rassemblez la pâte en boule et mettez-la sur une surface légèrement farinée, de préférence un marbre bien froid. Pétrissez rapidement la pâte à la main, jusqu'à ce qu'elle soit lisse, pas plus de 1 à 2 min. Évitez de trop la travailler, pour ne pas la ramollir avec la chaleur de vos mains.

5 Divisez la pâte en 3 ou 4 morceaux. Enveloppez chaque portion dans un film plastique. Laissez reposer 30 min au réfrigérateur avant d'abaisser la quantité de pâte dont vous avez besoin. Congelez la pâte que vous n'utilisez pas aussitôt pour un usage ultérieur.

6 Avant d'abaisser la pâte sucrée, pétrissez-la quelques secondes, pour l'empêcher de se fendiller. Farinez très légèrement la surface de travail et abaissez la pâte rapidement, en appuyant à peine sur le rouleau – si vous appuyez trop fort, le beurre risque de sortir de la pâte, ce qui la rendrait très difficile d'emploi.

Pâte aromatisée à l'orange

Pour transformer les tartes ou les tourtes sans changer de garniture, il suffit d'aromatiser la pâte. Celle-ci renouvellera la tarte Tatin et rendra encore plus délicieuse votre tarte au citron. Elle est parfaite aussi pour des fonds de tartelettes croustillants, que vous ferez cuire à blanc avant de les garnir de crème fraîche mélangée à du *lemon curd* maison, et que vous couronnerez de fraises fraîches. Cette pâte se congèle très bien. La plupart des recettes ne nécessitant que la moitié de la proportion donnée, congelez l'autre moitié. Vous trouverez de l'eau de fleur d'oranger au rayon pâtisserie du supermarché.

POUR 450 G ENVIRON
150 g de beurre mou
75 g de sucre glace, tamisé
le zeste finement râpé de 1 orange
2 jaunes d'œufs, battus
1 cuil. à café d'eau de fleur d'oranger
250 g de farine

1 Dans une jatte, battez le beurre en crème avec le sucre glace, le zeste d'orange, les jaunes d'œufs et l'eau de fleur d'oranger.
2 Incorporez la farine avec un couteau de table, puis rassemblez le mélange dans vos mains et pétrissez pour obtenir une pâte lisse.
3 Enveloppez la pâte dans un film plastique et laissez reposer au réfrigérateur 2 heures au moins. Pétrissez à nouveau rapidement la pâte avant de l'abaisser, pour l'empêcher de se fendiller.

Variante
Pour une pâte au citron, remplacez la fleur d'oranger et le zeste d'orange par le zeste râpé de 2 citrons et 1 cuil. à café de jus de citron.

Pâte au chocolat

En dehors des tartes au chocolat, vous pouvez utiliser cette pâte de nombreuses façons. Elle est parfaite pour les tartelettes au *lemon curd* et pour des minitartelettes aux fraises à la crème.

POUR 300 G ENVIRON
125 g de farine
15 g de cacao en poudre
$^{1}/_{2}$ cuil. à café de sel de mer fin
60 g de beurre mou
60 g de sucre en poudre
30 g de chocolat noir, fondu et refroidi
1 jaune d'œuf

1 Tamisez la farine avec le cacao et le sel.
2 Dans une grande jatte, battez le beurre avec le sucre jusqu'à ce que le mélange soit pâle et crémeux, puis incorporez le chocolat.
3 Ajoutez la farine et le jaune d'œuf. Mélangez pour former une pâte lisse et molle. Façonnez la pâte en boule, aplatissez-la légèrement, enveloppez-la dans un film plastique et laissez-la reposer 30 min au réfrigérateur avant de l'abaisser.

Pâte à choux

C'est l'une des pâtes les plus faciles à réaliser. Vous chauffez et battez tous les ingrédients dans une casserole, jusqu'à obtention d'une pâte épaisse, puis vous déposez des petits tas de pâte sur une plaque beurrée, à la poche à douille ou avec une cuillère. Le mélange gonfle en formant des petites boules légères et creuses, qui peuvent être fourrées de crème fouettée. Ma recette comporte un peu de lait concentré, qui donne à la pâte une texture croustillante. Les choux se ramollissent si vous les faites cuire trop longtemps à l'avance, mais vous pouvez remédier à cet inconvénient en les réchauffant brièvement à four doux.

POUR 400 G ENVIRON
5 cuil. à soupe de lait
5 cuil. à soupe d'eau
2 cuil. à soupe de lait concentré sucré
$^1/_2$ cuil. à café de sel de mer fin
70 g de beurre, coupé en petits dés
85 g de farine
3 œufs moyens, légèrement battus

1 Mettez le lait, l'eau, le lait concentré, le sel et le beurre dans une casserole à fond épais. Chauffez à feu doux jusqu'à ce que le beurre ait fondu. Tamisez la farine.
2 Portez le mélange à ébullition, versez toute la farine d'un seul coup dans la casserole et battez vigoureusement avec une cuillère en bois.
3 Continuez à battre le mélange sur le feu jusqu'à ce qu'il forme une pâte épaisse qui se détache des parois de la casserole (illustration en bas, à gauche).
4 Transférez la pâte dans une jatte et laissez refroidir 5 min. Avec un batteur électrique, à vitesse lente, incorporez les œufs battus, peu à peu – environ un quart à la fois –, en augmentant la vitesse entre chaque adjonction, par impulsions de 10 secondes, pour aérer le mélange. Continuez ainsi jusqu'à obtention d'une pâte lisse, épaisse et luisante comme une mayonnaise qui va tourner. La pâte ne devant pas être trop molle, il vous restera peut-être de l'œuf battu.
5 Mettez au réfrigérateur jusqu'à ce que la pâte à choux soit assez épaisse pour que vous puissiez la déposer à la poche à douille ou à la cuillère sur une plaque. Ne la laissez pas trop longtemps au réfrigérateur cependant, car elle durcirait.

Pâte feuilletée pur beurre

POUR 1,2 KG
500 g de farine
¹/₂ cuil. à café de sel de mer fin
500 g de beurre, coupé en morceaux
1 cuil. à café de vinaigre de vin blanc
30 cl environ d'eau glacée

1 Réservez 10 g de farine. Mélangez le reste de la farine et le sel dans une jatte. Incorporez 50 g de beurre du bout des doigts – le mélange doit ressembler à de la chapelure. (Vous pouvez également utiliser un robot pour faire le mélange.)

2 Ajoutez le vinaigre, puis l'eau glacée, peu à peu, en mélangeant avec un couteau de table jusqu'à obtention d'une pâte lisse. Il vous faudra peut-être un peu plus ou un peu moins d'eau. Enveloppez la pâte dans un film alimentaire.

3 Mettez le beurre restant sur une feuille de papier cuisson et saupoudrez avec un peu de la farine réservée. Posez dessus une autre feuille de papier cuisson, et appuyez pour former un rectangle de 23 x 33 cm, en saupoudrant encore de farine. Laissez raffermir au réfrigérateur. Mettez également la pâte au réfrigérateur 20 min.

4 Sur une surface légèrement farinée, abaissez la pâte en un rectangle de 25 x 35 cm, un peu plus grand que le rectangle de beurre, en tenant le rouleau par-dessous (illustration à gauche), pour que la pression soit uniforme. Assurez-vous que les bords et les angles soient bien droits et nets – c'est un des secrets de la réussite. Si nécessaire, recommencez.

5 Posez le rectangle de beurre froid sur le rectangle de pâte, en laissant une bordure (illustration page ci-contre, en haut, à gauche). Pliez la pâte en deux et soudez les bords, pour enfermer le beurre.

6 Tapotez la pâte pour l'égaliser, les doigts sous le rouleau pour conserver une pression uniforme (illustration page ci-contre, en haut, à droite). Abaissez la pâte dans un seul sens, jusqu'à ce qu'elle fasse trois fois la longueur, en veillant à ce que le beurre ne sorte pas.

7 Pliez la pâte en trois, en repliant le tiers supérieur vers le centre, puis le tiers inférieur par-dessus (page ci-contre, en bas, à gauche).

8 Tournez la pâte d'un quart de tour, et abaissez-la à nouveau, dans le même sens, en farinant légèrement. Pliez-la comme précédemment, en veillant à ce que les bords soient bien nets (page ci-contre, en bas, à droite). Enveloppez-la dans un film plastique et mettez-la au réfrigérateur 20 min, ou plus longtemps par temps chaud.

9 Retirez la pâte du film. Le pli étant du même côté, abaissez-la une troisième fois. Pliez comme précédemment, haut vers le centre et bas par-dessus (pli simple). Repliez en deux, comme un portefeuille (pli double). Enveloppez et mettez au réfrigérateur 20 min. Prélevez la quantité de pâte indiquée dans la recette. Divisez le reste en portions et congelez-les.

Pâte feuilletée au mascarpone

POUR 1,4 KG ENVIRON

PÂTE GRASSE :

200 g de mascarpone

250 g de beurre mou

50 g de farine

PÂTE SÈCHE :

500 g de farine

2 cuil. à café de sel de mer fin

50 g de beurre, fondu et refroidi

40 cl d'eau

Cette pâte légère et tendre fond dans la bouche. Les petites portions étant plus difficiles à réussir, je vous suggère de faire une grande quantité de pâte, de la diviser en quatre portions de 350 g et de garder au congélateur la pâte que vous n'utiliserez pas aussitôt.

1 Pâte grasse : battez le mascarpone avec le beurre mou et la farine. Formez un petit carré et enveloppez dans un film plastique.

2 Pâte sèche : mélangez la farine et le sel dans une terrine. Ajoutez le beurre fondu et l'eau. Pétrissez pendant 5 min environ, jusqu'à ce que la pâte soit lisse et élastique. Formez un carré de 2 cm d'épaisseur et enveloppez dans un film plastique. Mettez les deux pâtes au réfrigérateur 6 h.

3 Retirez le film plastique des deux pâtes. Incisez profondément en croix le centre de la pâte sèche, en coupant jusqu'à mi-hauteur. Écartez les 4 pointes du centre de la croix. Posez le carré de pâte grasse au centre, en biais (illustration à gauche, en haut).

4 Repliez les pointes de la pâte sèche vers le centre, en enfermant la pâte grasse (illustration à gauche, en bas).

5 Sur une planche farinée, abaissez le pâton légèrement mais fermement, sur deux ou trois fois la longueur et sur 1,5 cm d'épaisseur. Les bords doivent rester bien droits et le beurre ne doit pas apparaître. Pliez la pâte en trois, tiers supérieur vers le centre, puis tiers inférieur par-dessus (pli simple) voir illustrations de ces techniques pages 206-207 (Pâte feuilletée pur beurre). Enveloppez la pâte dans un film plastique et laissez raffermir au réfrigérateur 20 à 30 min.

6 Faites pivoter la pâte d'un quart de tour, le pli se trouvant sur la droite ou la gauche. Abaissez, repliez à nouveau, puis faites pivoter d'un quart de tour, le pli se trouvant du même côté que précédemment.

7 Abaissez la pâte une troisième fois. Pliez comme précédemment, le haut vers le centre, puis le bas par-dessus. Pliez encore en deux, comme un portefeuille (pli double). Enveloppez et laissez raffermir au réfrigérateur.

8 Abaissez à nouveau la pâte, en vous assurant que le pli se trouve toujours du même côté. Toutes ces étapes sont nécessaires pour que la matière grasse soit uniformément répartie et que la pâte gonfle régulièrement.

9 Abaissez la pâte une dernière fois et faites un pli simple. Enveloppez-la et mettez-la au réfrigérateur. Prélevez la quantité de pâte indiquée dans la recette. Divisez le reste en portions et congelez-les.

Pâte feuilletée minute

Faites ce feuilletage quand il vous faut une pâte feuilletée et que vous manquez de temps. Il suffit de mélanger, pétrir, étaler et plier. La pâte ne gonflera pas autant que la Pâte feuilletée pur beurre ou la Pâte feuilletée au mascarpone, mais elle est quand même excellente et convient pour les tartes aux fruits et les tourtes aux pommes.

POUR 700 G ENVIRON
250 g de farine
1 cuil. à café de sel de mer fin
250 g de beurre à température ambiante, mais pas mou
15 cl environ d'eau froide

1 Mélangez la farine et le sel dans une grande jatte. Coupez le beurre en petits dés et incorporez-le à la farine avec un couteau de table (illustration ci-dessus, au centre).

2 Incorporez, peu à peu, assez d'eau froide pour former une pâte grossière, ferme et non collante. Utilisez de préférence une cuillère en bois, pour que la pâte reste froide (illustration ci-dessus, à gauche).

3 Rassemblez la pâte dans vos mains (ci-dessus, à droite). Enveloppez-la d'un film plastique et laissez reposer au réfrigérateur 20 min.

4 Mettez la pâte sur une planche légèrement farinée et pétrissez délicatement, jusqu'à ce qu'elle soit lisse. Abaissez-la dans un seul sens en un rectangle de 15 x 50 cm. Les bords doivent rester bien droits et avoir la même épaisseur.

5 Pliez la pâte en trois, tiers supérieur vers le centre, puis tiers inférieur par-dessus. Faites pivoter d'un quart de tour, vers la droite ou la gauche, et abaissez à nouveau sur trois fois la longueur. Pliez la pâte comme précédemment, enveloppez-la d'un film plastique et mettez-la au réfrigérateur 30 min avant de l'utiliser.

Brioche

POUR 2 GROSSES BRIOCHES
250 g de farine
1 sachet de levure chimique
1 cuil. à café de sel de mer fin
2 cuil. à soupe de sucre en poudre
6 œufs moyens, battus
240 g de beurre mou
1 jaune d'œuf battu, avec 1 cuil. à café
   d'eau froide

Une brioche maison à l'exquise saveur est un vrai délice. Nous faisons griller des tranches de brioche pour les servir avec certaines entrées, mais elle est également parfaite pour les puddings d'été et les puddings au pain. La recette indique de la levure chimique, plus facile à se procurer, mais il est préférable d'utiliser de la levure de boulanger. Dans ce cas, délayez-la avec 2 cuil. à soupe de lait tiède et ajoutez-la aux œufs battus. Cette pâte est très riche, elle est donc plus longue à lever qu'une pâte à pain.

1 Chauffez légèrement le bol d'un batteur électrique. Versez-y la farine, la levure, le sel et le sucre. Mélangez délicatement. À vitesse lente, incorporez les œufs battus, peu à peu, pour obtenir une pâte lisse.
2 Toujours à vitesse lente, ajoutez le beurre, cuillerée par cuillerée. Quand tout le beurre est incorporé, mélangez encore 10 min.
3 Couvrez et laissez lever dans un endroit chaud, jusqu'à ce que la pâte ait doublé de volume (illustration page ci-contre, en haut, à gauche). Pendant ce temps, graissez et farinez deux moules à pain de 900 g.
4 Enfoncez votre poing dans la pâte levée (illustration page ci-contre, en haut, à droite), et partagez-la en deux. Coupez chaque moitié en trois et façonnez des boules. Déposez 3 boules dans les moules préparés, et appuyez légèrement sur la surface. Couvrez avec un film plastique et laissez lever 1 à 3 h dans un endroit chaud, jusqu'aux trois quarts des moules. Cette seconde levée est indispensable pour que la brioche soit légère.
5 Préchauffez le four à 190 °C (th. 6). Retirez le film plastique et badigeonnez le dessus avec le jaune d'œuf battu. Faites cuire 30 à 35 min, jusqu'à ce que les brioches soient bien gonflées et dorées. Laissez reposer 5 min dans les moules. Démoulez et laissez refroidir complètement sur une grille. Consommez dans les 2 jours, ou congelez et consommez dans les 6 semaines.

annexes

Ingrédients

FARINES

Pour les gâteaux, pâtisseries, pâtes levées et battues, nous utilisons une farine blanche classique de qualité supérieure, de préférence fluide, garantie antigrumeaux. La farine de riz, plus communément appelée crème de riz, très légère, convient pour les pâtes à beignets de type tempura. La farine de maïs ou Maïzena, sans gluten, est parfois ajoutée à la farine de blé classique pour la rendre plus légère. Elle permet également d'épaissir des sauces trop liquides. L'arrow-root et la fécule de pomme de terre peuvent être utilisés pour préparer des nappages transparents pour les tartes.

SUCRES

Le sucre en poudre ou sucre semoule est le plus utilisé pour les desserts en raison de la rapidité avec laquelle il se dissout quand il est battu avec des œufs ou du beurre. Le sucre cristallisé ne convient pas dans ces deux cas ; en revanche, il est parfait pour les sirops, les confitures et les gelées. Le sucre roux, à l'agréable goût de caramel, est excellent dans les sirops destinés aux salades de fruits, mais il se dissout moins bien que le sucre blanc.

Les miels au parfum de fleurs rehausseront les crèmes glacées, les sirops de base aromatisés et les fruits rôtis, mais ils doivent être utilisés à part égale avec du sucre blanc, pour que leur parfum ne soit pas trop présent. Mes préférés sont le miel d'acacia, le miel de thym et le miel d'oranger.

MATIÈRE GRASSE

À mon avis, rien ne peut remplacer la saveur et la texture du beurre. Si une recette nécessite du beurre mou, pensez à le sortir du réfrigérateur la veille ou assez longtemps à l'avance : 4 à 6 heures sont nécessaires pour qu'un paquet de beurre ait la bonne consistance. Si vous oubliez de le faire, coupez le beurre en petits dés dans une jatte et mettez quelques secondes au four à micro-ondes réglé au plus bas, de façon qu'il ne fonde pas mais ramollisse seulement. Je graisse mes moules à gâteaux ou à soufflés avec du beurre mou (voir page 98), mais vous pouvez le remplacer par une huile à goût neutre, comme l'huile de tournesol.

Certaines de mes recettes de gâteaux demandent du beurre noisette, à la délicate saveur. Pour l'obtenir, faites fondre le beurre à feu doux jusqu'à ce qu'il prenne une coloration noisette, puis passez-le à travers une mousseline pour éliminer les matières solides. Le beurre fondu est ensuite refroidi à température ambiante avant usage. Vous préparerez du beurre clarifié de la même façon, mais sans le laisser colorer.

LAIT ET PRODUITS LAITIERS

La crème peut être plus ou moins riche en matière grasse. La crème fraîche entière est sans conteste la meilleure et la plus onctueuse, en particulier si elle doit cuire. La crème fluide en petites briques, de préférence entière et souvent appelée crème fleurette, est parfaite pour être fouettée (la crème fluide dite légère, à faible teneur en matière grasse, est à déconseiller pour les mousses ou les glaces). La crème fraîche peut également être fouettée, mais elle monte plus difficilement.

Le yaourt grec confère une riche saveur crémeuse aux desserts. Le yaourt nature peut être entier ou sans matière grasse. Les petits-suisses et le fromage blanc couronneront les compotes et les fruits rôtis chauds, en leur apportant leur onctuosité. Cependant, en cas de cuisson, ils doivent être stabilisés avec un peu de farine ou de jaune d'œuf, pour éviter qu'ils ne tournent.

Quand une recette réclame du lait, j'utilise généralement du lait entier, mais vous remarquerez que pour certaines crèmes ou crèmes brûlées, je précise « lait UHT ». Celui-ci est en effet plus stable à la cuisson, peut-être parce que les hautes températures auxquelles il a été soumis ont stabilisé la matière grasse.

Matériel

Pour réussir les desserts et les pâtisseries, il faut respecter quelques règles simples. Si les salades de fruits ou les fruits rôtis, par exemple, laissent une part à la créativité spontanée, pour les recettes qui nécessitent des mesures précises, des techniques culinaires et des températures spécifiques, il est conseillé de posséder le matériel adéquat. La plupart des ustensiles que nous utilisons sont de qualité professionnelle et dureront de nombreuses années. Si vos finances vous le permettent, offrez-vous la meilleure qualité.

POUR PESER ET MESURER

Peser les denrées est important en pâtisserie, et nous utilisons des balances électroniques à piles pour les mesures précises de petites quantités. Vous pouvez les remplacer par des balances à l'ancienne, avec une série de poids allant de 5 g à 2 kg.

Les temps de préparation et de cuisson sont donnés dans les recettes, mais comme de nombreux facteurs extérieurs interviennent, ils ne peuvent être qu'approximatifs. Le thermomètre à sucre est indispensable si vous voulez faire de la pâte à bombe, de la meringue italienne, du sirop de base, du caramel, etc. Il est aussi très utile pour les sauces comme la crème anglaise, qui peut tourner d'une seconde à l'autre. Les fours sont aussi extrêmement variables, et s'il est pratique de disposer d'un thermomètre à four, il est encore plus important d'apprendre à connaître votre propre four. Le temps de cuisson est donné à titre indicatif ; dans beaucoup de recettes sont également mentionnées la couleur et la texture.

MOULES DE TOUTES SORTES

Je vous conseille avant tout d'investir dans des plaques à pâtisserie d'excellente qualité. Elles doivent être lourdes, pour mieux répartir la chaleur, mais aussi pour pouvoir aplatir certains petits gâteaux en cours de refroidissement. De plus, une plaque épaisse et lourde sera parfaite pour accueillir le cercle à pâtisserie qui formera la base d'une tarte. Et même quand vous faites cuire un fond de tarte à blanc dans un moule, vous devez placer celui-ci sur une plaque épaisse pour que la cuisson soit uniforme. Je vous suggère d'acheter au moins trois plaques, pour que vous puissiez facilement faire cuire plusieurs «tournées» de petits biscuits, tuiles, etc.

Les moules en métal ne doivent pas se déformer. Au lieu de les laver après usage, nous préférons les essuyer avec un torchon humide quand ils sont encore chauds, de façon qu'une «patine» naturelle et antiadhésive se forme. Les moules démontables – avec un fond amovible et dont les côtés sont maintenus par un système de ressort – sont parfaits pour les gâteaux légers et mous, comme les cheesecakes, et il est utile d'en avoir plusieurs de différentes tailles. Si vous faites souvent des biscuits de Savoie, vous pouvez acheter un ou deux moules à manqué. Les moules à pain serviront de moules à parfaits et à terrines de fruits, et inversement, vous pouvez faire cuire des miches de pain dans des terrines. Les moules à savarin et les moules à kugelhopf conviennent pour toutes sortes de gâteaux. Pour la brioche, vous pouvez acheter des moules traditionnels à bords cannelés et évasés, mais nous utilisons souvent des moules à pain pour les grosses brioches et des moules à muffins pour les brioches individuelles. Les moules à dariole peuvent également servir pour les gâteaux et les bavarois individuels.

Les moules à gelée existent en de nombreuses formes et tailles, les plus utiles ayant une contenance de 1 l. Aux moules en métal ou en plastique pour gelées et bavarois, nous préférons les terrines en porcelaine, qui ne risquent pas de surchauffer quand vous les plongez dans l'eau bouillante pour démouler leur contenu.

FEUILLES ANTIADHÉSIVES

De nombreuses recettes de ce livre nécessitent des feuilles antiadhésives. Le papier cuisson convient pour tapisser les moules à gâteaux et les plaques à pâtisserie pour les gâteaux, biscuits, petits chocolats, etc., mais il est moins efficace pour faire sécher des fruits trempés dans du sirop. Pour ces derniers, les feuilles siliconées antiadhésives sont parfaites. Elles sont réutilisables : il suffit de les essuyer avec un torchon chaud pour qu'elles restent propres. De plus, elles durent des années. Vous ne les trouverez que dans les magasins spécialisés.

JATTES, FOUETS ET PASSOIRES

Les jattes doivent être assez larges, pour pouvoir fouetter facilement. Plusieurs tailles sont nécessaires. Nous utilisons des jattes en verre, mais pour fouetter des blancs d'œufs ou de la crème à la main, nous préférons des culs de poule en acier inoxydable, dont la forme arrondie permet que le fouet atteigne tout le contenu de la jatte. Posés sur une casserole, ces ustensiles forment également de parfaits bains-marie. Rien ne vaut le fouet à main pour incorporer de l'air dans un mélange, mais il est souvent plus pratique d'utiliser un batteur électrique à tenir ou sur socle, beaucoup moins fatigant. Cependant, comme les fouets tournent très vite, il faut constamment les surveiller.

Les passoires fines, rondes, sont utiles pour tamiser la farine avec la levure chimique et pour poudrer avec du sucre glace ou du cacao. Les passoires fines coniques sont plus indiquées pour les sauces (crème anglaise), pour assurer une texture parfaitement lisse. Pour passer un coulis en pressant avec le dos d'une louche, utilisez une passoire de moyenne grosseur. Pour les gelées et les liquides, tapissez la passoire avec de la mousseline à beurre, que vous trouverez au mètre au rayon tissu des grands magasins.

USTENSILES À PÂTISSERIE

Il vaut mieux étaler les pâtes à tarte au beurre sur du marbre, pour qu'elles restent bien froides. Mais comme le marbre est poreux et absorbe les odeurs, il est préférable de le réserver à cet usage. Investissez également dans un bon rouleau en bois dur, simple et long cylindre sans poignées pour que la pression soit uniforme. Les pinceaux à pâtisserie sont utiles pour graisser les jattes et les moules, pour éliminer la farine en excès, pour napper les tartes, etc. Trois pinceaux au moins sont nécessaires (les petits pinceaux de décorateur conviennent parfaitement).

Les chefs pâtissiers aiment les raclettes flexibles en plastique, très efficaces pour racler les mélanges dans les moules et les jattes. Les spatules à gâteaux doivent également être très souples.

COUTEAUX ET USTENSILES COUPANTS

Les couteaux à fruits à dents sont utiles pour séparer les quartiers d'orange et émincer les pommes et les poires. Les spatules à lame souple sont indispensables, surtout de taille moyenne à petite. Elles sont très pratiques pour détacher les biscuits et tuiles des plaques à pâtisserie et pour égaliser le dessus des soufflés et des mousses. Une mandoline est parfaite pour détailler des tranches minces de fruits fermes, pour les tremper dans le sirop de sucre et les sécher au four.

Une série d'emporte-pièce simples, de 5 à 7 cm de diamètre, vous rendra grand service. Nous les utilisons pour mouler des desserts et pour découper la pâte.

PETITS APPAREILS ÉLECTRIQUES

Vous pouvez investir dans quelques petits appareils électriques. Pour mélanger, le batteur-mixeur est parfait. Le robot ou le blender indépendant permet de réduire en purée. Le batteur électrique à tenir est idéal pour battre les œufs avec le sirop bouillant pour la pâte à bombe, la meringue italienne et la crème. Le batteur électrique à socle est pratique si vous avez assez de place sur votre plan de travail. Si vous aimez les glaces maison, une sorbetière qui bat le mélange pendant la congélation vous donnera des glaces et des sorbets onctueux.

FOURNISSEURS

Beaucoup de boutiques à la mode spécialisées dans les arts de la table et de grands magasins vendent des casseroles de stylistes connus, des pots, des plats et du petit matériel, mais la qualité de ces articles est rarement celle des magasins professionnels. Vous trouverez la liste des magasins spécialisés dans les pages jaunes de l'annuaire, à la rubrique Équipement hôtelier.

Glossaire des termes culinaires

ARROSER Verser les jus de cuisson ou un sirop sur les aliments, comme des fruits rôtis, pendant la cuisson pour qu'ils restent moelleux et qu'ils dorent et caramélisent.

BAIN-MARIE Récipient rempli d'eau dans lequel on fait cuire un plat, pour modérer la température et empêcher que le mélange ne soit trop cuit ou ne tourne, et que les bords ne forment une croûte. Au four, un plat à four à demi empli d'eau bouillante fera office de bain-marie. Sur la plaque de cuisson, le mélange est placé dans une jatte résistant à la chaleur et posé sur une casserole contenant 5 à 7 cm d'eau frémissante.

BLANCHIR Plonger très brièvement un aliment non cuit dans de l'eau, du sirop ou de l'huile bouillants, pour durcir l'extérieur ou le cuire à demi. Le processus prend à peine 1 min, ou au plus quelques minutes. L'aliment est ensuite rafraîchi (voir page ci-contre).

BRUNOISE Fruits détaillés en très petits dés.

CARAMÉLISER Chauffer le sucre fondu ou le sirop de sucre jusqu'à ce qu'ils prennent la couleur du caramel. S'applique aussi aux aliments cuits à sec dans une casserole, de façon que les sucres naturels brunissent, en rehaussant la saveur. Les fruits sont parfois enduits de beurre mou et tournés dans le sucre, pour accélérer le processus.

COULIS Sauce lisse aux fruits, faite de purée de fruits et de sirop de base.

CRÈME BRÛLÉE Entremets à base de crème, poudré d'une couche uniforme de sucre roux ou blanc, puis caramélisé au chalumeau ou sous un gril brûlant.

CUIRE À BLANC Cuire une pâte à tarte sans garniture jusqu'à ce qu'elle soit croustillante et dorée. L'abaisse de pâte est posée dans un moule à tarte ou un cercle sur une plaque à pâtisserie, tapissée de papier d'aluminium ou de papier cuisson, puis remplie de haricots secs pour l'empêcher de gonfler (illustration page 122).

DÉCANTER Verser le liquide d'une bouteille dans une autre ou dans une carafe, en procédant lentement pour que les résidus éventuels restent dans le fond de la bouteille.

DÉGLACER Verser un peu d'alcool ou autre liquide dans une casserole très chaude et remuer vigoureusement pour détacher les résidus et les mélanger avec les jus de cuisson, afin de les intégrer à une sauce. Le liquide s'évapore légèrement pour concentrer les parfums. Ainsi, un filet de vin permettra de déglacer une sauteuse où des fruits ont caramélisé dans un mélange de beurre et de sucre.

FILO Pâte très fine en feuilles, vendue en paquet ou en boîte – dans les épiceries asiatiques ou d'Afrique du Nord, et dans les supermarchés. Elle s'assemble en couches, que l'on badigeonne de beurre fondu ou d'huile. La pâte filo doit être couverte pour l'empêcher de sécher.

FLAMBER Mettre le feu à un mélange contenant de l'alcool, généralement dans une sauteuse, pour brûler l'alcool en concentrant le parfum.

FOUETTER Incorporer de l'air dans un ingrédient ou un mélange, en le battant rapidement avec un fouet à main ou un batteur électrique. Des ingrédients comme la crème ou les blancs d'œufs peuvent être fouettés jusqu'à former une mousse plus ou moins ferme.

FRUIT CONFIT Fruit cuit très lentement dans le sirop, puis servi en condiment sucré. Les zestes d'agrumes confits sont excellents avec les tartes. Recouverts de sirop, ils se gardent 2 à 3 mois au réfrigérateur.

GLACER Appliquer un nappage avant ou après cuisson pour donner un aspect brillant. Les fruits peuvent être glacés avec du coulis ou du sirop de sucre. Les pâtisseries et le pain sont souvent glacés avec de l'œuf battu.

HARICOTS SECS Ils servent à recouvrir les fonds de tarte avant de les cuire à blanc, pour les empêcher de gonfler. On peut les remplacer des billes de céramique (magasins spécialisés).

INCORPORER Mélanger avec précaution au moins deux éléments avec une grande cuillère en métal, en conservant une texture aérée. La cuillère est délicatement tournée avec un mouvement en huit, de façon à racler le mélange de la base de la jatte et l'incorporer avec précaution. L'un des éléments est généralement des blancs d'œufs battus en neige ou de la crème.

INFUSER Plonger des ingrédients parfumés, tels que zestes d'agrumes, herbes ou gousses de vanille, dans du sirop brûlant ou autre liquide, pour donner un parfum et un arôme subtils. Les éléments parfumés sont généralement ajoutés au liquide bouillant et infusent un certain temps avant d'être retirés.

JULIENNE Fines lanières de zeste d'agrumes ou d'herbes aromatiques à larges feuilles.

JUS Pur jus de fruits nature, sans ajout de sirop. Nous extrayons du jus de fraises en plaçant les fruits sur un bain-marie, et nous faisons du jus de pomme en pressant de la purée de pommes crues à travers une passoire.

MACÉRER Plonger des fruits dans un liquide, généralement du sirop ou de l'alcool, pour les parfumer et les attendrir.

MOELLEUX S'applique aux pruneaux ou aux abricots secs qui restent souples et ne nécessitent pas de trempage avant usage.

PASSER Passer un liquide à travers une passoire pour le débarrasser de toutes particules solides. Il est parfois nécessaire de faire passer le liquide à travers la passoire en le pressant avec le dos d'une louche.

PECTINE Hydrate de carbone présent dans les fruits, en particulier les fruits acides, qui épaissit après cuisson avec du sucre.

PÉTRIR Travailler une pâte à la main sur une planche farinée. La plupart des pâtes sont légèrement pétries pour les rendre lisses avant de les étaler. Les pâtes à la levure de boulanger sont pétries plus vigoureusement, avec la paume de la main, en les étirant pour renforcer et développer le gluten.

POCHER Faire cuire un aliment dans un liquide juste en dessous du point d'ébullition. Le liquide doit à peine bouillonner. Par exemple, les fruits peuvent être pochés dans un sirop de base léger, de façon qu'ils restent entiers.

POINT D'ÉBULLITION Quand vous portez le lait et/ou la crème juste en dessous du point d'ébullition, le liquide commence à mousser sur les bords de la casserole, juste avant qu'il ne « monte ». Retirez aussitôt du feu.

POUDRER Saupoudrer légèrement de sucre glace, de farine, de cacao ou d'épices en poudre, avec une passoire fine que l'on secoue.

RAFRAÎCHIR Mettre un aliment tout juste blanchi dans de l'eau glacée pour arrêter aussitôt la cuisson et faire rapidement descendre sa température.

RÉDUIRE Faire bouillir un liquide, du jus de fruits par exemple, dans une large casserole, à découvert, pour faire évaporer une partie de son eau et concentrer le parfum.

RÉDUIRE EN PURÉE Passer un aliment (comme les fruits) de façon à obtenir une pulpe lisse. Les baies tendres et les bananes peuvent être réduites crues en purée, les autres fruits doivent d'abord être légèrement cuits pour les assouplir.

RUBAN Battre des jaunes d'œufs et du sucre, souvent au bain-marie, jusqu'à ce que le mélange forme une mousse assez épaisse pour retomber en « ruban » quand vous soulevez le fouet.

TOURNER Certaines sauces et quelques mélanges se séparent s'ils sont trop chauffés ou ajoutés à des aliments acides. Les sauces « tournent » quand les protéines de la crème ou des œufs coagulent et forment des petits grumeaux. Pour éviter cet inconvénient, les mélanges délicats doivent être chauffés avec précaution, sans jamais bouillir. Ils peuvent aussi être stabilisés avec de la Maïzena.

Les vins de dessert

Quand arrivent les desserts, après un repas bien arrosé, vous avez souvent l'impression que le moindre verre de vin doux va vous achever ! Un petit verre de vin de dessert bien choisi peut cependant mettre en valeur un entremets. Les sommeliers préfèrent le terme « vin doux » à « vin de dessert », ce vin n'étant pas strictement réservé aux desserts. Les vins doux sont très divers, rouges ou blancs, mousseux ou non, lourds ou légers, peu ou très alcoolisés.

VINS DOUX DU MONDE ENTIER

De nombreux pays vinicoles, de la France à la Roumanie et la Hongrie, produisent depuis des siècles de délicieux vins doux. Comme pour tous les vins, la variété du cépage, la viniculture et la viticulture déterminent le parfum, le corps et le caractère. Pour certains vins doux, les raisins mûrissent lentement sur la vigne en développant un champignon spécial, le Botrytis cinerea ou « pourriture noble », qui fait se flétrir les raisins et concentre le sucre naturel.

La France produit certains vins doux les plus réputés. Les plus connus viennent du Sauternais, dans la région bordelaise – les plus célèbres ont pour noms barsac, cadillac et cérons et, au sud de Bordeaux, monbazillac, bergerac, et jurançon au pied des Pyrénées. La pourriture noble du sémillon est un véritable défi pour le viticulteur, les grains de raisin ne se flétrissant pas tous en même temps. Les vendangeurs doivent parfois utiliser des pinces à épiler pour extraire chaque précieux grain. Généralement, les vins de cette région prennent une riche teinte dorée et un parfum d'agrumes, rappelant la marmelade d'oranges. Plus au nord, dans la vallée de la Loire, le cépage chenin blanc produit des vins plus légers, plus frais, aux accents d'ananas et de miel, tels le coteaux-du-layon, le bonnezeaux et le quarts-de-chaume.

L'Alsace est le pays du *gewurztraminer* et du *tokay pinot gris*. Les vins issus de ces cépages sont complexes, riches, presque épicés, parfaits pour les desserts mais aussi pour le foie gras et les pâtés. Avec les vins d'Alsace, il est utile de connaître le langage des étiquettes. VT – *vendange tardive* – s'applique à un vin issu de raisin récolté tardivement, ce qui le rend plus sucré et/ou plus fort. SGN – *sélection des grains nobles* – désigne un vin issu de raisins très mûrs, triés à la main, possédant un arôme délicat.

Le *vin de paille* sucré, au goût de noisette, se trouve dans la vallée du Rhône ; les raisins sont séchés sur la paille, pour concentrer les sucres. Plus au sud, ce sont les vins doux naturels, obtenus en arrêtant la fermentation par addition d'alcool. Parmi ceux-ci, on trouve le muscat de Beaumes-de-Venise et le muscat de Lunel, et les vins plus lourds, de style porto, tels que banyuls et maury.

L'Espagne produit des vins doux issus du cépage *pedro ximénez* (PX), qui donne des xérès lourds et puissants. Jerez de la Frontera est célèbre pour son xérès et des vins de même style viennent de Málaga et de Madère. Ces vins épais aux teintes foncées, chargés de parfums de noix, de caramel et de raisins secs, contrastent avec le moscatel de Valence, plus léger et au parfum d'agrumes. Le Portugal est célèbre pour son porto, vin doux naturel classique, au riche arôme de fruits concentrés et à haute teneur en alcool.

L'Italie nous donne le célèbre *vin santo* de Toscane. Les vins fins recioto de verona sont issus des raisins à récolte tardive, séchés sur la paille, qui développent des parfums floraux et épicés, aux arômes de pêche et d'orange.

L'Allemagne et l'Autriche produisent de merveilleux vins doux. Les meilleurs viennent des cépages *riesling* et offrent toute une gamme d'arômes, bouquets floraux délicats aux parfums de pomme et de chèvrefeuille, et saveurs plus intenses avec un soupçon de mangue et d'ananas. Les étiquettes allemandes sont difficiles à lire et il est utile de comprendre la terminologie. Les auslese, produits de grappes spécialement triées, sont des vins légèrement sucrés ; les *beerenauslese* (BA) sont des vins issus de raisin trop mûr ; les *trockenbeerenauslese* (TBA) sont produits à partir de raisins touchés par la pourriture noble ; les *eiswein* sont des vins provenant de grains de raisin gelés.

De nombreux marchands de vins offrent également des vins doux d'autres régions ou pays. En Europe de l'Est, il existe des traditions de vin doux aussi anciennes que celle de Bordeaux. Le plus célèbre est le tokaji hongrois, vin unique, très prisé depuis des siècles par les connaisseurs pour ses arômes complexes et spécifiques (caramel, orange confite et banane séchée). Chypre produit le commandaria de St John, très sucré, issu de raisins séchés au soleil. La Sicile est célèbre pour ses vins de Marsala, parfaits pour imbiber et parfumer les desserts tels que les sabayons.

L'Afrique du Sud produit le vin doux constantia, qui fut autrefois plus demandé que le sauternes. Les amateurs de vin australien aimeront les muscats liquoreux épais et lourds de Ruthergien et Mudgee, ou les *vins botrytis* de Nouvelle-Zélande. En Amérique, les viticulteurs californiens produisent d'excellents rieslings sucrés et des muscats noirs. Même les Canadiens exploitent leur climat vivifiant pour produire quelques vins de glace intéressants.

MARIER LES VINS DOUX ET LES DESSERTS

Quand vous choisissez un vin doux, prenez en considération le degré de suavité du vin et du dessert. Un vin léger servi avec un dessert riche paraîtra aqueux. Inversement, un plat très fruité s'accommodera généralement d'un vin acide. Mais ce principe ne doit pas toujours être suivi et il vaut mieux vous préparer à tenter diverses expériences. Par exemple, un moscato ou prosecco léger servi avec un entremets aux fruits très sucré rafraîchira le palais. Cela dit, vous pouvez suivre les conseils ci-dessous.

Salades de fruits Choisissez des vins issus de cépages riesling ou chenin blanc, à haut degré d'acidité. Essayez les vins allemands auslese, les vins de la Loire, les rieslings et jurançons australiens sucrés. Le recioto di soave est excellent avec les oranges ou les bananes. Si la salade de fruits contient un sirop aux épices ou une infusion d'herbes comme le basilic, pensez alors au gewurztraminer alsacien (SGN) ou à un muscat du sud de la France. Si vous faites la salade de fruits vous-même, laissez d'abord macérer les fruits dans un peu de vin. Si un dessert aux fruits, par exemple une gelée, est aromatisé avec une liqueur comme le Malibu, servez la même liqueur.

Sorbets et glaces Les nuances subtiles d'un vin doux étant masquées par le froid, il vaut mieux servir des vins corsés qui gardent leur caractère. Pour l'association classique chocolat/orange, essayez les muscats orangés avec les glaces au chocolat. Les vins de Loire au parfum de pomme sont excellents avec des glaces à la cannelle ou au caramel, et la glace à la vanille classique est divine avec

un xérès PX généreux. Les mousseux bien frais, à la bonne acidité, délicieux avec les sorbets aux fruits, ne conviennent pas aux glaces crémeuses. Accompagnez aussi les sorbets avec une eau-de-vie appropriée – poire, fraise, coing, abricot ou framboise –, ou même un verre de calvados avec un sorbet à la pomme.

Mousses crémeuses Les vins mousseux se marient bien avec ces desserts. Les mousses légères sont délicieuses avec un moscato d'asti du Piémont ou un vin de Loire demi-sec, alors qu'un mousseux australien généreux sera meilleur avec une mousse à la mangue tropicale. Accompagnez une mousse au chocolat avec un généreux bual de Madère.

Desserts au chocolat Bien que ces desserts soient parfois difficiles à marier avec le vin, le chocolat ayant tendance à recouvrir le palais, acceptez le défi et essayez des choix moins traditionnels. Les entremets au chocolat au lait et au chocolat blanc, plus légers, sont bons avec des muscats floraux (rivesaltes, lunel ou beaumes-de-venise). Les desserts au chocolat noir, plus lourds, conviennent aux vins mutés (xérès, madère) et aux portos « late bottled vintage » (LBV). Vous pouvez les remplacer par du tokaji hongrois, du ruthergien australien ou du muscat noir californien. Pour les desserts au chocolat et à l'orange, choisissez les bordeaux monbazillac ou saussignac, et si le dessert contient une liqueur, servez la même liqueur. À Noël, offrez des desserts aux marrons et au chocolat avec du pineau des Charentes, vin obtenu en mélangeant le jus de raisin à du cognac.

Caramels Le caramel se marie bien avec les vins doux, surtout les vins de pourriture noble. Les sauternes des grands crus 1983, très chargés en botrytis et en arôme de marmelade d'oranges, sont merveilleux avec de simples crèmes au caramel, de même que le tokaji hongrois et le vin santo italien.

Noël C'est l'occasion de déguster les xérès oloroso adoucis par des raisins PX, portos LBV, bual Maderia, dulce Málaga, grands vins épais, concentré de ces merveilleux arômes d'épices, de fruits séchés et de fruits secs, ainsi que les grands vins doux classiques du monde entier.

Pour terminer, certains des meilleurs vins doux du monde sont un dessert en eux-mêmes. Le plus merveilleux des desserts ne peut que s'incliner devant une bouteille de Château d'Yquem 1967 !

Index

Je voudrais remercier tout particulièrement les trois chefs de mon équipe : Mark Askew, le chef cuisinier de mon restaurant de Chelsea, qui s'est assuré que tous étaient sur la même longueur d'ondes ; Mark Sargeant, qui a sacrifié ses samedis de repos pour moi alors qu'il aurait sans doute préféré profiter de sa Yamaha ; et Thierry Besselieure de Petrus à St James, grâce à qui j'ai perfectionné mes talents de pâtissier. Sans oublier Ronan Sayburn, sommelier dans mon restaurant de Chelsea, qui a passé des heures à concocter des mots sages pour ses recommandations de vin doux.

Remerciements

Je souhaiterais faire part de ma gratitude à tous ceux qui se sont investis dans la réalisation de cet ouvrage : à Georgia Glynn Smith pour ses merveilleuses photographies, prises des samedis qu'elle aurait sans doute aimé consacrer à son jeune mari – je suis flatté d'avoir eu la priorité ces jours-là ; à Helen Lewis pour son élégant design qui complète si harmonieusement mon style ; à Janet Illsley pour son réconfort et son professionnalisme ; à Roz Denny, mon coordonnateur en chef ; et Anne Furniss, directrice aux éditions Quadrille, pour son inébranlable foi en moi. Tout ce que vous avez fait entre sans aucun doute dans le cadre de vos fonctions, mais votre apport s'étend bien au-delà du cadre professionnel et vous avez tous contribué à faire de ce livre un ouvrage exceptionnel.

Roz Denny adresse tous ses remerciements aux nombreux amis et relations qui ont accepté de goûter tous ces plats tests. Ils nous ont récompensés en exprimant leur bonheur à la dégustation de chaque dessert. L'équipe est aussi reconnaissante envers la société Magimix qui nous a permis d'utiliser la machine à glace Gelato 2000, figurant sur les photographies et tous nos fournisseurs pour avoir réussi à trouver tous les fruits qui n'étaient pas de saison, afin de pouvoir réaliser ces clichés.

Preface

Mastering pandas for Finance will teach you how to use Python and pandas to model and solve real-world financial problems using pandas, Python, and several open source tools that assist in various financial tasks, such as option pricing and algorithmic trading.

This book brings together various diverse concepts related to finance in an attempt to provide a unified reference to discover and learn several important concepts in finance and explains how to implement them using a core of Python and pandas that provides a unified experience across the different models and tools.

You will start by learning about the facilities provided by pandas to model financial information, specifically time-series data, and to use its built-in capabilities to manipulate time-series data, group and derive aggregate results, and calculate common financial measurements, such as percentage changes, correlation of time-series, various moving window operations, and key data visualizations for finance.

After establishing a strong foundation from which to use pandas to model financial time-series data, the book turns its attention to using pandas as a tool to model the data that is required as a base for performing other financial calculations. The book will cover diverse areas in which pandas can assist, including the correlations of Google trends with stock movements, creating algorithmic trading systems, and calculating options payoffs, prices, and behaviors. The book also shows how to model portfolios and their risk and to optimize them for specific risk/return tolerances.

What this book covers

Chapter 1, Getting Started with pandas Using Wakari.io, walks you through using Wakari.io, an online collaborative data analytics platform, that utilizes Python, IPython Notebook, and pandas. We will start with a brief overview of Wakari.io and step through how to upgrade the default Python environment and install all of the tools used throughout this text. At the end, you will have a fully functional financial analytics platform supporting all of the examples we will cover.

Chapter 2, Introducing the Series and DataFrame, teaches you about the core pandas data structures—the Series and the DataFrame. You will learn how a Series expands on the functionality of the NumPy array to provide much richer representation and manipulation of sequences of data through the use of high-performance indices. You will then learn about the pandas DataFrame and how to use it to model two-dimensional tabular data.

Chapter 3, Reshaping, Reorganizing, and Aggregating, focuses on how to use pandas to group data, enabling you to perform aggregate operations on grouped data to assist with deriving analytic results. You will learn to reorganize, group, and aggregate stock data and to use grouped data to calculate simple risk measurements.

Chapter 4, Time-series, explains how to use pandas to represent sequences of pricing data that are indexed by the progression of time. You will learn how pandas represents date and time as well as concepts such as periods, frequencies, time zones, and calendars. The focus then shifts to learning how to model time-series data with pandas and to perform various operations such as shifting, lagging, resampling, and moving window operations.

Chapter 5, Time-series Stock Data, leads you through retrieving and performing various financial calculations using historical stock quotes obtained from Yahoo! Finance. You will learn to retrieve quotes, perform various calculations, such as percentage changes, cumulative returns, moving averages, and volatility, and finish with demonstrations of several analysis techniques including return distribution, correlation, and least squares analysis.

Chapter 6, Trading Using Google Trends, demonstrates how to form correlations between index data and trends in searches on Google. You will learn how to gather index data from Quandl along with trend data from Google and then how to correlate this time-series data and use that information to generate trade signals, which will be used to calculate the effectiveness of the trading strategy as compared to the actual market performance.

Chapter 7, Algorithmic Trading, introduces you to the concepts of algorithmic trading through demonstrations of several trading strategies, including simple moving averages, exponentially weighted averages, crossovers, and pairs-trading. You will then learn to implement these strategies with pandas data structures and to use Zipline, an open source back-testing tool, to simulate trading behavior on historical data.

Chapter 8, Working with Options, teaches you to model and evaluate options. You will first learn briefly about options, how they function, and how to calculate their payoffs. You will then load options data from Yahoo! Finance into pandas data structures and examine various options attributes, such as implied volatility and volatility smiles and smirks. We then examine the pricing of options with Black-Scholes using Mibian and finish with an overview of Greeks and how to calculate them using Mibian.

Chapter 9, Portfolios and Risk, will teach you how to model portfolios of multiple stocks using pandas. You will learn about the concepts of Modern Portfolio Theory and how to apply those theories with pandas and Python to calculate the risk and returns of a portfolio, assign different weights to different instruments in a portfolio, derive the Sharpe ratio, calculate efficient frontiers and value at risk, and optimize portfolio instrument allocation.

What you need for this book

This book assumes that you have some familiarity with programming concepts, but even those without programming, or specifically Python programming, experience, will be comfortable with the examples as they focus on pandas constructs more than Python or programming. The examples are based on Anaconda Python 2.7 and pandas 0.15.1. If you do not have either installed, guidance is provided in *Chapter 1, Getting Started with pandas Using Wakari.io,* on installing both on Windows, OS X, and Ubuntu systems. For those interested in not installing any software, instructions are also given on using the Wakari.io online Python data analysis service. Data is either provided with the text or is available for download via pandas from data services such as Yahoo! Finance. We will also use several open source software packages such as Zipline and Mibian, the retrieval, installation, and usage of which will be explained during the appropriate chapters.

Who this book is for

If you are interested in quantitative finance, financial modeling, trading, or simply want to learn Python and pandas as applied to finance, then this book is for you. Some knowledge of Python and pandas is assumed, but the book will spend time explaining all of the necessary pandas concepts that are required within the context of application to finance. Interest in financial concepts is helpful, but no prior knowledge is expected.

Conventions

In this book, you will find a number of styles of text that distinguish between different kinds of information. Here are some examples of these styles, and an explanation of their meaning.

Code words in text are shown as follows: "This information can be easily imported into `DataFrame` using the `pd.read_csv()` function as follows."

A block of code entered in a Python interpreter is set as follows:

```
import pandas as pd
df = pd.DataFrame.from_items([('column1', [1, 2, 3])])
print (df)
```

Any command-line/IPython input or output is written as follows:

```
In [2]:
    # create a DataFrame with 5 rows and 3 columns
    df = pd.DataFrame(np.arange(0, 15).reshape(5, 3),
                    index=['a', 'b', 'c', 'd', 'e'],
                    columns=['c1', 'c2', 'c3'])
    df

Out[2]:
        c1   c2   c3
    a    0    1    2
    b    3    4    5
    c    6    7    8
    d    9   10   11
    e   12   13   14
```

New terms and **important words** are shown in bold. Words that you see on the screen, in menus or dialog boxes for example, appear in the text like this: "Once dropped, click on the **Upload Files** button and you will see the following files in your **Wakari** directory."

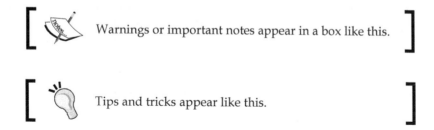

[Warnings or important notes appear in a box like this.   ]

[Tips and tricks appear like this.   ]

Reader feedback

Feedback from our readers is always welcome. Let us know what you think about this book—what you liked or may have disliked. Reader feedback is important for us to develop titles that you really get the most out of.

To send us general feedback, simply send an e-mail to feedback@packtpub.com, and mention the book title through the subject of your message.

If there is a topic that you have expertise in and you are interested in either writing or contributing to a book, see our author guide on www.packtpub.com/authors.

Customer support

Now that you are the proud owner of a Packt book, we have a number of things to help you to get the most from your purchase.

Downloading the example code

You can download the example code files for all Packt books you have purchased from your account at http://www.packtpub.com. If you purchased this book elsewhere, you can visit http://www.packtpub.com/support and register to have the files e-mailed directly to you. The code examples in the book are also publicly available on Wakari.io at https://wakari.io/sharing/bundle/Pandas4Finance/MasteringPandas4Finance_Index.

Errata

Although we have taken every care to ensure the accuracy of our content, mistakes do happen. If you find a mistake in one of our books—maybe a mistake in the text or the code—we would be grateful if you could report this to us. By doing so, you can save other readers from frustration and help us improve subsequent versions of this book. If you find any errata, please report them by visiting http://www.packtpub.com/submit-errata, selecting your book, clicking on the **Errata Submission Form** link, and entering the details of your errata. Once your errata are verified, your submission will be accepted and the errata will be uploaded to our website or added to any list of existing errata under the Errata section of that title.

To view the previously submitted errata, go to https://www.packtpub.com/books/content/support and enter the name of the book in the search field. The required information will appear under the **Errata** section.

Piracy

Piracy of copyright material on the Internet is an ongoing problem across all media. At Packt, we take the protection of our copyright and licenses very seriously. If you come across any illegal copies of our works, in any form, on the Internet, please provide us with the location address or website name immediately so that we can pursue a remedy.

Please contact us at copyright@packtpub.com with a link to the suspected pirated material.

We appreciate your help in protecting our authors, and our ability to bring you valuable content.

Questions

You can contact us at questions@packtpub.com if you are having a problem with any aspect of the book, and we will do our best to address it.

1
Getting Started with pandas Using Wakari.io

In *Mastering pandas for Finance*, we will examine the use of pandas to manage financial data and perform various financial analyses with a specific focus on financial processes that can be facilitated using the capabilities provided within pandas, along with an occasional quantitative financial technique. I have made an assumption that you have basic knowledge of Python programming and have used IPython and IPython Notebooks. Knowledge of pandas is preferred, but we will cover enough information on pandas for any reader to be able to understand the technique being used. We will occasionally and briefly touch upon areas of quantitative finance, but those times will be mostly for information purposes and will have implementations that are provided in the code of the text.

During this voyage of discovery, we will begin with an overview/review of concepts and data structures in pandas that are of importance to financial analysis. We will then move into various concepts, techniques, tools, and examples of specific financial analysis problems as solved with Python, pandas, and several other Python libraries and tools, including **Wakari, matplotlib, SciPy, Quandl, Zipline**, and **Mibian**. These will be varied in nature, and topics ranging from analysis of historical stock data, correlating search data with trends in stock prices, algorithmic trading and backtesting, options modeling and pricing, and portfolio and risk analysis will be covered.

In this first chapter, we will walk through creating an account and environment in Wakari.io and installing the code samples into that environment. I have chosen Wakari.io as a basis for a pandas-based financial environment because it is relatively painless to get up and running with all of the tools we will utilize, and also the samples provided in the code bundle of this book are in the IPython Notebook format, which is simple to use within Wakari.io.

The use of Wakari, however, does not prevent you from using your own Python environment. The examples in the text will run in any Python environment and were originally built using the Anaconda and IPython Notebook formats with all of the mentioned tools installed within the environment. Just in case you don't want to use Wakari, all the code examples in the text are presented as IPython and will run in a properly configured IPython environment.

So, let's get started. In this chapter, we will cover the following topics:

- What is Wakari.io?

- Creating a Wakari account

- Updating the default Wakari environment to run all our examples

- Installing and running the code samples in Wakari

What is Wakari?

Wakari (`http://continuum.io/wakari`) is a collaborative data analytics platform that allows you to explore data and create analytic scripts in collaboration with IPython Notebooks. It is an offering of Continuum Analytics, the creators of the Anaconda Python distribution, which is generally considered to be one of the best Python distributions. Wakari is offered as a solution that you can run in your enterprise at an expense, or as a web- or cloud-based solution offered on a freemium basis. The following screenshot shows Wakari as an offering of Continuum Analytics:

The approach in this text will be to guide you in using the cloud-based Wakari solution. This environment provides an effective quick start to learning pandas and performing all the data analysis in this text but with very minimal effort in managing a local Python installation.

Creating a Wakari cloud account

The cloud-based offering for Wakari is available at `https://wakari.io`. For convenience, from this point on, I will refer to Wakari.io as Wakari, but always know that I am referring to the cloud-based solution.

Wakari is a freemium service that allows you to run web-based Python distributions. Specifics on the free part of the freemium services can be found on the site, but all of the examples in this text can be run for free in the Wakari environment (at least at the time of writing this book). Wakari offers very low resistance to success in learning all of the concepts in this text as well as many others.

The guidance in this chapter will take you through creating and setting up an online Python environment, which can run all of the examples in this book. To start, open your browser and enter `https://wakari.io` in the address bar. This will display the following page:

Sign up for a new account, and upon successful registration for the service, you will be presented with the following web interface to manage IPython Notebooks:

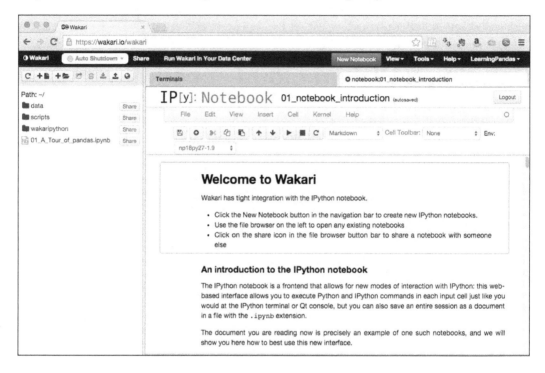

IPython Notebooks are a default feature in Wakari for the purpose of developing Python applications. All the examples in this book were developed as IPython Notebooks, although the code can be run sequentially in IPython or even Python. An advantage of IPython Notebooks is the ability to intermix markdown with Python code within a semi-dynamic web page, which allows easy reuse of code, and perhaps more importantly, publishing of code on the Web.

As a matter of fact, you can find all the code files for this book on Wakari at `https://wakari.io/sharing/bundle/Pandas4Finance/ MasteringPandas4Finance_Index`.

At the time of writing this book, the default Python environment provided by Wakari is Python 2.7.9, and more specifically, Anaconda 1.9.1 (all version numbers are at the time of writing, so when you read this, they may be newer). This is, in general, a good environment for what we want to accomplish in this book, although a few packages need updating and several others need to be installed. In Wakari, pandas is currently at 0.16.0, which is satisfactory for our needs.

The specific packages that either need updating or installing are as follows:

- matplotlib
- Zipline
- Quandl
- html5lib
- Mibian
- tzlocal

We will go over each of these briefly and also see how to install/update each. In general, the update/install process will be performed using a shell within Wakari. One of the spectacular features of Wakari includes running both interactive IPython sessions and operating system shells directly in the browser.

From a new environment within Wakari, you can open terminals using the **Terminals** tab. Click on the **Terminals** tab, and you will see the following screenshot, which represents a default IPython shell for your account (currently referred to as `np18py27-19`):

You can perform any Python programming within this web-based interface, including all of the examples in this book. However, the default Wakari environment needs a few updates and first-time installs to run all of the examples in the text.

We can perform updates to the environment by opening a shell. This can be performed by selecting **Shell** from the drop-down menu, along with **np18py27-1.9**, and pressing the **+Tab** button. After that, you will be presented with the following screenshot:

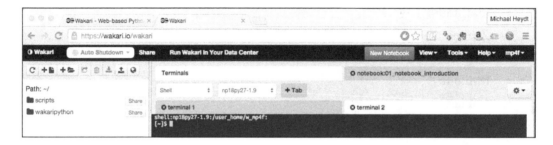

We are now in an OS shell that provides you with many options, including updating your Python environment, which we will now perform.

Updating existing packages

We need to update one package in the default Wakari environment — matplotlib. This is the graphics package we will use at various points in this book. For most of the purposes, the version in Wakari (1.3.1) is satisfactory, but the candlestick charts that we will create require an update to matplotlib from 1.3.1 to a higher version. This is performed with the `conda` package manager using the `conda update matplotlib` command. When issuing this, you will see something similar to the following in the terminal tab in your web browser:

```
[~]$ conda update matplotlib
Fetching package metadata: ........
Solving package specifications: .
Package plan for installation in environment /opt/anaconda/envs/np18py27-1.9:

The following packages will be downloaded:

    package                    |          build
    ---------------------------|----------------
    qt-4.8.6                   |              1       36.4 MB  http://repo.continuum.io/pkgs/free/linux-64/
    setuptools-15.1            |         py27_1      435 KB  http://repo.continuum.io/pkgs/free/linux-64/
    pyqt-4.11.3                |         py27_1       3.5 MB  http://repo.continuum.io/pkgs/free/linux-64/
    ---------------------------------------------------------
                                           Total:       40.4 MB

The following NEW packages will be INSTALLED:

    pyqt:       4.11.3-py27_1    http://repo.continuum.io/pkgs/free/linux-64/
    sip:        4.16.5-py27_0    http://repo.continuum.io/pkgs/free/linux-64/

The following packages will be UPDATED:

    matplotlib: 1.3.1-np18py27_0 http://repo.continuum.io/pkgs/free/linux-64/ --> 1.4.3-np19py27_1
http://repo.continuum.io/pkgs/free/linux-64/
    py2cairo:   1.10.0-py27_1    http://repo.continuum.io/pkgs/free/linux-64/ --> 1.10.0-py27_2
http://repo.continuum.io/pkgs/free/linux-64/
    pyparsing:  2.0.1-py27_0     http://repo.continuum.io/pkgs/free/linux-64/ --> 2.0.3-py27_0
http://repo.continuum.io/pkgs/free/linux-64/
    qt:         4.8.5-0          http://repo.continuum.io/pkgs/free/linux-64/ --> 4.8.6-1
http://repo.continuum.io/pkgs/free/linux-64/
    setuptools: 15.0-py27_0      http://repo.continuum.io/pkgs/free/linux-64/ --> 15.1-py27_1
http://repo.continuum.io/pkgs/free/linux-64/

Proceed ([y]/n)? y

Fetching packages ...
qt-4.8.6-1.tar 100% |###################################################| Time: 0:00:08    4.47 MB/s
setuptools-15. 100% |###################################################| Time: 0:00:00  725.92 kB/s
pyqt-4.11.3-py 100% |###################################################| Time: 0:00:01    2.73 MB/s
Extracting packages ...
[      COMPLETE      ]|###################################################| 100%
Unlinking packages ...
[      COMPLETE      ]|###################################################| 100%
Linking packages ...
[      COMPLETE      ]|###################################################| 100%
[~]$
```

Installing new packages

The remainder of the packages need to be installed. All these package installations follow the same process, although there are slightly different commands, which alternate between using `pip` and the `conda` package manager for installation.

For time zone operations, tzlocal is used and is updated using `pip`. The installation is performed as shown here:

```
[~]$ pip install tzlocal
Collecting tzlocal
  Downloading tzlocal-1.1.3.tar.gz
Requirement already satisfied (use --upgrade to upgrade): pytz in /opt/anaconda/envs/np18py27-1.9/lib/python2.7/site-packages (from tzlocal)
Installing collected packages: tzlocal
  Running setup.py install for tzlocal
Successfully installed tzlocal-1.1.3
[~]$ ▓
```

The samples do not use html5lib directly, but other libraries do use it indirectly. We will use these libraries to read and parse data. We need to update this using `conda`, as shown here:

```
[~]$ conda install html5lib
Fetching package metadata: ........
Solving package specifications: .
Package plan for installation in environment /opt/anaconda/envs/np18py27-1.9:

The following packages will be downloaded:

    package                    |            build
    ---------------------------|-----------------
    html5lib-0.999             |           py27_0        172 KB  http://repo.continuum.io/pkgs/free/linux-64/

The following NEW packages will be INSTALLED:

    html5lib: 0.999-py27_0 http://repo.continuum.io/pkgs/free/linux-64/

Proceed ([y]/n)? y

Fetching packages ...
html5lib-0.999 100% |################################################################| Time: 0:00:00 531.84 kB/s
Extracting packages ...
[      COMPLETE      ]|################################################################| 100%
Linking packages ...
[      COMPLETE      ]|################################################################| 100%
```

A library provided at `https://www.quandl.com/`, Quandl is a provider of data that you can integrate into your applications via download or the API. The Python API that we will use to access S&P 500 data is free and can be installed using `conda`, as shown here:

```
[~]$ conda install quandl
Fetching package metadata: ........
Solving package specifications: .
Package plan for installation in environment /opt/anaconda/envs/np18py27-1.9:

The following packages will be downloaded:

    package                    |            build
    ---------------------------|-----------------
    quandl-2.8.5               |        np19py27_0         11 KB  http://repo.continuum.io/pkgs/free/linux-64/

The following NEW packages will be INSTALLED:

    quandl: 2.8.5-np19py27_0 http://repo.continuum.io/pkgs/free/linux-64/

Proceed ([y]/n)? y

Fetching packages ...
quandl-2.8.5-n 100% |################################################################| Time: 0:00:00 929.01 kB/s
Extracting packages ...
[      COMPLETE      ]|################################################################| 100%
Linking packages ...
[      COMPLETE      ]|################################################################| 100%
```

Available at `https://www.quantopian.com/`, Zipline is a backtesting/trading simulator that we will use. Quantopian is a website that focuses on algorithmic trading, and it produces Zipline, which it uses as one of its underlying technologies. Although installed using `conda`, Zipline requires the use of a different channel. Notice the slight variation in the use of `conda` to specify the Quantopian channel in the following screenshot:

```
[~]$ conda install -c Quantopian zipline
Fetching package metadata: .........
Solving package specifications: .
Package plan for installation in environment /opt/anaconda/envs/np18py27-1.9:

The following packages will be downloaded:

    package                    |            build
    ---------------------------|-----------------
    logbook-0.6.0              |          py27_0           77 KB  Quantopian
    requests-2.6.2             |          py27_0          593 KB  http://repo.continuum.io/pkgs/free/linux-64/
    zipline-0.7.0              |      np19py27_0          240 KB  Quantopian
    ---------------------------------------------------------------
                                           Total:          910 KB

The following NEW packages will be INSTALLED:

    logbook:  0.6.0-py27_0     Quantopian
    zipline:  0.7.0-np19py27_0 Quantopian

The following packages will be UPDATED:

    requests: 2.6.0-py27_0 http://repo.continuum.io/pkgs/free/linux-64/ --> 2.6.2-py27_0
http://repo.continuum.io/pkgs/free/linux-64/

Proceed ([y]/n)? y

Fetching packages ...
logbook-0.6.0- 100% |###############################################| Time: 0:00:00 446.86 kB/s
requests-2.6.2 100% |###############################################| Time: 0:00:00 902.92 kB/s
zipline-0.7.0- 100% |###############################################| Time: 0:00:01 152.62 kB/s
Extracting packages ...
[      COMPLETE      ]|###############################################| 100%
Unlinking packages ...
[      COMPLETE      ]|###############################################| 100%
Linking packages ...
[      COMPLETE      ]|###############################################| 100%
```

The final package we need to install is Mibian, a small library that computes Black-Scholes and its derivatives. This is installed using `pip`, as shown here:

```
[~]$ pip install mibian
Collecting mibian
  Downloading mibian-0.1.2.tar.gz
Installing collected packages: mibian
  Running setup.py install for mibian
Successfully installed mibian-0.1.2
```

We are now ready to run any of the sample Notebooks.

Downloading the example code

You can download the example code files from your account at
http://www.packtpub.com for all the Packt Publishing books you
have purchased. If you purchased this book elsewhere, you can visit
http://www.packtpub.com/support and register to have the files
e-mailed directly to you.

Installing the samples in Wakari

To install the examples in Wakari, download the code bundle and unzip the files to a
local directory. You will see a set of files as shown here:

To upload the files to Wakari, click on the upload files icon and drag the files into the
Drag & Drop Here section of the web page:

Once dropped, click on the **Upload Files** button, and you will see the following files in your **Wakari** directory:

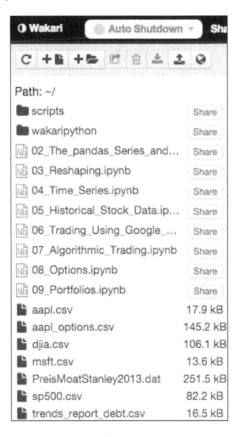

At this point, you should be able to open and run any of the Notebooks and even examine the data in the browser. As an example, the following screenshot demonstrates the Notebook for *Chapter 2, Introducing the Series and DataFrame*, opened in Wakari:

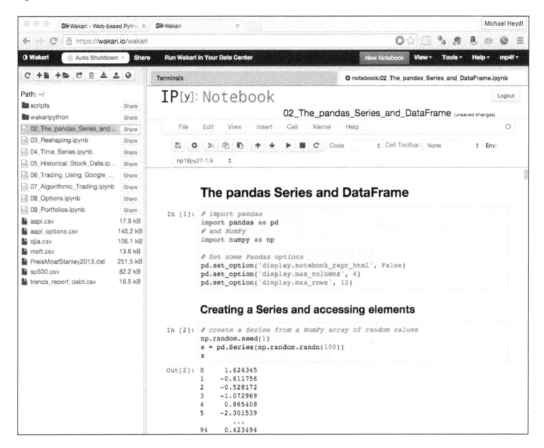

Summary

This chapter was a brief introduction to this book. You learned how to set up a Python environment in Wakari.io to be able to run the code samples provided throughout the text. This included instructions on how to update the default Wakari.io Python environment to support the required packages that are required for all of the examples in the remainder of the text.

In the next chapter, we will dive into using pandas and its core data structures, Series and DataFrame. These will be core to representing data in later chapters, where we primarily use pandas DataFrame objects to represent financial data, which we apply to various financial analyses.

2
Introducing the Series and DataFrame

pandas provides a comprehensive set of data structures for working with and manipulating data and performing various statistical and financial analyses. The two primary data structures in pandas are `Series` and `DataFrame`. In this chapter, we will examine the `Series` object and how it extends a NumPy `ndarray` to provide operations such as indexed data retrieval, axis labeling, and automatic alignment. Then, we will move on to examine how `DataFrame` extends the capabilities of `Series` to use columnar/tabular data, which can be of more than one data type.

The intention of this chapter is to be not only a refresher for those with basic familiarity with pandas, but also a means by which someone who is not initiated with pandas can gain enough familiarity with the two data structures and have a good foundation as we move into more finance-related subjects in later chapters. We will not cover all the details of using `Series` and `DataFrame` but will focus on core functionality related to what will be used later in this book for financial analysis. For extensive coverage of `Series` and `DataFrame`, I recommend the companion book, *Learning pandas*, *Packt Publishing*, which goes into both in extensive detail.

Specifically, this chapter will cover the following topics:

- An overview of the `Series` and `DataFrame` objects
- Creating and accessing elements of a `Series`
- Determining the shapes and counts of items in a `Series`
- Alignment of items in a `Series` via index labels
- Creating a `DataFrame`
- Loading example financial data to demonstrate the `DataFrame`

- Selecting rows of a `DataFrame` through several concepts using its index
- Boolean selection of rows of a `DataFrame` using logical expressions
- Performing arithmetic on a `DataFrame`
- Reindexing the `Series` and `DataFrame` objects

Notebook setup

To utilize the examples in this chapter, we will need to include the following imports and settings in either your IPython or IPython Notebook environment:

```
In [1]:
    import pandas as pd
    import numpy as np

    pd.set_option('display.notebook_repr_html', False)
    pd.set_option('display.max_columns', 8)
    pd.set_option('display.max_rows', 8)
```

The main pandas data structures – Series and DataFrame

Several classes for manipulating data are provided by pandas. Of those, we are interested in `Series` and more interested in `DataFrame`.

The Series

The `Series` is the primary building block of pandas and represents a one-dimensional labeled array based on the NumPy `ndarray`. The `Series` extends the functionality of the NumPy `ndarray` by adding an associated set of labels that are used to index the elements of the array. A `Series` can hold zero or more instances of any single data type.

This labeled index adds significant power to access the elements of the `Series` over a NumPy array. Instead of simply accessing elements by position, a `Series` allows access to items through the associated index labels. The index also assists in a feature of pandas referred to as alignment, where operations between two Series are applied to values with identical labels.

The DataFrame

The `Series` is the basis for data representation and manipulation in pandas, but since it can only associate a single value with any given index label, it ends up having limited ability to model multiple variables of data at each index label. The pandas `DataFrame` solves this by providing the ability to seamlessly manage multiple `Series`, where each of the `Series` represents a column of the `DataFrame` and also by automatically aligning values in each column along the index labels of the `DataFrame`.

In a sense, a `DataFrame` can be thought of as a dictionary-like container of one or more `Series` objects, as a spreadsheet, or probably the best description for those new to pandas is to compare a `DataFrame` to a relational database table. But even that comparison is limiting, as a `DataFrame` has very distinct qualities (such as automatic alignment of `Series` data by index labels) that make it much more capable of exploratory data analysis than either a spreadsheet or a relational database table.

A good way to think about a `DataFrame` is that it unifies two or more `Series` into a single data structure. Each `Series` then represents a named column of the `DataFrame`, and instead of each column having its own index, the `DataFrame` provides a single index and the data in all columns is aligned to the master index of the `DataFrame`. Each index label then references a slice of data across all of the `Series` at the label, forming what is essentially a record of information associated with that particular index label.

A `DataFrame` also introduces the concept of an axis, which you will often see in the pandas documentation and in many of its methods. A `DataFrame` has two axes, horizontal and vertical. Functions from pandas can then be applied to either axis, in essence, stating that it applies either to all the values in selected rows or to all the items in specific columns.

The basics of the Series and DataFrame objects

Now let's examine using the `Series` and `DataFrame` objects, building up an understanding of their capabilities that will assist us in working with financial data.

Creating a Series and accessing elements

A `Series` can be created by passing a scalar value, a NumPy array, or a Python dictionary/list to the constructor of the `Series` object. The following command creates a `Series` from `100` normally distributed random numbers:

```
In [2]:
    np.random.seed(1)
    s = pd.Series(np.random.randn(100))
    s
```

```
Out[2]:
    0      1.624345
    1     -0.611756
    2     -0.528172
    3     -1.072969
            ...
    96    -0.343854
    97     0.043597
    98    -0.620001
    99     0.698032
    Length: 100, dtype: float64
```

Individual elements of a `Series` can be retrieved using the `[]` operator of the `Series` object. The item with the index label 2 can be retrieved using the following code:

```
In [3]:
    s[2]
```

```
Out[3]:
    -0.528171752263
```

Multiple values can be retrieved using an array of label values, as shown here:

```
In [4]:
    s[[2, 5, 20]]
```

```
Out[4]:
    2    -0.528172
    5    -2.301539
```

```
20    -1.100619
dtype: float64
```

A `Series` supports slicing using the `:` slice notation. The following command retrieves the elements of the `Series` where labels are greater than 3 but less than 8 (the end value is not inclusive in pandas slicing, which is a slight difference from NumPy arrays):

```
In [5]:
    s[3:8]
```

```
Out[5]:
    3    -1.072969
    4     0.865408
    5    -2.301539
    6     1.744812
    7    -0.761207
    dtype: float64
```

Note that the slice did not return only the values but each element (index label and value) of the `Series` with the specified labels.

The `.head()` and `.tail()` methods are provided by pandas to examine just the first or last few records in a `Series`. By default, these return the first or last five rows, respectively, but you can use the n parameter or just pass in an integer to specify the number of rows:

```
In [6]:
    s.head()
```

```
    0     1.624345
    1    -0.611756
    2    -0.528172
    3    -1.072969
    4     0.865408
    dtype: float64
```

```
In [7]:
    s.tail()
```

```
Out[7]:
    95     0.077340
    96    -0.343854
    97     0.043597
    98    -0.620001
    99     0.698032
    dtype: float64
```

A `Series` consists of an index and a sequence of values. The index can be retrieved using the `.index` property:

```
In [8]:
    s.index
```

```
Out[8]:
    Int64Index([0,  1,  2,  3,  4,  5,  6,  7,  8,  9, 10, 11, 12, 13, 14,
    15, 16, 17, 18, 19, 20, 21, 22, 23, 24, 25, 26, 27, 28, 29, 30,
    31, 32, 33, 34, 35, 36, 37, 38, 39, 40, 41, 42, 43, 44, 45, 46,
    47, 48, 49, 50, 51, 52, 53, 54, 55, 56, 57, 58, 59, 60, 61, 62,
    63, 64, 65, 66, 67, 68, 69, 70, 71, 72, 73, 74, 75, 76, 77, 78,
    79, 80, 81, 82, 83, 84, 85, 86, 87, 88, 89, 90, 91, 92, 93, 94,
    95, 96, 97, 98, 99], dtype='int64')
```

The values in the series using the `.values` property are as follows:

```
In [9]:
    s.values
```

```
Out[9]:
    array([ 1.62434536, -0.61175641, -0.52817175, -1.07296862,
            0.86540763, -2.3015387,  1.74481176, -0.7612069,
            0.3190391, -0.24937038,  1.46210794, -2.06014071,
           -0.3224172, -0.38405435,  1.13376944,
    ...
           -0.34385368, 0.04359686, -0.62000084, 0.69803203])
```

When creating a `Series` and not explicitly setting the index label values via the `Series` constructor, pandas will assign sequential integer values starting at `0`. To specify non-default index labels, use the `index` parameter of the `Series` object constructor or assign them using the `.index` property after creation.

The following command creates a `Series` and sets the index labels at the time of construction:

```
In [10]:
    s2 = pd.Series([1, 2, 3, 4], index=['a', 'b', 'c', 'd'])
    s2

Out[10]:
    a    1
    b    2
    c    3
    d    4
    dtype: int64
```

A `Series` can be directly initialized from a Python dictionary. The keys of the dictionary are used as index labels for the `Series`:

```
In [11]:
    s2 = pd.Series({'a': 1, 'b': 2, 'c': 3, 'd': 4, 'e': 5})
    s2

Out[11]:
    a    1
    b    2
    c    3
    d    4
    e    5
    dtype: int64
```

Size, shape, uniqueness, and counts of values

There are several useful methods of determining the size of a `Series` as well as to get measurements of the distinct values and their quantities that are contained within the `Series`.

The number of elements in a `Series` can be determined using the `len()` function:

```
In [12]:
    s = pd.Series([10, 0, 1, 1, 2, 3, 4, 5, 6, np.nan])
    len(s)
```

```
Out[12]:
    10
```

This can also be determined using the `.shape` property, which returns a tuple containing the dimensionality of the `Series`. Since a `Series` is one-dimensional, only the length value is provided in the tuple:

```
In [13]:
    s.shape
```

```
Out[13]:
    (10,)
```

The number of rows in a `Series` that do not have a value of NaN can be determined with the `.count()` method:

```
In [14]:
    s.count()
```

```
Out[14]:
    9
```

To determine all of the unique values in a `Series`, pandas provides the `.unique()` method:

```
In [15]:
    s.unique()
```

```
Out[15]:
    array([5.,   0.,   1.,   2.,   3.,   4.,   5.,   6.,   nan])
    dtype: int64
```

The count of each of the unique items in a `Series` can be obtained using `.value_counts()`:

```
In [16]:
    s.value_counts()
```

```
Out[16]:
    5    2
    1    2
    6    1
    4    1
    3    1
    2    1
    0    1
dtype: int64
```

This result is sorted by pandas such that the counts are descending so that the most common values are at the top, which can help with quick analysis of data.

Alignment via index labels

A fundamental difference between a NumPy `ndarray` and a pandas `Series` is the ability of a `Series` to automatically align data from another `Series` based upon label values before performing an operation. We will examine alignment using the following two `Series` objects:

```
In [17]:
    s3 = pd.Series([1, 2, 3, 4], index=['a', 'b', 'c', 'd'])
    s3
```

```
Out[17]:
    a    1
    b    2
    c    3
    d    4
    dtype: int64
```

```
In [18]:
    s4 = pd.Series([4, 3, 2, 1], index=['d', 'c', 'b', 'a'])
    s4
```

```
Out[18]:
    d    4
    c    3
    b    2
    a    1
    dtype: int64
```

The values in the two series are added in the following:

```
In [19]:
    s3 + s4
```

```
Out[19]:
    a    2
    b    4
    c    6
    d    8
    dtype: int64
```

The process of adding two `Series` objects differs from an array as it first aligns data based upon the index label values instead of simply applying the operation to elements in the same position. This becomes significantly powerful when using the pandas `Series` to combine data based upon labels instead of having to first order the data manually.

This is a very different result than if it was a pure NumPy `ndarray` being added. A NumPy `ndarray` would add the items in identical positions of each array, resulting in different values, as shown here:

```
In [20]:
    a1 = np.array([1, 2, 3, 4])
    a2 = np.array([4, 3, 2, 1])
    a1 + a2
```

```
Out[20]:
    array([5, 5, 5, 5])
```

Creating a DataFrame

There are a several ways to create a `DataFrame`. Probably, the most straightforward one is creating it from a NumPy array. The following command creates a `DataFrame` from a two-dimensional NumPy array:

```
In [21]:
    pd.DataFrame(np.array([[10, 11], [20, 21]]))
```

```
Out[21]:
        0   1
    0  10  11
    1  20  21
```

Each row of the array forms a row in the `DataFrame`. Since we did not specify an index, pandas creates a default `int64` index in the same manner as a `Series`. Since we also did not specify column names, pandas also assigns the names for each column with a zero-based integer series.

A `DataFrame` can also be initialized by passing a list of `Series` objects:

```
In [22]:
    df1 = pd.DataFrame([pd.Series(np.arange(10, 15)),
                        pd.Series(np.arange(15, 20))])
    df1
```

```
Out[22]:
        0   1   2   3   4
    0  10  11  12  13  14
    1  15  16  17  18  19
```

The dimensions of a `DataFrame` can be determined using its `.shape` property. A `DataFrame` is always two-dimensional. The shape informs us with the first value the number of rows and with the second the number of columns:

```
In [23]:
    df1.shape
```

```
Out[23]:
    (2, 5)
```

Column names can be specified at the time of creating the `DataFrame` using the `columns` parameter of the `DataFrame` constructor:

```
In [24]:
    df = pd.DataFrame(np.array([[10, 11], [20, 21]]),
                      columns=['a', 'b'])
    df
```

```
Out[24]:
        a   b
    0   10  11
    1   20  21
```

The names of the columns of a `DataFrame` can be accessed with its `.columns` property:

```
In [25]:
    df.columns
```

```
Out[25]:
    Index([u'a', u'b'], dtype='object')
```

The names of the columns can be changed by assigning the `.columns` property with a list of new names:

```
In [26]:
    df.columns = ['c1', 'c2']
    df
```

```
Out[26]:
        c1  c2
    0   10  11
    1   20  21
```

Index labels can likewise be assigned using the `index` parameter of the constructor or by assigning a list directly to the `.index` property:

```
In [27]:
    df = pd.DataFrame(np.array([[0, 1], [2, 3]]),
                      columns=['c1', 'c2'],
```

```
                index=['r1', 'r2'])
    df
```

Out[27]:

```
        c1  c2
    r1   0   1
    r2   2   3
```

Like the `Series`, the index of a `DataFrame` can be accessed with its `.index` property:

In [28]:

```
    df.index
```

Out[28]:

```
    Index([u'r1', u'r2'], dtype='object')
```

Likewise, the values can be accessed using the `.values` property. Note that the result is a multidimensional array:

In [29]:

```
    df.values
```

Out[29]:

```
    array([[0, 1],
           [2, 3]])
```

A `DataFrame` can also be created by passing a dictionary containing one or more `Series` objects, where the dictionary keys contain the column names and each Series is one column of data:

In [30]:

```
    s1 = pd.Series(np.arange(1, 6, 1))
    s2 = pd.Series(np.arange(6, 11, 1))
    pd.DataFrame({'c1': s1, 'c2': s2})
```

Out[30]:

```
        c1  c2
    0    1   6
    1    2   7
    2    3   8
```

```
3    4    9
4    5    10
```

A `DataFrame` also does automatic alignment of the data for each `Series` passed in by a dictionary. As a demonstration, the following command adds a third column in the `DataFrame` initialization. This third `Series` contains two values and will specify its index. When the `DataFrame` is created, all Series in the dictionary are aligned with each other by the index label as it is added to the `DataFrame`:

```
In [31]:
    s3 = pd.Series(np.arange(12, 14), index=[1, 2])
    pd.DataFrame({'c1': s1, 'c2': s2, 'c3': s3})
```

```
Out[31]:
      c1   c2   c3
0     1    6    NaN
1     2    7    12
2     3    8    13
3     4    9    NaN
4     5    10   NaN
```

The first two `Series` did not have an index specified so they both were indexed with 0 to 4. The third `Series` has index values; therefore, the values for those indices are placed in the `DataFrame` in the row with the matching index from the previous columns. Then, pandas automatically fills in NaN for the values that were not supplied.

Example data

Wherever possible, the code samples in this chapter will utilize a dataset provided with the code bundle of the book. This dataset makes the examples a little less academic in nature. These will be read from files using the `pd.read_csv()` function, which will load the sample data from the file into a `DataFrame`.

The dataset we will use is a snapshot of the S&P 500 from Yahoo! Finance. For now, we will load this data into a `DataFrame` that can be used to demonstrate various operations. This code only uses four specific columns of data in the file by specifying those columns via the `usecols` parameter to `pd.read_csv()`. The following command reads in the 50 lines of data:

```
In [32]:
   sp500 = pd.read_csv("sp500.csv",
                        index_col='Symbol',
                        usecols=[0, 2, 3, 7])
```

We can examine the first five rows of the DataFrame using the .head() method:

```
In [33]:
   sp500.head()
```

```
Out[33]:
                              Sector    Price   Book Value

   Symbol
   MMM                  Industrials   141.14       26.668
   ABT                  Health Care    39.60       15.573
   ABBV                 Health Care    53.95        2.954
   ACN       Information Technology    79.79        8.326
   ACE                   Financials   102.91       86.897
```

The index of the DataFrame consists of the symbols for the 500 stocks representing the S&P 500:

```
In [34]:
   sp500.index
```

```
Out[34]:
   Index([u'MMM', u'ABT', u'ABBV', u'ACN', u'ACE', u'ACT',
   u'ADBE', u'AES', u'AET', u'AFL', u'A', u'GAS', u'APD', u'ARG',
   u'AKAM', u'AA', u'ALXN', u'ATI', u'ALLE', u'AGN', u'ADS',
   u'ALL', u'ALTR', u'MO', u'AMZN', u'AEE', u'AEP', u'AXP',
   u'AIG', u'AMT', u'AMP', u'ABC', u'AME', u'AMGN', u'APH',
   u'APC', u'ADI', u'AON', u'APA', ...], dtype='object')
```

Selecting columns of a DataFrame

Selecting the data in specific columns of a DataFrame is performed using the [] operator. This can be passed to either a single object or a list of objects. These objects are then used to look up columns either by the zero-based location or by matching the objects to the values in the columns index.

Passing a single integer, or a list of integers, to `[]` will have the `DataFrame` attempt to perform a location-based lookup of the columns. The following command retrieves the data in the second and third columns:

```
In [35]:
    sp500[[1, 2]].head(3)
```

```
Out[35]:
            Price   Book Value
    Symbol
    MMM     141.14      26.668
    ABT      39.60      15.573
    ABBV     53.95       2.954
```

Selecting columns by passing a list of values will result in another `DataFrame` with data copied from the original `DataFrame`. This is true even if the list only has a single integer value, as the following command demonstrates:

```
In [36]:
    sp500[[1]].head(3)
```

```
Out[36]:
            Price
    Symbol
    MMM     141.14
    ABT      39.60
    ABBV     53.95
```

Note that even though we asked for just a single column by position, the value was still in a list passed to the `[]` operator, hence the double set of brackets `[[]]`. This is important, as not passing a list always results in a value-based lookup of the column.

If the values passed to `[]` consist of non-integers, then the `DataFrame` will attempt to match the values to the values in the columns index. The following command retrieves the `Price` column by name:

```
In [37]:
    sp500['Price']
```

```
Out[37]:

    Symbol
    MMM      141.14
    ABT       39.60
    ABBV      53.95
    ACN       79.79

              ...
    YUM       74.77
    ZMH      101.84
    ZION      28.43
    ZTS       30.53
    Name: Price, dtype: float64
```

Multiple columns can be selected by name by passing a list of the column names and results in a `DataFrame` (even if a single item is passed in the list):

```
In [38]:
    sp500[['Price', 'Sector']]
```

```
Out[38]:
                 Price                    Sector
    Symbol
    MMM         141.14               Industrials
    ABT          39.60               Health Care
    ABBV         53.95               Health Care
    ACN          79.79    Information Technology
    ...            ...                       ...
    YUM          74.77    Consumer Discretionary
    ZMH         101.84               Health Care
    ZION         28.43                Financials
    ZTS          30.53               Health Care
    [500 rows x 2 columns]
```

Columns can also be retrieved using what is referred to as attribute access. Each column in a `DataFrame` dynamically adds a property to the `DataFrame` for each column where the name of the property is the name of the column. Since this selects a single column, the resulting value is a `Series`:

```
In [39]:

   sp500.Price


Out[39]:

   Symbol
   MMM       141.14
   ABT        39.60
   ABBV       53.95
   ACN        79.79

              ...
   YUM        74.77
   ZMH       101.84
   ZION       28.43
   ZTS        30.53
   Name: Price, dtype: float64
```

Note that this will not work for the Book Value column as the name has a space.

Selecting rows of a DataFrame using the index

The elements of an array or Series are selected using the [] operator. The DataFrame overloads [] to select columns instead of rows except for a specific case of slicing. Therefore, most operations of selecting one or more rows in a DataFrame require alternate methods to using [].

Understanding this is important in pandas as it is a common mistake to try to select rows using [] due to familiarity with other languages or data structures. When doing so, errors are often received and can often be difficult to diagnose without realizing that [] is working along a completely different axis than with a Series object.

Row selection using index on a DataFrame then breaks down into the following general categories of operations:

- Slicing using the [] operator
- Label- or location-based lookup using .loc, .iloc, and .ix
- Scalar lookup by label or location using .at and .iat

We will briefly examine each of these techniques and attributes. Remember, all of these are working against the content of the index of the `DataFrame`. There is no involvement of data in the columns when selecting rows. We will cover this in the next section on Boolean selection.

Slicing using the [] operator

Slicing a `DataFrame` across its index is syntactically identical to slicing a `Series`. Because of this, we will not go into the details of the various permutations of slices in this section and only give representative examples applied to a `DataFrame`.

Slicing works along both positions and labels. The following command demonstrates several examples of slicing by position:

```
In [40]:
    sp500[:3]
```

```
Out[40]:
```

	Sector	Price	Book Value
Symbol			
MMM	Industrials	141.14	26.668
ABT	Health Care	39.60	15.573
ABBV	Health Care	53.95	2.954

The following command returns rows starting with the XYL label through the YUM label:

```
In [41]:
    sp500['XYL':'YUM']
```

```
Out[41]:
```

	Sector	Price	Book Value
Symbol			
XYL	Industrials	38.42	12.127
YHOO	Information Technology	35.02	12.768
YUM	Consumer Discretionary	74.77	5.147

In general, although slicing a `DataFrame` has its uses, high-performance systems tend to shy away from it and use other methods. Additionally, the slice notation for rows on a `DataFrame` using integers can be confusing as it looks like accessing columns by position and hence can lead to subtle bugs.

Selecting rows by the index label and location – .loc[] and .iloc[]

Rows can be retrieved via the index label value using `.loc[]`:

```
In [42]:
    sp500.loc['MMM']
```

```
Out[42]:
    Sector          Industrials
    Price                141.14
    Book Value           26.668
    Name: MMM, dtype: object
```

```
In [43]:
    sp500.loc[['MMM', 'MSFT']]
```

```
Out[43]:
                            Sector    Price  Book Value

    Symbol
    MMM                 Industrials   141.14      26.668
    MSFT     Information Technology    40.12      10.584
```

Rows can be retrieved by location using `.iloc[]`:

```
In [44]:
    sp500.iloc[[0, 2]]
```

```
Out[44]:
                 Sector    Price  Book Value
    Symbol
    MMM     Industrials   141.14      26.668
    ABBV    Health Care    53.95       2.954
```

It is possible to look up the location in `index` of a specific label value, which can then be used to retrieve the row(s):

```
In [45]:

   i1 = sp500.index.get_loc('MMM')

   i2 = sp500.index.get_loc('A')

   i1, i2


Out[45]:

   (0, 10)


In [46]:

   sp500.iloc[[i1, i2]]


Out[46]:
```

	Sector	Price	Book Value
Symbol			
MMM	Industrials	141.14	26.668
A	Health Care	56.18	16.928

Selecting rows by the index label and/or location – .ix[]

A DataFrame also contains an .ix[] property that can be used to look up rows by either the index label or location, essentially combining .loc and .iloc in one. The following command looks up rows by the index label by passing a list of non-integers:

```
In [47]:

   sp500.ix[['MSFT', 'ZTS']]


Out[47]:
```

	Sector	Price	Book Value
Symbol			
MSFT	Information Technology	40.12	10.584
ZTS	Health Care	30.53	2.150

The location-based lookup can be performed by passing a list of integers:

```
In [48]:
    sp500.ix[[10, 200, 450]]
```

```
Out[48]:
                    Sector   Price   Book Value
    Symbol
    A              Health Care   56.18      16.928
    GIS        Consumer Staples   53.81      10.236
    TRV              Financials   92.86      73.056
```

In general, the use of .ix is not preferred due to potential confusion. The use of .loc and .iloc is recommended and also results in higher performance.

Scalar lookup by label or location using .at[] and .iat[]

Scalar values can be looked up by label using .at[] by passing the row label and then the column name/value:

```
In [49]:
    sp500.at['MMM', 'Price']
```

```
Out[49]:
    141.14
```

Scalar values can also be looked up by location using .iat[] by passing both the row location and then the column location. This is the preferred method of accessing single values and results at the highest performance:

```
In [50]:
    sp500.iat[0, 1]
```

```
Out[50]:
    141.14
```

Selecting rows using the Boolean selection

Rows can also be selected using the Boolean selection with an array calculated from the result of applying a log logical condition to the values in any of the columns. This allows us to build more complicated selections than those based simply upon index labels or positions.

Consider the following command that is an array of all companies that have a price below 100.0:

```
In [51]:
    sp500.Price < 100
```

```
Out[51]:
    Symbol
    MMM         False
    ABT          True
    ABBV         True
    ACN          True
    ...
    YUM          True
    ZMH         False
    ZION         True
    ZTS          True
    Name: Price, Length: 500, dtype: bool
```

This results in a `Series` that can be used to select rows where the value is `True`:

```
In [52]:
    sp500[sp500.Price < 100]
```

```
Out[52]:
                              Sector  Price  Book Value
    Symbol
    ABT              Health Care  39.60      15.573
    ABBV             Health Care  53.95       2.954
    ACN    Information Technology  79.79       8.326
```

ADBE	Information Technology	64.30	13.262
...		...	...
YHOO	Information Technology	35.02	12.768
YUM	Consumer Discretionary	74.77	5.147
ZION	Financials	28.43	30.191
ZTS	Health Care	30.53	2.150

```
[407 rows x 3 columns]
```

Multiple conditions can be put together using parentheses, and at the same time, it is possible to select only a subset of the columns. The following command retrieves the symbols and price for all stocks with a price less than 10 and greater than 0:

```
In [53]:
    sp500[(sp500.Price < 10) & (sp500.Price > 0)] [['Price']]
```

```
Out[53]:
         Price

    Symbol
    FTR      5.81
    HCBK     9.80
    HBAN     9.10
    SLM      8.82
    WIN      9.38
```

Arithmetic on a DataFrame

Arithmetic operations using scalar values will be applied to every element of a DataFrame. To demonstrate this, we will use a DataFrame initialized with random values:

```
In [54]:
    np.random.seed(123456)
    df = pd.DataFrame(np.random.randn(5, 4),
                      columns=['A', 'B', 'C', 'D'])
    df
```

```
Out[54]:
            A         B         C         D
```

```
0   0.469112 -0.282863 -1.509059 -1.135632
1   1.212112 -0.173215  0.119209 -1.044236
2  -0.861849 -2.104569 -0.494929  1.071804
3   0.721555 -0.706771 -1.039575  0.271860
4  -0.424972  0.567020  0.276232 -1.087401
```

By default, any arithmetic operation will be applied across all rows and columns of a `DataFrame` and will return a new `DataFrame` with the results (leaving the original unchanged):

```
In [55]:
    df * 2
```

```
Out[55]:
           A         B         C         D
0   0.938225 -0.565727 -3.018117 -2.271265
1   2.424224 -0.346429  0.238417 -2.088472
2  -1.723698 -4.209138 -0.989859  2.143608
3   1.443110 -1.413542 -2.079150  0.543720
4  -0.849945  1.134041  0.552464 -2.174801
```

When performing an operation between a `DataFrame` and a `Series`, pandas will align the `Series` index along the `DataFrame` columns, performing what is referred to as a row-wise broadcast. To demonstrate this, the following example retrieves the first row of the `DataFrame` and then subtracts this from each row of the `DataFrame`. The `Series` is being broadcast by pandas to each row of the `DataFrame`, which aligns each series item with the `DataFrame` item of the same index label and then applies the minus operator on the matched values:

```
In [56]:
    df - df.iloc[0]
```

```
Out[56]:
           A         B         C         D
0   0.000000  0.000000  0.000000  0.000000
1   0.743000  0.109649  1.628267  0.091396
2  -1.330961 -1.821706  1.014129  2.207436
3   0.252443 -0.423908  0.469484  1.407492
4  -0.894085  0.849884  1.785291  0.048232
```

An arithmetic operation between two DataFrame objects will align with both the column and index labels. The following command extracts a small portion of df and subtracts it from df. The result demonstrates that the aligned values subtract to 0, while the others are set to NaN:

```
In [57]:
    subframe = df[1:4][['B', 'C']]
    subframe
```

```
Out[57]:
              B          C
    1    -0.173215   0.119209
    2    -2.104569  -0.494929
    1    -0.706771  -1.039575
```

```
In [58]:
    df - subframe
```

```
Out[58]:
          A    B    C    D
    0  NaN  NaN  NaN  NaN
    1  NaN   0    0   NaN
    2  NaN   0    0   NaN
    3  NaN   0    0   NaN
    4  NaN  NaN  NaN  NaN
```

Additional control of an arithmetic operation can be gained using the arithmetic methods provided by the DataFrame object. These methods provide the specification of a particular axis. The following command demonstrates subtraction along a column axis by using the DataFrame object; the .sub() method subtracts the A column from every column:

```
In [59]:
    a_col = df['A']
    df.sub(a_col, axis=0)
```

```
Out[59]:
      A         B          C          D
  0   0 -0.751976 -1.978171 -1.604745
  1   0 -1.385327 -1.092903 -2.256348
  2   0 -1.242720  0.366920  1.933653
  3   0 -1.428326 -1.761130 -0.449695
  4   0  0.991993  0.701204 -0.662428
```

Reindexing the Series and DataFrame objects

Reindexing in pandas is a process that makes the data present in a `Series` or `DataFrame` match with a given set of labels along a particular axis. This is core to the functionalities of pandas as it enables label alignment across multiple objects.

The process of performing a reindex does the following:

- Reorders existing data to match a set of labels
- Inserts NaN markers where no data exists for a label
- Fills missing data for a label using a type of logic (defaulting to adding NaNs)

The following is a simple example of reindexing a `Series`. The following `Series` has an index with numerical values, and the index is modified to be alphabetic by simply assigning a list of characters to the `.index` property, making the values able to be accessed via the character labels in the new index:

```
In [60]:
    np.random.seed(1)
    s = pd.Series(np.random.randn(5))
    s
```

```
Out[60]:
    0    1.624345
    1   -0.611756
    2   -0.528172
    3   -1.072969
    4    0.865408
```

```
dtype: float64
```

In [61]:

```
s.index = ['a', 'b', 'c', 'd', 'e']
s
```

Out[61]:

```
a    1.624345
b   -0.611756
c   -0.528172
d   -1.072969
e    0.865408
dtype: float64
```

Greater flexibility in creating a new index is provided using the .reindex() method. One example of flexibility of .reindex() over assigning the .index property directly is that the list provided to .reindex() can be of a different length than the number of rows in the Series:

In [62]:

```
s2 = s.reindex(['a', 'c', 'e', 'g'])
s2['a'] = 0
s2
```

Out[62]:

```
a    0.000000
c   -0.528172
e    0.865408
g         NaN
dtype: float64
```

In [63]:

```
s['a']
```

Out[63]:

```
1.6243453636632417
```

There are several things here that are important to point out about .reindex():

- The result is a new Series (the value of s['a']) remains unchanged) with the labels provided as a parameter, and if the existing Series had a matching label, that value is copied to the new Series

- If there is an index label created for which the Series did not have an already existing label, the value will be assigned NaN

Reindexing is also useful when you want to align two Series to perform an operation on matching elements from each series, but for some reason, the two Series had index labels that would not initially align.

The following example demonstrates this, where the first Series has indices as sequential integers, but the second one has string representation of what would be sequential integers.

The addition of both Series has the following result, which is all NaNs and an Int64Index that has repeated label values:

```
In [64]:
    s1 = pd.Series([0, 1, 2], index=[0, 1, 2])
    s2 = pd.Series([3, 4, 5], index=['0', '1', '2'])
    s1 + s2

Out[64]:
    0    NaN
    1    NaN
    2    NaN
    0    NaN
    1    NaN
    2    NaN
    dtype: float64
```

This is almost an epic fail situation that can happen if values intended to be numeric are presented with one being numeric and the other as string. In this case, pandas first tries to align with the indices and finds no matches, so it copies the index labels from the first Series and tries to append the indices from the second Series. But since they are a different type, it defaults back to a zero-based integer sequence, which results in duplicate values. And finally, all the resulting values are NaN because the operation tries to add the item in the first series with the integer label 0, which has the value 0 but can't find the item in the other series with the integer label 0; therefore, the result is NaN (and this fails six times in this case).

Once this situation is identified, it becomes fairly simple to fix with reindexing the second `Series` by casting the values to `int`:

```
In [65]:
    s2.index = s2.index.values.astype(int)
    s1 + s2

Out[65]:
    0    3
    1    5
    2    7
dtype: int64
```

The default action of inserting NaN as a missing value during `.reindex()` can be changed using `fill_value` of the method. The following command demonstrates using `0` instead of NaN:

```
In [66]:
    s2 = s.copy()
    s2.reindex(['a', 'f'], fill_value=0)

Out[66]:
    a    1.624345
    f    0.000000
dtype: float64
```

When performing a reindex on ordered data, such as a time-series, it is possible to perform interpolation or filling of values. There will be a more elaborate discussion on interpolation and filling of values in *Chapter 4, Time-series*, but the following examples introduce the concept. To demonstrate the concept, let's use the following `Series`:

```
In [67]:
    s3 = pd.Series(['red', 'green', 'blue'], index=[0, 3, 5])
    s3

Out[67]:
    0       red
    3       green
```

```
5      blue
dtype: object
```

The following command demonstrates forward filling, often referred to as the last known value. The Series is reindexed to create a contiguous integer index, and using the `method='ffill'` parameter, any new index labels are assigned a value from the previously seen value along the `Series`. Here's the command:

```
In [68]:
    s3.reindex(np.arange(0,7), method='ffill')


Out[68]:
    0       red
    1       red
    2       red
    3     green
    4     green
    5      blue
    6      blue
    dtype: object
```

By contrast, the result of the same `Series` when backwards filling using the `method='bfill'` parameter is shown here:

```
In [69]:
    s3.reindex(np.arange(0,7), method='bfill')


Out[69]:
    0       red
    1     green
    2     green
    3     green
    4      blue
    5      blue
    6       NaN
dtype: object
```

Summary

In this chapter, we briefly overviewed the pandas `Series` and `DataFrame` objects, how they are used to represent data, and how to select data in both via queries, columns, and indices. The concept of reindexing both classes of objects is also introduced, and as we get into the later chapters, it will be common to perform reindexing of time-series data.

In the next chapter, we will examine indexing in more depth with an eye towards how performing various aggregations of data can derive results from the information represented in pandas. As we progress into more specific financial analysis, this combination of reindexing and aggregation will form the basis of much of the analysis performed later in the book.

3
Reshaping, Reorganizing, and Aggregating

In the first two chapters, we gave you a general overview of pandas and examined some of the basics of the pandas `DataFrame`. Our coverage of the `DataFrame` was focused solely upon simple manipulation of a single `DataFrame`, such as adding and removing columns and rows, indexing the contents, selecting content, basic indexing, and performing simple arithmetic upon its data.

In this chapter, we will expand our scope of data operations on `DataFrame` objects to include more complex techniques of manipulating data and deriving results from grouped sets of financial data. The examples in this chapter will focus on retrieving, organizing, reshaping, and grouping/aggregating data to be able to perform basic statistical operations.

Specifically, in this chapter, we will cover the following topics:

- Loading historical stock data from the Web or from files
- Concatenating and merging stock price data along multiple axes
- Merging data in multiple `DataFrame` objects
- Pivoting stock price data between axes
- Stacking, unstacking, and melting of stock data
- Splitting and grouping stock data to be able to calculate aggregate results

Notebook setup

To utilize the examples in this chapter, we will need to include the following imports and settings in either your IPython or IPython Notebook environment, as shown here:

```
In [1]:
    import pandas as pd
    import numpy as np
    import datetime
    import matplotlib.pyplot as plt
    %matplotlib inline
    pd.set_option('display.notebook_repr_html', False)
    pd.set_option('display.max_columns', 15)
    pd.set_option('display.max_rows', 8)
    pd.set_option('precision', 3)
```

Loading historical stock data

The examples in this chapter will utilize data extracted from Yahoo! Finance. This information can be extracted live from the web services or from files provided with the source. This data consists of stock prices for MSFT and AAPL for the year 2012.

The following command can be used to load the stock information directly from the Web:

```
In [2]:
    import pandas.io.data as web

    start = datetime.datetime(2012, 1, 1)
    end = datetime.datetime(2012, 12, 30)

    msft = web.DataReader("MSFT", 'yahoo', start, end)
    aapl = web.DataReader("AAPL", 'yahoo', start, end)

    # these save the data to file - optional for the examples
    #msft.to_csv("msft.csv")
    #aapl.to_csv("aapl.csv")
```

If you are not online or just want to load the data from the file, you can use the following command. I actually recommend using this data as even though the online data is historical, the adjusted close values are sometimes changed to represent other events and can potentially cause some output different than what is in the text:

In [3]:
```
msft = pd.read_csv("msft.csv", index_col=0, parse_dates=True)
aapl = pd.read_csv("aapl.csv", index_col=0, parse_dates=True)
```

Organizing the data for the examples

With this information in hand, various slices of data are created to facilitate the various examples through the chapter, as shown here:

In [4]:
```
msft[:3]
```

Out[4]:

	Open	High	Low	Close	Volume	Adj Close
Date						
2012-01-03	26.55	26.96	26.39	26.77	64731500	24.42183
2012-01-04	26.82	27.47	26.78	27.40	80516100	24.99657
2012-01-05	27.38	27.73	27.29	27.68	56081400	25.25201

In [5]:
```
aapl[:3]
```

Out[5]:

	Open	High	Low	Close	Volume	Adj Close
Date						
2012-01-03	409.40	412.50	409.00	411.23	75555200	55.41
2012-01-04	410.00	414.68	409.28	413.44	65005500	55.71
2012-01-05	414.95	418.55	412.67	418.03	67817400	56.33

Reorganizing and reshaping data

When working with financial information, it is often the case that data retrieved from almost any data source will not be in the format that you need to perform the analyses that you want.

Or perhaps, just as likely, the data from a specific source may be incomplete and require collection of data from another source, at which point, the data needs to be either concatenated or merged through join-like operations across the data.

Even if the data is complete or after combining it from various sources, it may still be organized in a manner that is not conducive to a specific type of analysis. Hence, it needs to be restructured.

Fortunately, pandas provides rich capabilities for concatenating, merging, and pivoting data. These following sections take us through several common scenarios of each, using stock data.

Concatenating multiple DataFrame objects

Concatenation in pandas is the process of creating a new pandas object by combining data from two (or more pandas) objects into a new pandas object along a single, specified axis of the two objects. Concatenation with stock data is useful to combine values taken at different time periods, to create additional columns representing other measurements at a particular date and time for a specific stock, or to add a column for the same measurement of a different stock but for the same time period.

`DataFrame` objects are concatenated by pandas along a specified axis—the two axes being the index labels of the rows and the columns. This is done by first extracting the labels from both the `DataFrame` object indices along the specified axis, using that set as the index of the new `DataFrame`, and then copying the values along the other axis into the result in an orderly manner, that is, from the first `DataFrame` and then from the second `DataFrame`.

The result of a concatenation always contains the union of the number of items in both objects along the specific axis. As we will see later in this section, this is different than a merge or join that could result in the resulting number of items not necessarily being equivalent to the union of the number of items in the source `DataFrame` objects.

The tricky part of concatenation is how pandas deals with the items along the other axis during the concatenation. The set of values, be they rows when concatenating along the columns or columns when concatenating along rows, is defined using relational algebra on the values in that axis's index.

To demonstrate various forms of concatenation, we will start with the following data that shows the adjusted closing prices for MSFT for the months of January and February 2012 represented in the following command. This dataset simulates the retrieval of stock information representing two different time periods and stores the data in two different `DataFrame` objects, as shown here:

```
In [6]:
    msftA01 = msft['2012-01'][['Adj Close']]
    msftA02 = msft['2012-02'][['Adj Close']]
    msftA01[:3]
```

```
Out[6]:
                Adj Close
    Date
    2012-01-03      24.42
    2012-01-04      25.00
    2012-01-05      25.25
```

```
In [7]:
    msftA02[:3]
```

```
Out[7]:
                Adj Close
    Date
    2012-02-01      27.27
    2012-02-02      27.32
    2012-02-03      27.59
```

To combine both of these sets of data into a single `DataFrame`, we perform a concatenation. To demonstrate the following concatenates, the first three rows from each `DataFrame` are as follows:

```
In [8]:
    pd.concat([msftA01.head(3), msftA02.head(3)])
```

```
Out[8]:
                Adj Close
    Date
    2012-01-03      24.42
```

2012-01-04	25.00
2012-01-05	25.25
2012-02-01	27.27
2012-02-02	27.32
2012-02-03	27.59

The resulting DataFrame contains an index identical in structure to both of the objects, with labels from the first object and then the second object copied into the new object. At first glance, it may appear that the concatenation is a pure copy of the rows from each DataFrame into the new DataFrame, but as we will see, the process is more elaborate (and hence flexible). This will become more evident as we take a look at more examples.

The following example concatenates the first five adjusted close values in January for both MSFT and AAPL. These have identical index labels and result in duplicate index labels in the new DataFrame. During a concatenation along the row axis, pandas will not align the index labels. They will be copied and this can create duplicate, identical index labels:

```
In [9]:
    aaplA01 = aapl['2012-01'][['Adj Close']]
    withDups = pd.concat([msftA01[:3], aaplA01[:3])
    withDups
```

```
Out[9]:
                Adj Close
    Date
    2012-01-03      24.42
    2012-01-04      25.00
    2012-01-05      25.25
    2012-01-03      55.41
    2012-01-04      55.71
    2012-01-05      56.33
```

This has resulted in duplicated index labels and will result in multiple items being returned for those labels, as shown here:

```
In [10]:
    withDups.ix['2012-01-03']
```

```
Out[10]:
```

```
          Adj Close
Date
2012-01-03      24.42
2012-01-03      55.41
```

This concatenation has lost whether the `Adj Close` value in the new `DataFrame` came from the MSFT or AAPL `DataFrame`. This source `DataFrame` of each row can be preserved during concatenation by specifying the value of the keys in the new `DataFrame`. These keys will add an additional level to the index (making a `MultiIndex`), which then can be used to identify the source `DataFrame`:

```
In [11]:
    closes = pd.concat([msftA01[:3], aaplA01[:3]],
                       keys=['MSFT', 'AAPL'])
    closes

Out[11]:
                      Adj Close
         Date
    MSFT 2012-01-03      24.42
         2012-01-04      25.00
         2012-01-05      25.25
    AAPL 2012-01-03      55.41
         2012-01-04      55.71
         2012-01-05      56.33
```

Using this new `MultiIndex`, it is then possible to extract the values for either stock from this new `DataFrame` by only using the index labels. The following command does this for the MSFT entries:

```
In [12]:
    closes.ix['MSFT'][:3]

Out[12]:
              Adj Close
    Date
    2012-01-03      24.42
    2012-01-04      25.00
    2012-01-05      25.25
```

Concatenation along the row axis can also be performed using `DataFrame` objects with multiple columns. The following command modifies the previous example to use the `Adj Close` and `Volume` columns in each `DataFrame`. Although not evident from the output, there are duplicate rows for each date in the result:

```
In [13]:
    msftAV = msft[['Adj Close', 'Volume']]
    aaplAV = msft[['Adj Close', 'Volume']]
    pd.concat([msftAV, aaplAV])
```

```
Out[13]:
                Adj Close      Volume
    Date
    2012-01-03      24.42    64731500
    2012-01-04      25.00    80516100
    2012-01-05      25.25    56081400
    2012-01-06      25.64    99455500
    ...               ...         ...
    2012-12-24      70.72    43938300
    2012-12-26      69.74    75609100
    2012-12-27      70.02   113780100
    2012-12-28      69.28    88569600

    [498 rows x 2 columns]
```

The columns in the `DataFrame` objects in a concatenation do not have to have the same names. The following command demonstrates a concatenation where the `aaplA` DataFrame only consists of the `Adj Close` column, whereas the MSFT `DataFrame` has both `Adj Close` and `Volume` columns:

```
In [14]:
    aaplA = aapl[['Adj Close']]
    pd.concat([msftAV, aaplA])
```

```
Out[14]:
                Adj Close      Volume
    Date
    2012-01-03      24.42    64731500
    2012-01-04      25.00    80516100
```

```
2012-01-05        25.25  56081400
2012-01-06        25.64  99455500
...                ...      ...
2012-12-24        70.72      NaN
2012-12-26        69.74      NaN
2012-12-27        70.02      NaN
2012-12-28        69.28      NaN


[498 rows x 2 columns]
```

Since the rows originating from the aapl DataFrame do not have a Volume column, pandas inserts NaN into the Volume column for those rows.

The set of columns that results from a concatenation along the row axis is the result of relational algebra across the names of the columns. In this default scenario, the resulting column is the union of column names from each DataFrame. This can be changed to an intersection using the join parameter. The following command makes the set of resulting columns the intersection of the column names by specifying join='inner':

In [15]:
```
pd.concat([msftAV, aaplA], join='inner')
```

Out[15]:
```
              Adj Close
    Date
2012-01-03        24.42
2012-01-04        25.00
2012-01-05        25.25
2012-01-06        25.64

...                ...
2012-12-24        70.72
2012-12-26        69.74
2012-12-27        70.02
2012-12-28        69.28


[498 rows x 1 columns]
```

We can change the axis for concatenation to the columns using `axis=1`:

```
In [16]:
    msftA = msft[['Adj Close']]
    closes = pd.concat([msftA, aaplA], axis=1)
    closes[:3]


Out[16]:
              Adj Close  Adj Close
    Date
    2012-01-03     24.42      55.41
    2012-01-04     25.00      55.71
    2012-01-05     25.25      56.33
```

Note that this `DataFrame` has two `Adj Close` columns and only consists of 249 rows (the concatenation along `axis=0` has 498). Because of the use of `axis=1`, the union of the index labels is derived instead from the column names, and the columns are copied one by one in an orderly manner from the `DataFrame` objects, including duplicates.

It is also possible to concatenate with multiple columns where the `DataFrame` objects do not have the same set of index labels. The following command concatenates the first five `msftAV` values and the first three `aaplAV` values:

```
In [17]:
    pd.concat([msftAV[:5], aaplAV[:3]], axis=1,
              keys=['MSFT', 'AAPL'])


Out[17]:
                    MSFT                AAPL
              Adj Close    Volume Adj Close     Volume
    Date
    2012-01-03     24.42  64731500     55.41   75555200
    2012-01-04     25.00  80516100     55.71   65005500
    2012-01-05     25.25  56081400     56.33   67817400
    2012-01-06     25.64  99455500       NaN        NaN
    2012-01-09     25.31  59706800       NaN        NaN
```

This results in duplicate column names, so we use the `keys` parameter to create `MultiIndex` for the columns. Since there were row index labels that were not found in `aaplCV`, pandas fills those with `NaN`.

Just as with concatenation along the row axis, the type of join performed by
`pd.concat()` can be changed using the `join` parameter. The following command
performs an inner join instead of an outer join, which results in the intersection of
row index labels:

In [18]:
```
pd.concat([msftA[:5], aaplA[:3]], axis=1,
          join='inner', keys=['MSFT', 'AAPL'])
```

Out[18]:
```
                    MSFT        AAPL
             Adj Close Adj Close
    Date
    2012-01-03      24.42       55.41
    2012-01-04      25.00       55.71
    2012-01-05      25.25       56.33
```

The resulting `DataFrame` only has three rows because those index labels were the
only ones in common in the two concatenated `DataFrame` objects.

If you want to ignore indices in the result of `pd.concat()`, you can use the `ignore_index=True` parameter, which will drop the index and create a default zero-based
integer index, as shown here:

In [19]:
```
pd.concat([msftA[:3], aaplA[:3]], ignore_index=True)
```

Out[19]:
```
     Adj Close
    0      24.42
    1      25.00
    2      25.25
    3      55.41
    4      55.71
    5      56.33
```

Merging DataFrame objects

The combination of pandas objects is allowed using relational database-like join operations, high-performance in-memory operations, and the pd.merge() function.

Merging in pandas differs from concatenation in that the pd.merge() function combines data based on the values of the data in one or more columns instead of using the index label values along a specific axis.

The default process that pd.merge() uses is to first identify the columns the data of which will be used in the merge, and then to perform an inner join based upon that information. The columns used in the join are, by default, selected as those in both DataFrame objects with common names (an intersection of the column labels).

To demonstrate a merge, we will use the following two DataFrame objects, one with the volumes and the other with the adjusted close values for MSFT. Both have the index reset:

```
In [20]:
   msftAR = msftA.reset_index()
   msftVR = msft[['Volume']].reset_index()
   msftAR[:3]


Out[20]:
        Date   Adj Close
   0 2012-01-03     24.42
   1 2012-01-04     25.00
   2 2012-01-05     25.25


In [21]:
   msftVR[:3]


Out[21]:
        Date      Volume
   0 2012-01-03  64731500
   1 2012-01-04  80516100
   2 2012-01-05  56081400
```

Instead of using `Date` as the index, these have `Date` as a column so that it can be used in the merge. Our goal is to create a `DataFrame` that contains a `Date` column and both `AdjClose` and `Volume` columns. This can be accomplished with the following statement:

```
In [22]:
    msftCVR = pd.merge(msftAR, msftVR)
    msftCVR[:5]
```

```
Out[22]:
          Date  Adj Close     Volume
0   2012-01-03      24.42   64731500
1   2012-01-04      25.00   80516100
2   2012-01-05      25.25   56081400
3   2012-01-06      25.64   99455500
4   2012-01-09      25.31   59706800
```

The column in common is `Date`; therefore, pandas performs an inner join on the values in that column across both `DataFrame` objects. Once that set is calculated, pandas copies in the appropriate values for each row from both `DataFrame` objects.

The types of joins supported by `pd.merge()` are similar to the different types of joins supported in relational databases. They are as follows:

- `left`: Use keys from the left `DataFrame` (equivalent to SQL's left-outer join)
- `right`: Use keys from the right `DataFrame` (equivalent to SQL's right-outer join)
- `outer`: Use the union of keys from both `DataFrame` objects (equivalent to SQL's full outer join)
- `inner`: Use the intersection of keys from both `DataFrame` objects (equivalent to SQL's inner join)

To demonstrate each difference in the results between inner and outer joins, we will use the following data:

```
In [23]:
    # we will demonstrate join semantics using this DataFrame
    msftAR0_5 = msftAR[0:5]
    msftAR0_5
```

```
Out[23]:
          Date  Adj Close
0  2012-01-03      24.42
1  2012-01-04      25.00
2  2012-01-05      25.25
3  2012-01-06      25.64
4  2012-01-09      25.31
```

```
In [24]:
   msftVR2_4 = msftVR[2:4]
   msftVR2_4
```

```
Out[24]:
          Date      Volume
2  2012-01-05   56081400
3  2012-01-06   99455500
```

For an inner join, since there are only two rows with matching dates, the result only has two rows and merges the DataFrame objects where Date values are in common, as shown here:

```
In [25]:
   pd.merge(msftAR0_5, msftVR2_4)
```

```
Out[25]:
          Date  Adj Close      Volume
0  2012-01-05      25.25   56081400
1  2012-01-06      25.64   99455500
```

This can be changed to an outer join with how='outer'. All rows from the outer DataFrame are returned (msftAR0_5), and values not found in the inner DataFrame (msftVR2_4) are replaced with NaN:

```
In [26]:
   pd.merge(msftAR0_5, msftVR2_4, how='outer')
```

```
Out[26]:
          Date  Adj Close      Volume
0  2012-01-03      24.42         NaN
```

```
1 2012-01-04      25.00       NaN
2 2012-01-05      25.25   56081400
3 2012-01-06      25.64   99455500
4 2012-01-09      25.31       NaN
```

Pivoting

Financial data is often stored in a format where the data is not normalized and, therefore, has repeated values in many columns or values that logically should exist in other tables. An example of this would be the following, where the historical prices for multiple stocks are represented in a single DataFrame using a Symbol column. The following command creates a DataFrame with this schema and populates the records:

```
In [27]:
    msft.insert(0, 'Symbol', 'MSFT')
    aapl.insert(0, 'Symbol', 'AAPL')
    combined = pd.concat([msft, aapl]).sort_index()
    s4p = combined.reset_index();
    s4p[:5]
```

```
Out[27]:
```

	Date	Symbol	Open	High	Low	Close	Volume	Adj Close
0	2012-01-03	MSFT	26.55	26.96	26.39	26.77	64731500	24.42
1	2012-01-03	AAPL	409.40	412.50	409.00	411.23	75555200	55.41
2	2012-01-04	MSFT	26.82	27.47	26.78	27.40	80516100	25.00
3	2012-01-04	AAPL	410.00	414.68	409.28	413.44	65005500	55.71
4	2012-01-05	MSFT	27.38	27.73	27.29	27.68	56081400	25.25

Now let's suppose we want to extract, from this DataFrame, a new DataFrame that is indexed by date and has columns representing the AdjClose value for all of the stocks listed in the Symbol column. This can be performed using the .pivot() method of the DataFrame:

```
In [28]:
    closes = s4p.pivot(index='Date', columns='Symbol',
                       values='Adj Close')
    closes[:3]
```

```
Out[28]:
    Symbol        AAPL    MSFT
    Date
    2012-01-03   55.41   24.42
    2012-01-04   55.71   25.00
    2012-01-05   56.33   25.25
```

This has taken all the distinct values from the `Symbol` column, *pivoted* them into columns on the new `DataFrame`, and then entered the values in those columns from the `AdjClose` value for the specific symbol from the original `DataFrame`.

Stacking and unstacking

The `DataFrame` methods similar in operation to the `pivot` function are `.stack()` and `.unstack()`. Stacking unpivots the column labels into another level of the index. To demonstrate this, the following command pivots the MSFT and AAPL columns into the index:

```
In [29]:
    stackedCloses = closes.stack()
    stackedCloses
```

```
Out[29]:
    Date         Symbol
    2012-01-03   AAPL        55.41
                 MSFT        24.42
    2012-01-04   AAPL        55.71
                 MSFT        25.00

                            ...

    2012-12-27   AAPL        70.02
                 MSFT        25.29
    2012-12-28   AAPL        69.28
                 MSFT        24.91
    dtype: float64
```

This has created a new index with an additional level named `Symbol` (from the name of the columns index). Each row is then indexed by both `Date` and `Symbol`. And for each unique `Date` and `Symbol` level, pandas has inserted the appropriate `Adj Close` value.

The result of this allows the efficient lookup of any `Adj Close` value using the index. To look up the `Adj Close` value for AAPL on 2012-01-03, we can use the following command:

```
In [30]:
    stackedCloses.ix['2012-01-03', 'AAPL']
```

```
Out[30]:
    55.41
```

The result here is equivalent to the following value-based lookup, but is significantly more efficient, uses less typing, and is also organized better, causing less mental clutter.

Using a `MultiIndex`, it is also possible to look up values for just a specific `Date`:

```
In [31]:
    stackedCloses.ix['2012-01-03']
```

```
Out[31]:
    Symbol
    AAPL        55.41
    MSFT        24.42
    dtype: float64
```

For a specific `Symbol`, here is the command:

```
In [32]:
    stackedCloses.ix[:, 'MSFT']        WORKS
```

```
Out[32]:
    Date
    2012-01-03      24.42
    2012-01-04      25.00
    2012-01-05      25.25
    2012-01-06      25.64

            . . .

    2012-12-24      25.38
    2012-12-26      25.20
    2012-12-27      25.29
```

```
2012-12-28     24.91
dtype: float64
```

The `.unstack()` method performs the opposite function; that is, it pivots a level of an index into a column in a new `DataFrame`. The following command unstacks the last level of the `MultiIndex` and results in a `DataFrame` equivalent to the original `unstackedCloses`:

In [33]:

```
unstackedCloses = stackedCloses.unstack()
unstackedCloses[:3]
```

Out[33]:

```
Symbol         AAPL    MSFT
Date
2012-01-03    55.41   24.42
2012-01-04    55.71   25.00
2012-01-05    56.33   25.25
```

Melting

Melting is the process of transforming a `DataFrame` into a format where each row represents a unique `id-variable` combination. The following command demonstrates melting the `s4p` `DataFrame` into an `id-variable` combination consisting of the `Date` and `Symbol` columns as the ID and the other columns mapped into the variables:

In [34]:

```
melted = pd.melt(s4p, id_vars=['Date', 'Symbol'])
melted[:5]
```

Out[34]:

```
        Date   Symbol  variable    value
0  2012-01-03    MSFT     Open     26.55
1  2012-01-03    AAPL     Open    409.40
2  2012-01-04    MSFT     Open     26.82
3  2012-01-04    AAPL     Open    410.00
4  2012-01-05    MSFT     Open     27.38
```

During a melt, the column(s) specified by the `id_vars` parameter remain columns (in this case `Date` and `Symbol`). All other columns have their names mapped to the values in the `variable` column—one row for each `variable` column of an `id_var` column value combination.

This organization of data is useful to select chunks of information based upon a specific ID variable and then one or more variables. As an example, the following command returns all measurements for `2012-01-03` and the `MSFT` symbol:

```
In [35]:
    melted[(melted.Date=='2012-01-03') & melted.Symbol=='MSFT')]
```

```
Out[35]:
              Date Symbol    variable           value
    0     2012-01-03   MSFT        Open           26.55
    498   2012-01-03   MSFT        High           26.96
    996   2012-01-03   MSFT         Low           26.39
    1494  2012-01-03   MSFT       Close           26.77
    1992  2012-01-03   MSFT      Volume     64731500.00
    2490  2012-01-03   MSFT   Adj Close           24.42
```

Grouping and aggregating

Data in pandas can be easily split into groups and then summarized using various statistical and quantitative calculations. This process in pandas nomenclature is often referred to as the split-apply-combine pattern.

In this section, we will look at using this pattern as applied to stock data. We will split the data by various time and symbol combinations and then apply statistical operations to begin analyzing the risk and return on our sample data.

Splitting

Objects in pandas are split into groups using the `.groupby()` method. To demonstrate this, we will use the stock price data introduced earlier in the chapter but slightly reorganized to facilitate understanding of the grouping process:

```
In [36]:
    s4g = combined[['Symbol', 'AdjClose']].reset_index()
    s4g.insert(1, 'Year', pd.DatetimeIndex(s4g['Date']).year)
```

```
s4g.insert(2, 'Month[:5]',pd.DatetimeIndex(s4g['Date']).month)
s4g[:5]
```

Out[36]:

	Date	Year	Month	Symbol	Adj Close
0	2012-01-03	2012	1	MSFT	24.42
1	2012-01-03	2012	1	AAPL	55.41
2	2012-01-04	2012	1	MSFT	25.00
3	2012-01-04	2012	1	AAPL	55.71
4	2012-01-05	2012	1	MSFT	25.25

This data differs from before as only the AdjClose value is utilized, and the Date column is broken apart into two other columns, Year and Month. This splitting of the date is done to be able to provide the ability to group the data by Month and Year for each Symbol variable.

This data consists of four categorical variables (Date, Symbol, Year, and Month) and one continuous variable, AdjClose. In pandas, it is possible to group by any single categorical variable by passing its name to .groupby(). The following command groups by the Symbol column:

In [37]:

```
s4g.groupby('Symbol')
```

Out[37]:

```
<pandas.core.groupby.DataFrameGroupBy object at 0x7ffaeeb49a10>
```

The result of calling .groupby() on a DataFrame is not the actual grouped data but a DataFrameGroupBy object (a SeriesGroupBy for a grouping on a Series). The grouping has not actually been performed yet as grouping is a deferred/lazy process in pandas.

This result of .groupby() is a subclass of a GroupBy object and is an interim description of the grouping to be performed (if you are a C# programmer, this feels a lot like an expression tree created by LINQ). This allows pandas to first validate that the grouping description provided to it is valid relative to the data before the processing starts.

There are number of useful properties on a `GroupBy` object. The `.groups` property will return a Python dictionary whose keys represent the name of each group (if multiple columns are specified, it is a tuple), and the values are an array of the index labels contained within each group:

In [38]:

```
grouped = s4g.groupby('Symbol')
type(grouped.groups)
```

Out[38]:

```
dict
```

In [39]:

```
grouped.groups
```

Out[39]:

```
{u'AAPL': [1, 3, 5, 7, 9, 11, 13, 14, 16, 18, 20, 23, 25, 27, 29,
30, 33, 34, 37, 38, 41, 43, 45, 46, 48, 50, 53, 54, 56, 58, 61,
63, 64, 67, 69, 71, 72, 75, 77, 79, 81, 82, 84, 89, 91, 92, 94,

...

452, 455, 456, 458, 460, 463, 464, 466, 468, 471, 472, 474, 476,
478, 480, 482, 484, 487, 488, 490, 492, 494, 497]
'MSFT': [0, 2, 4, 6, 10, 12, 15, 17, 19, 21, 22, 24, 26, 28, 31, 32,

...

477, 479, 481, 483, 485, 486, 489, 491, 493, 495, 496]}
```

The Python `len()` function can be used to return the number of groups, which will result from the grouping as well as the `.ngroups` property:

In [40]:

```
len(grouped), grouped.ngroups
```

Out[40]:

```
(2, 2)
```

Splitting is not performed until you take some type of action on the `GroupBy` object. It is, however, possible to iterate over several properties of the object to view how the data will be grouped (hence forcing it to be grouped). The following `helper` function demonstrates this and will be used frequently throughout this chapter:

```
In [41]:
    def print_groups (groupobject):
        for name, group in groupobject:
            print name
            print group.head()
```

```
In [42]:
    print_groups(grouped)
```

```
Out[42]:
    AAPL
              Date  Year  Month Symbol  Adj Close
    1 2012-01-03  2012      1   AAPL       55.41
    3 2012-01-04  2012      1   AAPL       55.71
    5 2012-01-05  2012      1   AAPL       56.33
    7 2012-01-06  2012      1   AAPL       56.92
    9 2012-01-09  2012      1   AAPL       56.83
    MSFT
              Date  Year  Month Symbol  Adj Close
    0 2012-01-03  2012      1   MSFT       24.42
    2 2012-01-04  2012      1   MSFT       25.00
    4 2012-01-05  2012      1   MSFT       25.25
    6 2012-01-06  2012      1   MSFT       25.64
    8 2012-01-09  2012      1   MSFT       25.31
```

Looking at these results gives us some insight into what pandas is doing with this specific splitting operation. It has created, for each distinct value in the `Symbol` column of the original `DataFrame`, a group consisting of a `DataFrame` (this is different from the functionality provided by `itertools.groupby`, so be careful if you are used to using that library for this functionality). It then copies the non-grouped columns and data into each of those `DataFrame` objects and then uses the values from the specified column(s) as the group name.

The `.size()` method of the object gives a nice summary of the size of all the groups:

```
In [43]:
    grouped.size()
```

```
Out[43]:
    Symbol
    AAPL        249
    MSFT        249
    dtype: int64
```

If you want the data for the items in any given group, you can use the `.get_group()` property. The following command retrieves the MSFT group:

```
In [44]:
    grouped.get_group('MSFT')
```

```
Out[44]:
             Date   Year  Month  Symbol  Adj Close
    0    2012-01-03  2012      1    MSFT      24.42
    2    2012-01-04  2012      1    MSFT      25.00
    4    2012-01-05  2012      1    MSFT      25.25
    6    2012-01-06  2012      1    MSFT      25.64
    ..          ...   ...    ...     ...        ...
    491  2012-12-24  2012     12    MSFT      25.38
    493  2012-12-26  2012     12    MSFT      25.20
    495  2012-12-27  2012     12    MSFT      25.29
    496  2012-12-28  2012     12    MSFT      24.91

    [249 rows x 5 columns]
```

Grouping can be performed upon multiple columns by passing a list of column names. The following command groups the data by the `Symbol` and `Year` and `Month` variables:

```
In [45]:
    mcg = s4g.groupby(['Symbol', 'Year', 'Month'])
    print_groups(mcg)
```

```
Out[45]:

  ('AAPL', 2012, 1)
          Date   Year   Month Symbol  Adj Close
  1 2012-01-03   2012       1  AAPL       55.41
  3 2012-01-04   2012       1  AAPL       55.71
  5 2012-01-05   2012       1  AAPL       56.33
  7 2012-01-06   2012       1  AAPL       56.92
  9 2012-01-09   2012       1  AAPL       56.83
  ('AAPL', 2012, 2)
           Date   Year   Month Symbol  Adj Close
  41 2012-02-01   2012       2  AAPL       61.47
  43 2012-02-02   2012       2  AAPL       61.33
  45 2012-02-03   2012       2  AAPL       61.94
  46 2012-02-06   2012       2  AAPL       62.52
  48 2012-02-07   2012       2  AAPL       63.18
  ('AAPL', 2012, 3)
  . . .
```

Since multiple columns were specified, the name of each group is now a tuple with the value from Symbol, Year, and Month that represents the group.

The examples up to this point have used a DataFrame without any specific indexing (just the default sequential numerical index). This type of data would actually be very well suited for a hierarchical index, which can then be used directly to group the data based upon index label(s). To demonstrate this, the following command creates a new DataFrame with a MultiIndex consisting of the original Symbol, Year, and Month columns:

```
In [46]:
  mi = s4g.set_index(['Symbol', 'Year', 'Month'])
  mi
```

```
Out[46]:

                        Date  Adj Close
  Symbol Year Month
  MSFT   2012 1     2012-01-03      24.42
  AAPL   2012 1     2012-01-03      55.41
  MSFT   2012 1     2012-01-04      25.00
  AAPL   2012 1     2012-01-04      55.71
```

```
...                    ...           ...
           12    2012-12-27       70.02
MSFT   2012 12    2012-12-27       25.29
           12    2012-12-28       24.91
AAPL   2012 12    2012-12-28       69.28
```

```
[498 rows x 2 columns]
```

Grouping can now be performed using the levels of the hierarchical index. The following groups by the index level 0 (Symbol names):

In [47]:

```
mig_11 = mi.groupby(level=0)
print_groups(mig_11)
```

Out[47]:

```
AAPL

                       Date  Adj Close

Symbol Year Month
AAPL   2012 1    2012-01-03       55.41
            1    2012-01-04       55.71
            1    2012-01-05       56.33
            1    2012-01-06       56.92
            1    2012-01-09       56.83
MSFT

                       Date  Adj Close

Symbol Year Month
MSFT   2012 1    2012-01-03       24.42
            1    2012-01-04       25.00
            1    2012-01-05       25.25
            1    2012-01-06       25.64
            1    2012-01-09       25.31
```

Grouping by multiple levels can be performed by passing multiple levels to .groupby(). Also, if the MultiIndex has names specified, then those names can be used instead of the integers for the levels. The following command groups the three levels of the MultiIndex by using their names:

```
In [48]:

   mig_112 = mi.groupby(level=['Symbol', 'Year', 'Month'])

   print_groups(mig_112)

Out[48]:

   ('AAPL', 2012, 1)

                         Date  Adj Close

   Symbol Year Month

   AAPL   2012 1        2012-01-03         55.41

               1        2012-01-04         55.71

               1        2012-01-05         56.33

               1        2012-01-06         56.92

               1        2012-01-09         56.83

   ('AAPL', 2012, 2)

   ...

   ('MSFT', 2012, 12)

                         Date  Adj Close

   Symbol Year Month

   MSFT   2012 12       2012-12-03         24.79

               12       2012-12-04         24.74

               12       2012-12-05         25.02

               12       2012-12-06         25.07

               12       2012-12-07         24.82
```

Aggregating

Armed with the capability to group the stock data on a monthly basis, we can now start to drive analysis of the data. Specifically, we will develop methods to calculate the risk on a stock based on a time-window of a calendar month.

Aggregation is performed using the .aggregate(), or in short .agg(), method of the GroupBy object. The parameter set to .agg() is a reference to a function that is applied to each group. The following command will calculate the mean of the values across each Symbol, Year, and Month:

```
In [49]:

  mig_112.agg(np.mean)


Out[49]:

                     Adj Close

  Symbol Year Month
  AAPL   2012 1          57.75

             2           67.05

             3           77.82

             4           81.66

  ...                     ...

  MSFT   2012 9          28.64

             10          27.04

             11          26.00

             12          25.31


  [24 rows x 1 columns]
```

The result of the aggregation will have an identically structured index as the original data. If you do not want this to happen, you can use the `as_index=False` option of the `.groupby()` method to specify not to duplicate the structure of the index, which may be convenient in several situations, including where a function expects the data with a numerical index:

```
In [50]:

  s4g.groupby(['Symbol', 'Year', 'Month'],
           as_index=False).agg(np.mean)[:5]


Out[50]:

     Symbol  Year  Month  Adj Close

  0    AAPL  2012      1      57.75

  1    AAPL  2012      2      67.05

  2    AAPL  2012      3      77.82

  3    AAPL  2012      4      81.66

  4    AAPL  2012      5      76.09
```

This has derived the same results, but there is a slightly different organization.

It is possible to apply multiple aggregation functions to each group in a single call to .agg() by passing them in a list:

```
In [51]:
   mig_112.agg([np.mean, np.std])
```

```
Out[51]:
                         Adj Close
                           mean     std

   Symbol Year Month
   AAPL   2012 1          57.75    1.80
               2          67.05    3.57
               3          77.82    4.16
               4          81.66    3.06

   ...                     ...      ...

   MSFT   2012 9          28.64    0.43
               10         27.04    0.67
               11         26.00    1.00
               12         25.31    0.36


   [24 rows x 2 columns]
```

Summary

In this chapter, we examined several fundamental techniques for loading (importing and reading data), combining, grouping, and analyzing stock pricing data with pandas. In the next chapter on time-series data with pandas, we will dive deeper into working with data provided in different time frequencies, converting the periods of data into other frequencies, and working with aggregating data based upon sliding/rolling windows instead of simple calendar months.

4
Time-series

A time-series is a sequence of data points, typically consisting of successive measurements made at a regular frequency and over a specific time interval. Time-series analysis is composed of various methods for making decisions based upon the data in a time-series by extracting meaningful statistics. Time-series forecasting is the process of developing a model based upon data in a time-series, and using it to predict future values based upon previously observed values. Regression analysis is the process of testing whether one or more independent time-series affect the current value of another time-series.

There is extensive support for working with time-series data in pandas. In this chapter, we will examine representing time-series data with the pandas `Series` and `DataFrame` as well as several common techniques for manipulating this data. The techniques learned in this chapter will set the basis for the remaining chapters, where we will examine several financial processes using time-series data, including a historical analysis of stock performance, correlating multiple streams of financial and social data to develop trading strategies, optimize portfolio allocation, and calculate risk based upon historical data.

In this chapter, we will cover the following:

- `DatetimeIndex` and its use in time-series data
- Creating time-series with specific frequencies
- Calculation of new dates using date offsets
- Representation of intervals of time user periods
- Shifting and lagging time-series data
- Frequency conversion of time-series data
- Upsampling and downsampling of time-series data

There are very robust facilities for handling date and time in pandas that we are not going to cover in detail in this chapter. We will focus on just the time-series capabilities we require for the later chapters. For more extensive coverage of everything that can be done, refer to my book *Learning pandas, Packt Publishing* or the online pandas documentation on time-series and data functionality at `http://pandas.pydata.org/pandas-docs/stable/timeseries.html`.

Notebook setup

The examples in this chapter will utilize the following configuration of the Python environment:

```
In [1]:
    import numpy as np
    import pandas as pd

    pd.set_option('display.notebook_repr_html', False)
    pd.set_option('display.max_columns', 10)
    pd.set_option('display.max_rows', 8)
    pd.set_option('precision', 7)

    import datetime
    from datetime import datetime

    import matplotlib.pyplot as plt
    %matplotlib inline
    pd.options.display.mpl_style = 'default'
```

Time-series data and the DatetimeIndex

Excelling at manipulating time-series data, pandas was created initially for use in finance, and from its inception, it has had facilities for managing complete date and time-series operations to handle complex financial scenarios. These capabilities have been progressively expanded and refined over all of its versions.

The representations of dates, times, and time intervals and periods provided by pandas, which are pandas's own, are above and beyond those provided in other Python frameworks such as SciPy and NumPy. The pandas implementations provide additional capabilities that are required to model time-series data, and to transform data across different frequencies, periods, and calendars for different organizations and financial markets.

Specific dates and times in pandas are represented using the pandas Timestamp class. Timestamp is based on NumPy's dtype datetime64 and has higher precision than Python's built-in datetime object. This increased precision is frequently required for accurate financial calculations.

Sequences of timestamp objects are represented by pandas as a DatetimeIndex, which is a type of pandas index that is optimized for indexing by dates and times. There are several ways to create DatetimeIndex objects in pandas. The following command creates a DatetimeIndex from an array of datetime objects:

```
In [2]:
    dates = [datetime(2014, 8, 1), datetime(2014, 8, 2)]
    dti = pd.DatetimeIndex(dates)
    dti
```

```
Out[2]:
    <class 'pandas.tseries.index.DatetimeIndex'>
    [2014-08-01, 2014-08-02]
    Length: 2, Freq: None, Timezone: None
```

A Series will also automatically construct a DatetimeIndex as its index when passing a list of datetime objects as the index parameter:

```
In [3]:
    np.random.seed(123456)
    ts = pd.Series(np.random.randn(2), dates)
    type(ts.index)
```

```
Out[3]:
    pandas.tseries.index.DatetimeIndex
```

The Series object has taken the datetime objects and constructed a DatetimeIndex from the date values, where each value of the DatetimeIndex is a Timestamp object, and each element of the index can be used to access the corresponding value in the Series object. To demonstrate this, the following command shows several ways in which we can access the value in the Series with the date 2014-08-02 as an index label:

```
In [4]:
    ts[datetime(2014, 8, 2)]
```

```
Out[4]:
    -0.28286334432866328
```

```
In [5:
    ts['2014-8-2']
```

```
Out[5]:
    -0.28286334432866328
```

The Series object can also create a DatetimeIndex when passing a list of strings, which pandas will gladly recognize as dates and perform the appropriate conversions:

```
In [6]:
    np.random.seed(123456)
    dates = ['2014-08-01', '2014-08-02']
    ts = pd.Series(np.random.randn(2), dates)
    ts
```

```
Out[6]:
    2014-08-01     0.469112
    2014-08-02    -0.282863
    dtype: float64
```

Also provided by pandas is the `pd.to_datetime()` function, which is used to perform a conversion of a list of potentially mixed type items into a `DatetimeIndex`:

```
In [7]:
    dti = pd.to_datetime(['Aug 1, 2014', '2014-08-02',
                          '2014.8.3', None])
    dti
```

```
Out[7]:
    <class 'pandas.tseries.index.DatetimeIndex'>
    [2014-08-01, ..., NaT]
    Length: 4, Freq: None, Timezone: None
```

 Notice that `None` is converted into a not-a-time value, `NaT`, which represents that the source data could not be converted into `datetime`.

But be careful as, by default, the `pd.to_datetime()` function will fall back to returning a NumPy array of objects if it cannot parse a value, as demonstrated here:

```
In [8]:
    dti2 = pd.to_datetime(['Aug 1, 2014', 'foo'])
    type(dti2)
```

```
Out[8]:
    numpy.ndarray
```

To force the function to convert to dates and `DatetimeIndex`, you can use the `coerce=True` parameter, as shown here:

```
In [9]:
    pd.to_datetime(['Aug 1, 2014', 'foo'], coerce=True)
```

```
Out[9]:
    <class 'pandas.tseries.index.DatetimeIndex'>
    [2014-08-01, NaT]
    Length: 2, Freq: None, Timezone: None
```

The pandas default is that date strings are always month first. If you need to parse dates with the day as the first component, you can use the dayfirst=True option, which can be useful as data can often have day first, particularly when it is non-U.S. data. The following command demonstrates this in action and also shows how the ordering can be changed:

```
In [10]:
    dti1 = pd.to_datetime(['8/1/2014'])
    dti2 = pd.to_datetime(['1/8/2014'], dayfirst=True)
    dti1[0], dti2[0]
```

```
Out[10]:
    (Timestamp('2014-08-01 00:00:00'),
     Timestamp('2014-08-01 00:00:00'))
```

A range of timestamps at a specific frequency can easily be created using the pd.date_range() function. The following command creates a Series from a DatetimeIndex of 10 consecutive days:

```
In [11]:
    np.random.seed(123456)
    dates = pd.date_range('8/1/2014', periods=10)
    s1 = pd.Series(np.random.randn(10), dates)
    s1[:5]
```

```
Out[11]:
    2014-08-01     0.469112
    2014-08-02    -0.282863
    2014-08-03    -1.509059
    2014-08-04    -1.135632
    2014-08-05     1.212112
    Freq: D, dtype: float64
```

Like any pandas index, a `DatetimeIndex` can be used for various index operations, such as data alignment, selection, and slicing. To demonstrate slicing using a `DatetimeIndex`, we will refer to the Yahoo! Finance stock quotes for MSFT from 2012 through 2014 using the pandas `DataReader` class (more info on `DataReader` is available at `http://pandas.pydata.org/pandas-docs/version/0.15.2/remote_data.html`):

```
In [12]:
    import pandas.io.data as web
    msft = web.DataReader("MSFT", 'yahoo', '2012-1-1', '2013-12-30')
    msft.head()
```

```
Out[12]:
              Open   High    Low  Close     Volume  Adj Close
    Date
    2012-01-03  26.55  26.96  26.39  26.77  64731500   24.42183
    2012-01-04  26.82  27.47  26.78  27.40  80516100   24.99657
    2012-01-05  27.38  27.73  27.29  27.68  56081400   25.25201
    2012-01-06  27.53  28.19  27.53  28.11  99455500   25.64429
    2012-01-09  28.05  28.10  27.72  27.74  59706800   25.30675
```

The `msft` variable is a `DataFrame` that represents a time-series of multiple data points (`Open`, `High`, `Low`, and so on) for the MSFT stock. To make these examples easier, from this `DataFrame`, we can create a pandas `Series` consisting of just the `Adj Close` values:

```
In [13]:
    msftAC = msft['Adj Close']
    msftAC.head(3)
```

```
Out[13]:
    Date
    2012-01-03    24.42183
    2012-01-04    24.99657
    2012-01-05    25.25201
    Name: Adj Close, dtype: float64
```

The `msftAC` variable is a pandas `Series` object. I point this out as several of the operations to retrieve values from `Series` objects differ, depending upon whether the operation is being applied to a `Series` or a `DataFrame`. This can cause some slight confusion if this is not recognized.

The slicing notation is overridden to very conveniently allow the passing of strings representing dates as the values for the slice. The following command retrieves MSFT data for dates from `2012-01-01` to `2012-01-05`:

```
In [14]:
    msft['2012-01-01':'2012-01-05']
```

```
Out[14]:

                  Open    High     Low  Close     Volume  Adj Close
    Date
    2012-01-03   26.55   26.96   26.39  26.77   64731500   24.42183
    2012-01-04   26.82   27.47   26.78  27.40   80516100   24.99657
    2012-01-05   27.38   27.73   27.29  27.68   56081400   25.25201
```

A specific item can be retrieved from a time-series represented by a `DataFrame` by specifying the date/time index value and using the `.loc` method. The result is a `Series` where the index labels are the column names, with the values for each being in a specific row for each of the columns:

```
In [15]:
    msft.loc['2012-01-03']
```

```
Out[15]:
    Open                26.55000
    High                26.96000
    Low                 26.39000
    Close               26.77000
    Volume        64731500.00000
    Adj Close           24.42183
    Name: 2012-01-03 00:00:00, dtype: float64
```

Note that the following syntax does not work as the `DataFrame` attempts to look for a column with the name `2012-01-03`:

```
In [16]:
    # msft['2012-01-03'] # commented to prevent killing the notebook
```

This syntax does work on a `Series` object that is a time-series, and this looks for an index label with the matching date:

```
In [17]:
    msftAC['2012-01-03']
```

```
Out[17]:
    24.42183
```

 This is a subtle difference that sometimes causes headaches when using time-series data in pandas. So be careful or always convert your `Series` objects to `DataFrame` objects to use a lookup, using `.loc` to lookup using the index.

One of the advantages of pandas is the ability to be able to select based upon partial `datetime` specifications. As an example, the following command selects MSFT data for the month of February 2012:

```
In [18]:
    msft['2012-02'].head(5)
```

```
Out[18]:
```

Date	Open	High	Low	Close	Volume	Adj Close
2012-02-01	29.79	30.05	29.76	29.89	67409900	27.26815
2012-02-02	29.90	30.17	29.71	29.95	52223300	27.32289
2012-02-03	30.14	30.40	30.09	30.24	41838500	27.58745
2012-02-06	30.04	30.22	29.97	30.20	28039700	27.55096
2012-02-07	30.15	30.49	30.05	30.35	39242400	27.68781

 Note that this did not require the use of the `.loc` method, as pandas first identifies this as a partial date and then looks along the index of the `DataFrame` instead of a column (although `.loc` can be used to perform an equivalent operation).

It is also possible to slice, starting at the beginning of a specific month and ending at a specific day of the month:

```
In [19]:
   msft['2012-02':'2012-02-09'][:5]
```

```
Out[19]:
              Open    High    Low   Close     Volume  Adj Close
   Date
   2012-02-01  29.79   30.05  29.76  29.89  67409900   27.26815
   2012-02-02  29.90   30.17  29.71  29.95  52223300   27.32289
   2012-02-03  30.14   30.40  30.09  30.24  41838500   27.58745
   2012-02-06  30.04   30.22  29.97  30.20  28039700   27.55096
   2012-02-07  30.15   30.49  30.05  30.35  39242400   27.68781
```

Creating time-series with specific frequencies

Time-series data in pandas can also be created to represent intervals of time other than daily frequency. Different frequencies can be generated with `pd.date_range()` by utilizing the `freq` parameter. This parameter defaults to a value of `D`, which represents daily frequency.

To introduce the creation of nondaily frequencies, the following command creates a `DatetimeIndex` with one-minute intervals using `freq='T'`:

```
In [20]:
   bymin = pd.Series(np.arange(0, 90*60*24),
                  pd.date_range('2014-08-01',
                        '2014-10-29 23:59:00',
                        freq='T'))
   bymin
```

```
Out[20]:
   2014-08-01 00:00:00        0
   2014-08-01 00:01:00        1
   2014-08-01 00:02:00        2
                      . . .
```

```
2014-10-29 23:57:00     129597
2014-10-29 23:58:00     129598
2014-10-29 23:59:00     129599
Freq: T, dtype: int64
```

This time-series allows us to use forms of slicing at finer resolution. Earlier, we saw slicing at day and month levels, but now we have a time-series with minute-based data that we can slice down to hours and minutes (and smaller intervals if we use finer frequencies):

In [21]:

```
bymin['2014-08-01 12:30':'2014-08-01 12:59']
```

Out[21]:

```
2014-08-01 12:30:00     750
2014-08-01 12:31:00     751
2014-08-01 12:32:00     752
                  ...
2014-08-01 12:57:00     777
2014-08-01 12:58:00     778
2014-08-01 12:59:00     779
Freq: T, dtype: int64
```

 A complete list can be found at http://pandas.pydata.org/pandas-docs/stable/timeseries.html#offset-aliases.

Representing intervals of time using periods

It is often required to represent not just a specific time or sequence of timestamps, but to represent an interval of time using a start date and an end date (an example of this would be a financial quarter). This representation of a bounded interval of time can be represented in pandas using `Period` objects.

`Period` objects consist of a start time and an end time and are created from a start date with a given frequency. The start time is referred to as the anchor of the `Period` object, and the end time is then calculated from the start date and the period specification.

To demonstrate this, the following command creates a period representing a 1-month period anchored in August 2014:

```
In [22]:
    aug2014 = pd.Period('2014-08', freq='M')
    aug2014
```

```
Out[22]:
    Period('2014-08', 'M')
```

The `Period` function has `start_time` and `end_time` properties that inform us of the derived start and end times of `Period`:

```
In [23]:
    aug2014.start_time, aug2014.end_time
```

```
Out[23]:
    (Timestamp('2014-08-01 00:00:00'),
     Timestamp('2014-08-31 23:59:59.999999999'))
```

Since we specified a period that starts using a partial date specification of August 2014, pandas determines the anchor (`start_time`) as `2014-08-01 00:00:00` and then calculates the `end_time` property based upon the specified frequency; in this case, calculating 1 month from the `start_time` anchor and returning the last unit of time prior to this.

Mathematical operations are overloaded on `Period` objects, so as to calculate another period based upon the value represented in `Period`. As an example, the following command creates a new `Period` based upon the `aug2014` period object by adding 1 to the period. Since `aug2014` has a period of 1 month, the resulting value is that start date (`2014-08-01`) + 1 * 1 month (the period represented by the object), and, hence, the result is the last moment of time prior to `2014-09-01`:

```
In [24]:
    sep2014 = aug2014 + 1
    sep2014
```

```
Out[24]:
    Period('2014-09', 'M')
```

This seems as though pandas has simply added one to the month in the `Period` object `aug2014`. However, examining `start_time` and `end_time` of `sep2014`, we can see something interesting:

```
In [25]:
    sep2014.start_time, sep2014.end_time
```

```
Out[25]:
    (Timestamp('2014-09-01 00:00:00'),
     Timestamp('2014-09-30 23:59:59.999999999'))
```

 The `Period` object has the ability to know that September has 30 days and not 31. This is the advantage that the `Period` object has over simple addition. It is not simply adding 30 days (in this example), but one unit of the period. This helps to solve many difficult date management problems.

`Period` objects are useful when combined into a collection referred to as a `PeriodIndex`. The following command creates a pandas `PeriodIndex` consisting of 1-month intervals for the year of 2013:

```
In [26]:
    mp2013 = pd.period_range('1/1/2013', '12/31/2013', freq='M')
    mp2013
```

```
Out[26]:
    <class 'pandas.tseries.period.PeriodIndex'>
    [2013-01, ..., 2013-12]
    Length: 12, Freq: M
```

A `PeriodIndex` differs from a `DatetimeIndex` in that in a `PeriodIndex`, the index labels are `Period` objects:

```
In [27]:
    for p in mp2013:
        print "{0} {1} {2} {3}".format(p, p.freq,
                                       p.start_time, p.end_time)
```

```
Out[27]:
    2013-01 M 2013-01-01 00:00:00 2013-01-31 23:59:59.999999999
    2013-02 M 2013-02-01 00:00:00 2013-02-28 23:59:59.999999999
    2013-03 M 2013-03-01 00:00:00 2013-03-31 23:59:59.999999999
    2013-04 M 2013-04-01 00:00:00 2013-04-30 23:59:59.999999999
    2013-05 M 2013-05-01 00:00:00 2013-05-31 23:59:59.999999999
    2013-06 M 2013-06-01 00:00:00 2013-06-30 23:59:59.999999999
    2013-07 M 2013-07-01 00:00:00 2013-07-31 23:59:59.999999999
    2013-08 M 2013-08-01 00:00:00 2013-08-31 23:59:59.999999999
    2013-09 M 2013-09-01 00:00:00 2013-09-30 23:59:59.999999999
    2013-10 M 2013-10-01 00:00:00 2013-10-31 23:59:59.999999999
    2013-11 M 2013-11-01 00:00:00 2013-11-30 23:59:59.999999999
    2013-12 M 2013-12-01 00:00:00 2013-12-31 23:59:59.999999999
```

With a `PeriodIndex`, we can then construct a `Series` using it as the index:

```
In [28]:
    np.random.seed(123456)
    ps = pd.Series(np.random.randn(12), mp2013)
    ps
```

```
Out[28]:
    2013-01     0.469112
    2013-02    -0.282863
    2013-03    -1.509059
                  ...
    2013-10    -2.104569
    2013-11    -0.494929
    2013-12     1.071804
    Freq: M, dtype: float64
```

We now have a time-series where the value at a specific index label represents a measurement that spans a period of time, such as the average value of a security in a given month, instead of at a specific time. This becomes very useful when we perform resampling of the time-series to another frequency, which we will do a little later in this chapter.

Shifting and lagging time-series data

A common operation on time-series data is to shift or "lag" the values back and forward in time, such as to calculate percentage change from sample to sample. The pandas method for this is `.shift()`, which will shift the values in the index by a specified number of units of the index's period.

To demonstrate shifting and lagging, we will use the adjusted close values for MSFT. As a refresher, the following command shows the first 10 items in that time-series:

```
In [29]:
    msftAC[:5]
```

```
Out[29]:
    Date
    2012-01-03      24.42183
    2012-01-04      24.99657
    2012-01-05      25.25201
    2012-01-06      25.64429
    2012-01-09      25.30675
    Name: Adj Close, dtype: float64
```

The following command shifts the adjusted closing prices forward by 1 day:

```
In [30]:
    shifted_forward = msftAC.shift(1)
    shifted_forward[:5]
```

```
Out[30]:
    Date
    2012-01-03            NaN
    2012-01-04      24.42183
    2012-01-05      24.99657
    2012-01-06      25.25201
    2012-01-09      25.64429
    Name: Adj Close, dtype: float64
```

Notice that the value of the index label of 2012-01-03 is now NaN. When shifting at the same frequency as that of the index, the shift will result in one or more NaN values being added for the labels at one end of the Series, and a loss of the same number of values at the other end. The amount of NaN values is the same as the number of specified periods.

If we examine the tail of both the original and shifted Series, we will see that the last value in the Series was shifted away:

In [31]:

```
msftAC.tail(5), shifted_forward.tail(5)
```

Out[31]:

```
(Date
2013-12-23    35.39210
2013-12-24    35.83668
2013-12-26    36.18461
2013-12-27    36.03964
2013-12-30    36.03964
Name: Adj Close, dtype: float64, Date
2013-12-23    35.56607
2013-12-24    35.39210
2013-12-26    35.83668
2013-12-27    36.18461
2013-12-30    36.03964
Name: Adj Close, dtype: float64)
```

The original Series ended with two values of 36.04 for both 2013-12-27 and 2013-12-30, and the value that was originally at 2013-12-30 is now lost.

It is also possible to shift values in the opposite direction. The following command demonstrates this by shifting the Series by -2:

In [32]:

```
shifted_backwards = msftAC.shift(-2)[:10]
shifted_backwards[:5]
```

```
Out[32]:
    Date
    2012-01-03      25.25201
    2012-01-04      25.64429
    2012-01-05      25.30675
    2012-01-06      25.39797
    2012-01-09      25.28850
    Name: Adj Close, dtype: float64
```

This results in two NaN values at the tail of the resulting `Series`:

```
In [33]:
    shifted_backwards.tail(5)
```

```
Out[34]:
    Date
    2013-12-23      36.18461
    2013-12-24      36.03964
    2013-12-26      36.03964
    2013-12-27           NaN
    2013-12-30           NaN
    Name: Adj Close, dtype: float64
```

It is possible to shift by different frequencies using the `freq` parameter. This will create a time-series with a new index, where the index labels are adjusted by the number of specified units of the given frequency. As an example, the following command shifts forward the time-series with a frequency of `1` day by one second:

```
In [35]:
    msftAC.shift(1, freq="S")
```

```
Out[35]:
    Date
    2012-01-03 00:00:01     24.42183
    2012-01-04 00:00:01     24.99657
    2012-01-05 00:00:01     25.25201
                    ...
```

```
2013-12-26 00:00:01      36.18461
2013-12-27 00:00:01      36.03964
2013-12-30 00:00:01      36.03964
Name: Adj Close, dtype: float64
```

The resulting `DataFrame` or `Series` is essentially the same as the original, with the specified number of units of frequency added to each index label. No data will be shifted out or replaced with NaN as this is not performing realignment.

An alternate form of shifting is provided by pandas using the `.tshift()` method. Rather than changing the alignment of the data, `.tshift()` simply results in a new `Series` or `DataFrame`, where the values of the index labels are changed by the specified number of offsets of the value of the `freq` parameter. This is demonstrated by the following command, which modifies the index labels by 1 day:

```
In [37]:
    msftAC.tshift(1, freq="D")


Out[37]:
    Date
    2012-01-04      24.42183
    2012-01-05      24.99657
    2012-01-06      25.25201

                       ...

    2013-12-27      36.18461
    2013-12-28      36.03964
    2013-12-31      36.03964
    Name: Adj Close, dtype: float64
```

A practical application of shifting is the calculation of daily percentage changes from the previous day. The following command calculates the day-to-day percentage change in the adjusted closing price for MSFT:

```
In [38]:
    msftAC / msftAC.shift(1) - 1


Out[38]:
    Date
    2012-01-03           NaN
    2012-01-04      0.023534
```

```
2012-01-05     0.010219

                  ...

2013-12-26     0.009709

2013-12-27    -0.004006

2013-12-30     0.000000
Name: Adj Close, dtype: float64
```

Frequency conversion of time-series data

The frequency of the data in a time-series can be converted in pandas using the
.asfreq() method of a Series or DataFrame. To demonstrate, we will use the
following small subset of the MSFT stock closing values:

```
In [39]:
    sample = msftAC[:2]
    sample
```

```
Out[39]:
    Date
    2012-01-03     24.42183
    2012-01-04     24.99657
    Name: Adj Close, dtype: float64
```

We have extracted the first 2 days of adjusted close values. Let's suppose we want to
resample this to have hourly sampling of data in-between the index labels. We can
do this with the following command:

```
In [40]:
    sample.asfreq("H")
```

```
Out[40]:
    2012-01-03 00:00:00     24.42183
    2012-01-03 01:00:00          NaN
    2012-01-03 02:00:00          NaN

                  ...

    2012-01-03 22:00:00          NaN
    2012-01-03 23:00:00          NaN
    2012-01-04 00:00:00     24.99657
    Freq: H, Name: Adj Close, dtype: float64
```

A new index with hourly index labels has been created by pandas, but when aligning to the original time-series, only two values were found, thereby leaving the others filled with NaN.

We can change this default behavior using the `method` parameter of the `.asfreq()` method. One method is `pad` or `ffill` that will fill with the last known value:

```
In [41]:
    sample.asfreq("H", method="ffill")


Out[41]:
    2012-01-03 00:00:00    24.42183
    2012-01-03 01:00:00    24.42183
    2012-01-03 02:00:00    24.42183
                               ...
    2012-01-03 22:00:00    24.42183
    2012-01-03 23:00:00    24.42183
    2012-01-04 00:00:00    24.99657
    Freq: H, Name: Adj Close, dtype: float64
```

The other method is to use `backfill`/`bfill`, which will use the next known value:

```
In [42]:
    sample.asfreq("H", method="bfill")


Out[42]:
    2012-01-03 00:00:00    24.42183
    2012-01-03 01:00:00    24.99657
    2012-01-03 02:00:00    24.99657
                               ...
    2012-01-03 22:00:00    24.99657
    2012-01-03 23:00:00    24.99657
    2012-01-04 00:00:00    24.99657
    Freq: H, Name: Adj Close, dtype: float64
```

Resampling of time-series

Frequency conversion provides basic conversion of data using the new frequency intervals and allows the filling of missing data using either NaN, forward filling, or backward filling. More elaborate control is provided through the process of resampling.

Resampling can be either downsampling, where data is converted to wider frequency ranges (such as downsampling from day-to-day to month-to-month) or upsampling, where data is converted to narrower time ranges. Data for the associated labels are then calculated by a function provided to pandas instead of simple filling.

To demonstrate upsampling, we will calculate the daily cumulative returns for the MSFT stock over 2012 and 2013 and resample it to monthly frequency. We will examine the return calculation in more detail in *Chapter 5, Time-series Stock Data*, but for now, we will use it as a demonstration of the mechanics of up and down resampling of time-series data.

The cumulative daily return for MSFT can be calculated with the following command using `.shift()` and application of the `.cumprod()` method, as shown here:

```
In [43]:
   msft_cum_ret = (1 + (msftAC / msftAC.shift() - 1)).cumprod()
   msft_cum_ret
```

```
Out[43]:
   Date
   2012-01-03           NaN
   2012-01-04      1.023534
   2012-01-05      1.033993

                      . . .
   2013-12-26      1.481650
   2013-12-27      1.475714
   2013-12-30      1.475714
   Name: Adj Close, dtype: float64
```

A time-series can be resampled using the `.resample()` method. This method provides a very flexible means to specify the frequency conversion involved in the resampling, as well as the means by which the resampled values are selected or calculated.

The following command downsamples the daily cumulative returns from day-to-day to month-to-month:

```
In [44]:
    msft_monthly_cum_ret = msft_cum_ret.resample("M")
    msft_monthly_cum_ret

Out[44]:
    Date
    2012-01-31    1.068675
    2012-02-29    1.155697
    2012-03-31    1.210570

                     ...

    2013-10-31    1.350398
    2013-11-30    1.471915
    2013-12-31    1.482362
    Freq: M, Name: Adj Close, dtype: float64
```

As the resample period is specified as monthly, pandas will break the index labels into monthly intervals bounded on calendar months, and the new index label for a group will be the month's end date. The value for each index entry will be the mean of the values for the month. This can be verified for January 2012 with the following command:

```
In [45]:
    msft_cum_ret['2012-01'].mean()

Out[45]:
    1.0687314108366739
```

The means by which the value for each index label is calculated can be controlled using the how parameter. Any function that is available via dispatching can be used and given to the how parameter by name. The default is to use the np.mean() function, as we can see in the following example:

```
In [46]:
    ms6t_cum_ret.resample("M", how="mean")
```

```
Out[46]:
    Date
    2012-01-31    1.068731
    2012-02-29    1.155794
    2012-03-31    1.210669

    ...

    2013-10-31    1.350497
    2013-11-30    1.472052
    2013-12-31    1.482453
    Freq: M, Name: Adj Close, Length: 24
```

We can use how="ohlc", which will give us a summary of the open, high, low, and close values during each sampling period. For each resampling period (monthly in this example), pandas will return the first value in the period (open), the maximum value (high), the lowest value (low), and the final value in the period (close):

```
In [47]:
    msft_cum_ret.resample("M", how="ohlc")[:5]
```

```
Out[47]:
                     open        high         low       close
    Date
    2012-01-31   1.023751    1.110565    1.023751    1.103194
    2012-02-29   1.116708    1.198608    1.116708    1.193694
    2012-03-31   1.214169    1.235463    1.186732    1.212940
    2012-04-30   1.214169    1.219083    1.141278    1.203931
    2012-05-31   1.203522    1.203522    1.099918    1.104832
```

The type of index resulting from a resampling is controlled by the kind parameter, which can be set to timestamp (the default) or period. In the resampling examples up to this point, the resample has returned Timestamp and, in particular, returned the last day of the month. The following command demonstrates returning an index based on periods instead of time stamps, which can be quite useful if we need to have the start and end timestamps for each sample:

```
In [48]:
    by_periods = msft_cum_ret .resample("M",
                                        how="mean",
```

```
                                            kind="period")
    for i in by_periods.index[:5]:
        print ("{0}:{1} {2}".format(i.start_time, i.end_time,
                                    by_periods[i]))
    2012-01-01 00:00:00:2012-01-31 23:59:59.99999999 1.06873141084
    2012-02-01 00:00:00:2012-02-29 23:59:59.99999999 1.15579443079
    2012-03-01 00:00:00:2012-03-31 23:59:59.99999999 1.21066934703
    2012-04-01 00:00:00:2012-04-30 23:59:59.99999999 1.18474610975
    2012-05-01 00:00:00:2012-05-31 23:59:59.99999999 1.14058893604
```

To demonstrate upsampling, we will examine the process using the second and third days of MSFT's adjusted close values:

```
In [49]:
    sample = msft_cum_ret[1:3]
    sample
```

```
Out[49]:
    Date
    2012-01-04    1.023751
    2012-01-05    1.033989
    Name: Adj Close, dtype: float64
```

Our upsample example will have to resample this data to an hourly interval:

```
In [50]:
    by_hour = sample.resample("H")
    by_hour
```

```
Out[50]:
    Date
    2012-01-04 00:00:00    1.023751
    2012-01-04 01:00:00         NaN
    2012-01-04 02:00:00         NaN
    ...
    2012-01-04 22:00:00         NaN
    2012-01-04 23:00:00         NaN
    2012-01-05 00:00:00    1.033989
    Freq: H, Name: Adj Close, Length: 25
```

Hourly index labels have been created by pandas, but the alignment only propagates two values into the new time-series and fills the others with NaN. This is an inherent issue with upsampling as in the result there is missing information. By default, pandas uses NaN but provide other methods to fill in values.

As with frequency conversion, the new index labels can be forward filled or back filled using the `fill_method` parameter and specifying `bfill` or `ffill`. Another option is to interpolate the missing data, which can be done using the time-series object's `.interpolate()` method, which will perform a linear interpolation:

```
In [51]:
    by_hour.interpolate()
```

```
Out[51]:
    Date
    2012-01-04 00:00:00    1.023751
    2012-01-04 01:00:00    1.024178
    2012-01-04 02:00:00    1.024604

    ...

    2012-01-04 22:00:00    1.033135
    2012-01-04 23:00:00    1.033562
    2012-01-05 00:00:00    1.033989
    Freq: H, Name: Adj Close, Length: 25
```

Summary

In this chapter, we examined the many ways in pandas to represent various units of time and time-series data. Understanding date and time-series as well as frequency conversion is critical to analyzing financial information. We examined several ways of manipulating time-series data represented by stock price information, working with dates, times, time zones, and calendars. In closing, the chapter examined the means of converting the data in time-series into different frequencies.

In the next chapter, we will dive deeper into an analysis of historical stock data using time-series in pandas, greatly expanding our knowledge of both pandas and using it to analyze financial data.

5
Time-series Stock Data

In the previous chapter, we looked at time-series operations with pandas. The focus of the chapter was on the mechanics of time-series albeit with examples drawn from finance using historical stock data. In this chapter, we will continue to examine historical stock data, focusing on performing common financial analyses upon this data. At this point in the book, pandas moves to become a tool to facilitate analysis instead of being the story itself.

We will first look at gathering historical stock and index data from web sources and how to organize it to easily perform the various analyses we will undertake. We will then move on to demonstrating common visualizations for these types of data. These visualizations are used extensively, and they will help you gain a quick and intuitive understanding of patterns hidden in the data. Finally, we will dive into several common financial analyses performed on historical stock quotes, explaining how to use pandas to perform these operations. The focus will be on the analysis of historical data as we will revisit this data in later chapters on trading algorithms, which are used to predict future values.

Specifically, in this chapter, we will progress through the following tasks:

- Fetching and organizing stock and index data from Yahoo!
- Plotting closing prices, volumes, combined prices and volumes, and candlestick charts
- Calculating simple daily percentage change and cumulative return
- Resampling daily data to a monthly period and calculating simple monthly percentage change and cumulative return
- Analyzing the distribution of returns using histograms, Q-Q plots, and boxplots
- Determining the correlation of daily returns across multiple stocks and market indexes, including creating heatmaps and scatter plots of correlations

- Calculating and visualizing correlation
- Calculating and visualizing risk relative to expected returns
- Determining the rolling correlation of returns
- Computing least-squares regression of returns
- Analyzing the performance of stocks relative to the S&P 500 index

Notebook setup

The workbook and examples will all require the following code to execute and format output. It is similar to the previous chapters but also includes matplotlib imports to support many of the graphics that will be created and some modifications to fit data to the page in the text:

```
In [1]:
    import pandas as pd
    import pandas.io.data
    import numpy as np
    import datetime
    import matplotlib.pyplot as plt
    %matplotlib inline

    pd.set_option('display.notebook_repr_html', False)
    pd.set_option('display.max_columns', 6)
    pd.set_option('display.max_rows', 10)
    pd.set_option('display.width', 78)
    pd.set_option('precision', 3)
```

Obtaining historical stock and index data

The examples will use two sets of data obtained from Yahoo! Finance. The first one is a series of stock values for several stocks over the calendar years 2012–2014. The second set of data is the S&P 500 average over the same period. Note that although we are using data from a fixed period in time, the adjusted close values tend to change slightly over time, so there may be slight differences in output when you run the code as compared to what is in the text.

Fetching historical stock data from Yahoo!

The examples in this chapter will use historical quotes for **Apple (AAPL)**, **Microsoft (MSFT)**, **General Electric (GE)**, **IBM (IBM)**, **American Airlines (AA)**, **Delta Airlines (DAL)**, **United Airlines (UAL)**, **Pepsi (PEP)**, and **Coca-Cola (KO)**.

These stocks were chosen deliberately to have a sample of multiple stocks in each of three different sectors: technology, airlines, and soft drinks. The purpose of this is to demonstrate deriving correlations in various stock price measurements over the selected time period among the stocks in similar sectors and to also demonstrate the difference in stocks between sectors.

Historical stock quotes can be retrieved from Yahoo! using the `DataReader` class. The following command will obtain the historical quotes for Microsoft (MSFT) for the entirety of 2012-2014:

```
In [2]:
    start = datetime.date(2012, 1, 1)
    end = datetime.date(2014, 12, 31)
    msft = pd.io.data.DataReader('MSFT', "yahoo", start, end)
    msft[:5]
```

```
Out[2]:
                Open    High    Low   Close     Volume   Adj Close
    Date
    2012-01-03  26.55   26.96  26.39  26.77   64731500       24.42
    2012-01-04  26.82   27.47  26.78  27.40   80516100       25.00
    2012-01-05  27.38   27.73  27.29  27.68   56081400       25.25
    2012-01-06  27.53   28.19  27.53  28.11   99455500       25.64
    2012-01-09  28.05   28.10  27.72  27.74   59706800       25.31
```

To effectively compare this data, we will want to pull the historical quotes for each stock and store them all in a single `DataFrame`, which we can use as a source for the various analyses. To facilitate this, we will start with the following function that will get the quotes for a list of stock tickers and return all the results in a single `DataFrame`, which is indexed by `Ticker` and then `Date`:

```
In [3]:
    def get(tickers, start, end):
        def data(ticker):
```

```
        return pd.io.data.DataReader(ticker, 'yahoo', start, end)
    datas = map(data, tickers)
    return pd.concat(datas, keys=tickers, names=['Ticker','Date'])
```

Using this function, we can now load the data for all of our stocks:

In [4]:

```
    tickers = ['AAPL','MSFT','GE','IBM','AA','DAL','UAL', 'PEP', 'KO']
    all_data = get(tickers, start, end)
    all_data[:5]
```

Out[4]:

		Open	High	Low	Close	Volume	Adj Close
Ticker	Date						
AAPL	2012-01-03	409.40	412.50	409.00	411.23	75555200	55.41
	2012-01-04	410.00	414.68	409.28	413.44	65005500	55.71
	2012-01-05	414.95	418.55	412.67	418.03	67817400	56.33
	2012-01-06	419.77	422.75	419.22	422.40	79573200	56.92
	2012-01-09	425.50	427.75	421.35	421.73	98506100	56.83

Fetching index data from Yahoo!

One set of examples will demonstrate the correlation of the various stocks against the S&P 500 average. To do this, we need to retrieve this data. This can also be retrieved from Yahoo! Finance and DataReader, but using the ^GSPC symbol. The following command reads this historical data and stores it in sp500_all:

In [5]:

```
    sp_500 = pd.io.data.DataReader("^GSPC", "yahoo", start, end)
    sp_500[:5]
```

Out[5]:

	Open	High	Low	Close	Volume	Adj Close
Date						
2012-01-03	1258.86	1284.62	1258.86	1277.06	3943710000	1277.06
2012-01-04	1277.03	1278.73	1268.10	1277.30	3592580000	1277.30
2012-01-05	1277.30	1283.05	1265.26	1281.06	4315950000	1281.06
2012-01-06	1280.93	1281.84	1273.34	1277.81	3656830000	1277.81
2012-01-09	1277.83	1281.99	1274.55	1280.70	3371600000	1280.70

Visualizing financial time-series data

One of the best ways to determine patterns and relationships in financial data is to create visualizations of the information. We will examine a number of common financial visualizations and how to create them before diving into the various analyses.

Plotting closing prices

The closing price of a stock can be easily plotted with matplotlib for either a single stock or multiple stocks on the same graph. We have already pulled down all the historical data for our stocks, so to visualize the closing prices, we will need to extract those values and pass and plot them with `.plot()`.

Most of the examples will focus on the adjusted closing price instead of the close price as this takes into account splits and dividends and reflects a continuous change in the value of each stock. To facilitate the use of this field, we can extract just the adjusted close value for each stock into its own pandas object.

This happens to be very simple because of the way we organized it when it was retrieved. We first extract the `Adj Close` column and then reset the index to move the dates into a column:

```
In [6]:
    # reset the index to make everything columns
    just_closing_prices = all_data[['Adj Close']].reset_index()
    just_closing_pricesp[:5]
```

```
Out[6]:
     Ticker        Date  Adj Close
  0    AAPL  2012-01-03      55.41
  1    AAPL  2012-01-04      55.71
  2    AAPL  2012-01-05      56.33
  3    AAPL  2012-01-06      56.92
  4    AAPL  2012-01-09      56.83
```

We moved the dates into a column because we now want to pivot `Date` into the index and each `Ticker` value into a column:

```
In [7]:
    daily_close_px = just_closing_prices.pivot('Date', 'Ticker',
                                               'Adj Close')
```

```
daily_close_px[:5]
```

Out[7]:

Ticker	AA	AAPL	DAL	...	MSFT	PEP	UAL
Date				...			
2012-01-03	8.91	55.63	7.93	...	24.60	60.85	18.90
2012-01-04	9.12	55.93	7.90	...	25.17	61.16	18.52
2012-01-05	9.03	56.55	8.22	...	25.43	60.68	18.39
2012-01-06	8.84	57.14	8.21	...	25.83	59.92	18.21
2012-01-09	9.10	57.05	8.17	...	25.49	60.24	17.93

Using this DataFrame, we can easily plot a single stock's closing price by selecting the specific column and calling .plot(). The following command plots AAPL:

In [8]:

```
_ = daily_close_px['AAPL'].plot(figsize=(12,8));
```

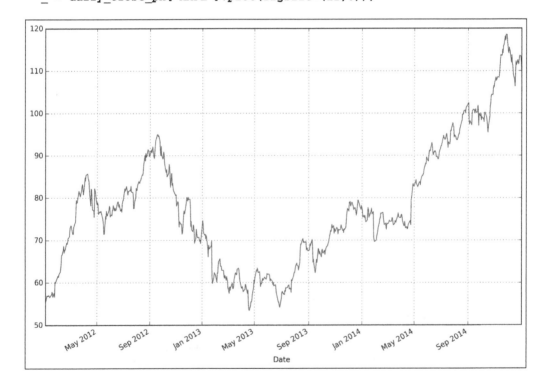

All the close prices can also be easily plotted against each other simply by calling
`.plot()` on the entire `DataFrame`:

```
In [9]:
    _ = daily_close_px.plot(figsize=(12,8));
```

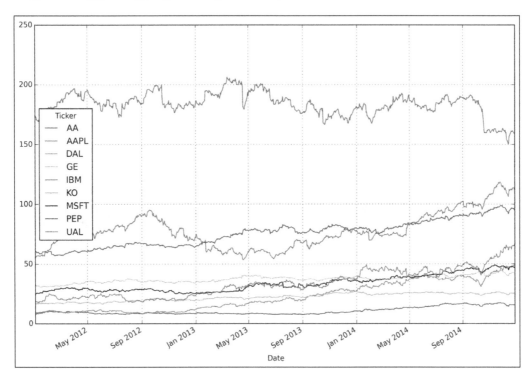

Plotting volume-series data

Stock trading volume data is normally plotted using matplotlib bar charts. This
is made almost embarrassingly easy using pandas and the `.bar()` function. The
following command plots the volume for MSFT:

```
In [10]:
    msftV = all_data.Volume.loc['MSFT']
```

```
plt.bar(msftV.index, msftV)
plt.gcf().set_size_inches(12,6)
```

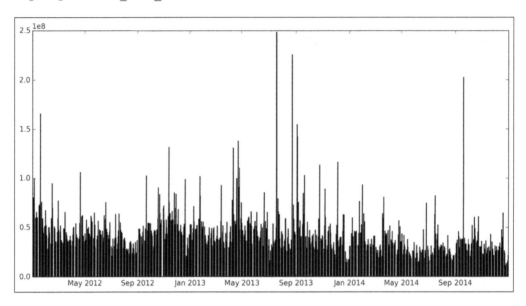

Combined price and volumes

A common type of financial graph plots a stock trading volume relative to its closing price. The following command constructs this combined chart:

```
In [11]:
    top = plt.subplot2grid((4,4), (0, 0), rowspan=3, colspan=4)
    top.plot(daily_close_px.index,
            daily_close_px['MSFT'],
            label='Adjusted Close')
    plt.title('MSFT Adjusted Close Price from 2011 - 2014')
    plt.legend(loc=2)
    bottom = plt.subplot2grid((4,4), (3,0), rowspan=1, colspan=4)
    bottom.bar(msftV.index, msftV)
    plt.title('Microsoft Daily Trading Volume')
    plt.gcf().set_size_inches(12,8)
    plt.subplots_adjust(hspace=0.75)
```

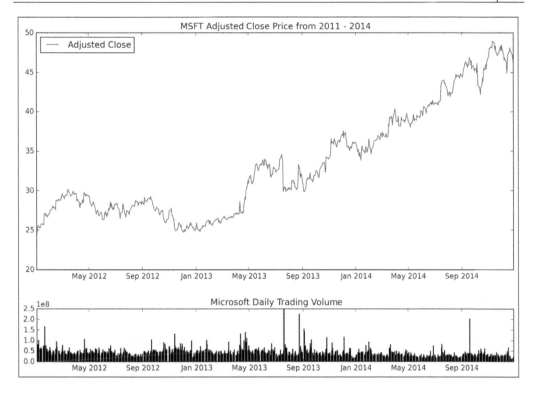

Plotting candlesticks

The open-high-low-close plots, often referred to as candlestick charts, are a type of chart used to illustrate movements in the price of a financial instrument over time. These charts generally consist of a thin vertical line for each unit of time that represents the range of the price during that unit of time and then overlying the thin line is a thicker bar that represents the spacing between the open and close prices. From these charts, it is easy to get a visual feel for the overall movement of the price not only over the entire duration of the chart but also how much the price varies during each unit of measurement.

To demonstrate the process of creating candlestick charts, we will utilize the data for MSFT from the month of December 2014, plotting each day's data as a separate candlestick.

We will also demonstrate the process of selecting specific dates for the *x* axis labels as displaying labels for all 31 days of the month will be too cluttered. The out chart will display labels only for the Mondays during the month.

Additionally, we will format the labels in the MMM DD format, where MMM represents a three-character month code (in this case, always Dec), and DD will be a two-digit date. As an example, the label for Monday December 15 will be Dec 15.

The first step we will perform is to select the subset of data for MSFT in Dec 15 from our DataFrame of adjusted close values. We have pivoted both Ticker and Date into the index, so we will use chained calls to .loc to first retrieve only the rows for MSFT and then a slice using a partial date specification to extract only rows for 2014-12:

```
In [12]:
    subset = all_data.loc['MSFT'].loc['2014-12':'2014-12'] \
                .reset_index()

    subset[:5]
```

```
Out[12]:
            Date    Open    High    ...     Close    Volume  Adj Close

    0   2014-12-01   47.88   48.78   ...     48.62   31191600      48.28

    1   2014-12-02   48.84   49.05   ...     48.46   25743000      48.12

    2   2014-12-03   48.44   48.50   ...     48.08   23534800      47.74

    3   2014-12-04   48.39   49.06   ...     48.84   30320400      48.49

    4   2014-12-05   48.82   48.97   ...     48.42   27313400      48.08
```

We reset the index to move Date into a column as, in the end, the date for the charting function needs to be in a column. The process is complicated in that the date-formatting functions we will use do not use the same representation for a date that pandas uses. We will, therefore, need to convert the values in our Date column into that representation and add them as a new column to our set of data.

The representation of a date required by the date formatter is a floating point number representing the number of days since the 0001-01-01 universal time plus 1.

 You can find out more about this date representation and the formatting of labels for dates at http://matplotlib.org/api/dates_api.html.

We can convert dates to this representation by first converting our pandas date to pydatetime and then using the matplotlib.date2num function to convert once more into the representation needed for the matplotlib label formatter. The following command will use the .apply() method of the DataFrame to convert each value in the Date column to this representation and add it as the new column date_num:

```
In [13]:
    import matplotlib.dates as mdates
    subset['date_num'] = subset['Date'] \
        .apply(lambda date: mdates.date2num(date.to_pydatetime()))
    subset[:5]
Out[13]:
         Date    Open   High    ...      Volume  Adj Close  date_num
    0  2014-12-01  47.88  48.78  ...    31191600      48.28    735568
    1  2014-12-02  48.84  49.05  ...    25743000      48.12    735569
    2  2014-12-03  48.44  48.50  ...    23534800      47.74    735570
    3  2014-12-04  48.39  49.06  ...    30320400      48.49    735571
    4  2014-12-05  48.82  48.97  ...    27313400      48.08    735572
```

Our data is almost ready for use in drawing our candlestick chart. But unfortunately, the candlestick_ohlc function does not know how to work with DataFrame objects, so we must convert our data to another format. Specifically, we need to provide this function with a list of tuples, where each tuple consists of the date_num, Open, High, Low, and Close). We can organize the required data this way with the following command:

```
In [14]:
    subset_as_tuples = [tuple(x) for x in subset[['date_num',
                                                  'Open',
                                                  'High',
                                                  'Low',
                                                  'Close']].values]

    subset_as_tuples

Out[14]:
    [(735568.0,
      47.880000000000003,
      48.780000000000001,
      47.710000000000001,
      48.619999999999997),
     (735569.0,
      48.840000000000003,
      49.049999999999997,
      48.200000000000003,
```

```
48.460000000000001),
 (735570.0, 48.439999999999998, 48.5, 47.810000000000002,
48.079999999999998),
 (735571.0,
  48.390000000000001,
  49.060000000000002,
  48.200000000000003,
  48.840000000000003),
 (735572.0, 48.82, 48.969999999999999, 48.380000000000003,
48.420000000000002)]
```

The input data for our chart is now ready. To set up the chart to know how we would like to format the *x* axis labels, we need to do two things. The first thing to do is create an instance of DateFormatter and configure it to format the dates as we want, as shown here:

In [15]:
```
from matplotlib.dates import DateFormatter
week_formatter = DateFormatter('%b %d')  # e.g., Jan 12
```

We also need to let the chart know how to select which data points on the *x* axis that we would like to label. We do this by creating an instance of WeekdayLocator and initializing it with the constant MONDAY:

In [16]:
```
from matplotlib.dates import (WeekdayLocator, MONDAY)
mondays = WeekdayLocator(MONDAY) # major ticks on the mondays
```

We are now all set to draw the chart with the following command:

In [17]:
```
plt.figure(figsize(12,8))
fig, ax = plt.subplots()
ax.xaxis.set_major_locator(mondays)
ax.xaxis.set_major_formatter(week_formatter)
from matplotlib.finance import candlestick_ohlc
candlestick_ohlc(ax, subset_as_tuples, width=0.6,
                 colorup='g',colordown='r')
```

Here's a final note on the chart that we have created; we specified colors for the candlesticks to represent whether the close price finished the day above or below the open price. If it finished above the open price, we had an overall gain during the day, and we denote this with green. In the other scenario, we use red to denote that we had a loss for the day.

Fundamental financial calculations

There are a number of analyses and data conversions commonly used to analyze the performance of historical stock quotes. These calculations generally relate to either analyzing the rate of return from an investment in a stock over a daily or monthly basis or how multiple stocks perform relative to each other or a market index. The calculations could also relate to determining the riskiness of an investment in a stock relative to others. We will now look at all of these operations using our previously collected stock data.

Calculating simple daily percentage change

The simple daily percentage change (without dividends and other factors) is the amount of percentage change in the value of a stock over a single day of trading. It is defined by the following formula:

$$r_t = \frac{p_t}{p_{t-1}} - 1$$

Using this formula, the following command calculates the percentage change for AA between `2014-01-04` and `2014-01-05`:

```
In [18]:
    AA_p_t0 = daily_close_px.iloc[0]['AA']   #Pt-1
    AA_p_t1 = daily_close_px.iloc[1]['AA']   #Pt
    r_t1 = AA_p_t1 / AA_p_t0 - 1 # returns
    AA_p_t0, AA_p_t1, r_t1


Out[18]:
    (8.91, 9.12, 0.023569023569023573)
```

AA moved from `8.91` to `9.12` between those two days for an increase of 2.4 percent. We can use this result to determine the correctness of applying this formula to an entire `DataFrame`.

There are several ways of calculating the simple daily return across an entire `DataFrame`. One means is by using slicing. The following command uses the trick of dividing a slice of the `DataFrame` that excludes the first row by the values sliced to exclude the last value:

```
In [19]:
    dpc_1 = daily_close_px.iloc[1:] / \
            daily_close_px.iloc[:-1].values - 1
    dpc_1.ix[:,'AA':'AAPL'][:5]


Out[19]:
    Ticker          AA    AAPL
    Date
    2012-01-04   0.024   0.005
    2012-01-05  -0.010   0.011
```

```
2012-01-06 -0.021  0.010
2012-01-09  0.029 -0.002
2012-01-10  0.001  0.004
```

At first glance, you might wonder how this works. This example benefits from the fact that we are dividing a slice of the values in a DataFrame by a slice of the values in a two-dimensional array, which doesn't do an alignment of values as the denominator does not have an index (it's not a pandas object at all).

We can visualize this using the following two commands:

In [20]:

```
price_matrix_minus_day1 = daily_close_px.iloc[1:]
price_matrix_minus_day1[:5]
```

Out[20]:

Ticker	AA	AAPL	DAL	...	MSFT	PEP	UAL
Date				...			
2012-01-04	9.10	55.71	7.89	...	25.00	60.75	18.52
2012-01-05	9.02	56.33	8.20	...	25.25	60.28	18.39
2012-01-06	8.83	56.92	8.19	...	25.64	59.52	18.21
2012-01-09	9.09	56.83	8.15	...	25.31	59.83	17.93
2012-01-10	9.10	57.03	8.14	...	25.40	59.77	17.48

In [21]:

```
daily_close_px.iloc[:-1].values
```

Out[21]:

```
array([[  8.89,  55.41,   7.92, ...,  24.42,  60.44,  18.9 ],
       [  9.1 ,  55.71,   7.89, ...,  25.  ,  60.75,  18.52],
       ...,
       [ 15.79, 113.46,  48.68, ...,  47.11,  96.09,  65.22],
       [ 15.82, 112.08,  49.13, ...,  46.69,  95.32,  66.05]])
```

So, when we do the division (and subsequently subtract 1 from the division), pandas matches the row/column in the DataFrame to the row/column in the array. As an example, 2012-01-14/AA is *9.1/8.89 – 1 = 0.024*, which matches with our result.

Another way to perform this calculation is by performing a shift of the values using the pandas `.shift()` method:

```
In [22]:
    dpc_2 = daily_close_px / daily_close_px.shift(1) - 1
    dpc_2.ix[:,0:2][:5]


Out[22]:
    Ticker          AA    AAPL
    Date
    2012-01-03     NaN     NaN
    2012-01-04   0.024   0.005
    2012-01-05  -0.009   0.011
    2012-01-06  -0.021   0.010
    2012-01-09   0.029  -0.002
```

 Note that this has the same values as the previous example but also includes `2012-01-03` with the NaN values.

This process performs alignment as `.shift()` moves the values along the axis and results in a pandas object instead of a list of values.

Probably the easiest way to do this is with the built-in `.pct_change()` method of a pandas `Series` or `DataFrame`. This calculation is actually so commonly performed in pandas and finance that it was baked into the library:

```
In [23]:
    daily_pct_change = daily_close_px.pct_change()
    daily_pct_change.ix[:,0:2][:5]


Out[23]:
    Ticker          AA    AAPL
    Date
    2012-01-03     NaN     NaN
    2012-01-04   0.024   0.005
    2012-01-05  -0.009   0.011
    2012-01-06  -0.021   0.010
    2012-01-09   0.029  -0.002
```

The last thing we will want to do here is set the NaN values to 0. This is not strictly required, and the examples will work without it, but it is a good practice:

```
In [24]:
    daily_pct_change.fillna(0, inplace=True)
    daily_pct_change.ix[:5,:5]
```

```
Out[24]:
    Ticker          AA    AAPL    DAL     GE     IBM
    Date
    2012-01-03   0.000   0.000   0.000   0.000   0.000
    2012-01-04   0.024   0.005  -0.004   0.011  -0.004
    2012-01-05  -0.009   0.011   0.039  -0.001  -0.005
    2012-01-06  -0.021   0.010  -0.001   0.005  -0.011
    2012-01-09   0.029  -0.002  -0.005   0.011  -0.005
```

Calculating simple daily cumulative returns

The cumulative daily rate of return is useful to determine the value of an investment at regular intervals after investment. This is calculated from the daily percentage change values by multiplying (1 + the current day's percentage change) with the cumulative product of all of the previous values. This is represented by the following formula:

$$i_i = (1 + r_t) \cdot i_{t-1}, \quad i_0 = 1$$

This is actually calculated very succinctly using the following code and the .cumprod() method:

```
In [25]:
    cum_daily_return = (1 + daily_pct_change).cumprod()
    cum_daily_return.ix[:,:2][:5]
```

```
Out[25]:
    Ticker          AA    AAPL    DAL     GE     IBM
    Date
    2012-01-03   0.000   0.000   0.000   0.000   0.000
    2012-01-04   0.024   0.005  -0.004   0.011  -0.004
    2012-01-05  -0.009   0.011   0.039  -0.001  -0.005
```

```
2012-01-06 -0.021  0.010 -0.001  0.005 -0.011
2012-01-09  0.029 -0.002 -0.005  0.011 -0.005
```

This informs us that the value of $1 invested in AA on 2012-01-03 would be worth $1.772 on 2014-12-31.

We can plot the cumulative returns to see how the different stocks compare. This gives a nice view of how the stocks will change your investment over time and how they perform relative to each other:

In [26]:

```
cum_daily_return.plot(figsize=(12,8))
plt.legend(loc=2);
```

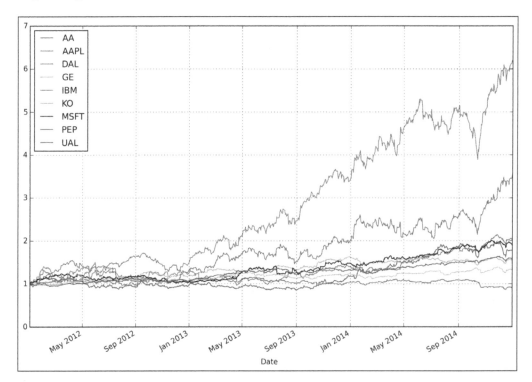

Analyzing the distribution of returns

If you want to get a feel for the difference in distribution of the daily returns for a particular stock, you can plot the returns using several common visualizations, including:

- Histograms
- Q-Q plots
- Box and whisker plots

Histograms

Histograms give you an overall feel for the distribution of returns. In general, return distributions are approximately normal in shape, demonstrating a familiar bell curve shape.

Histograms can be generated using the .hist() method of a pandas Series. The method can be supplied with a number of different parameters, of which one of the most important is the number of bins that the data is to be lumped into. We will use 50 bins, which gives a good feel for the distribution of daily changes across three years of data.

The following command shows the distribution of the daily returns for AAPL:

```
In [27]:
    aapl = daily_pct_change['AAPL']
    aapl.hist(bins=50, figsize=(12,8));
```

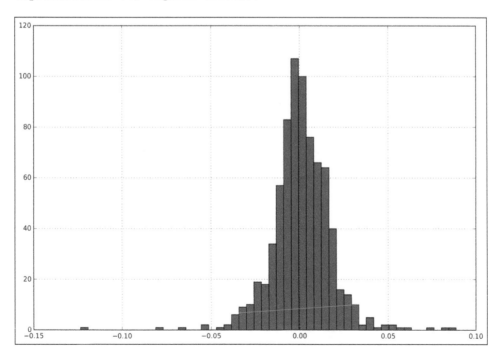

This chart tells us several things. First, most of the daily changes center around **0.0**, and there is a small amount of skew to the left, but the data appears fairly symmetrical and normally distributed.

If we use the `.describe()` method on this data, we will get some useful summary statistics that describe the histogram:

```
In [28]:
    aapl.describe()
```

```
Out[28]:
    count      754.000
    mean         0.001
    std          0.017
    min         -0.124
    25%         -0.007
    50%          0.001
    75%          0.011
    max          0.089
    Name: AAPL, dtype: float64
```

Using this information, some of our conclusions from the histogram can be rationalized. The mean of the distributions is very close to `0.0`, being `0.001`. The standard deviation is `0.017`. The percentiles tell us that 25 percent of the points fall below `-0.007`, 50 percent below `0.001`, and 75 percent below `0.011`.

We can provide parameters to `.describe()` to further specify the percentiles that we would like to calculate. The following command asks the method to give us the breakdown at the `2.5`, `50`, and `97.5` percentiles:

```
In [29]:
    aapl.describe(percentiles=[0.025, 0.5, 0.975])
```

```
Out[29]:
    count      754.000
    mean         0.001
    std          0.017
    min         -0.124
    2.5%        -0.032
    50%          0.001
```

```
97.5%        0.032
max          0.089
Name: AAPL, dtype: float64
```

This range of percentiles is commonly used to formulate a 95 percent confidence interval. If our return distribution is perfectly normally distributed (with an equal distribution of gains and losses), then we would expect our 2.5 percent value to be -1.95996 times the standard deviation less than the mean, and the 97.5 percent value to be 1.95996 times the standard deviation above the mean.

Manually calculating these, we get the 2.5 percent value as -0.032 and the 97.5 percent value as 0.034. These are roughly equivalent, again giving us a good feeling that this stock has an equal distribution of gains and losses.

And, statistically speaking, this range of values gives us the 95 percent confidence interval, which tells us that over the last three years, the daily return on 95 percent of the days will fall within -0.032 percent and 0.032 percent.

To compare the return distributions of more than one stock using histograms, we can visualize these distributions on all stocks in a single visual by creating a matrix of histograms. As demonstrated here, pandas allows us to do this very simply:

In [30]:

```
daily_pct_change.hist(bins=50, sharex=True, figsize=(12,8));
```

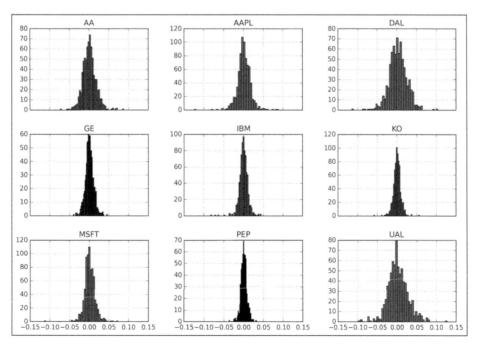

The labels on the axis are a bit squished together. That is fine as it is the relative shapes of the histograms that are the most important. The `sharex=True` parameter tells pandas to ensure a common range of *x* axis values on all of the histograms, which facilitates our comparison of the overall distributions.

Using this chart, we get a feel for the difference in performance of these nine stocks during this time. Stocks with a wider interval have higher fluctuation in returns and, hence, are more volatile. Stocks where the curve is skewed demonstrate a propensity to have either larger (skewed right) or smaller rates (skewed left) of return during the period of measurement.

Q-Q plots

A Q-Q plot, short for Quantile-Quantile plot, is a probability plot comparing two probability distributions by plotting their quantiles against each other. We can use a Q-Q plot of the returns of a stock compared to a normal distribution to get a feel of how close our returns are to a normal distribution. We can get an idea of this from histograms, but a Q-Q plot gives a much better representation.

We can create a Q-Q plot of our returns using the `probplot()` function of `scipy.stats`.

 You will need to ensure you have `scipy` installed in your Python environment to generate these plots.

As an example, we can plot the returns of AAPL against a sequence of random normal values. We can generate this plot using the following command that generates a Q-Q plot of our distribution date compared to a normal distribution:

```
In [31]:
    import scipy.stats as stats
    f = plt.figure(figsize=(12,8))
    ax = f.add_subplot(111)
    stats.probplot(aapl, dist='norm', plot=ax)
    plt.show();
```

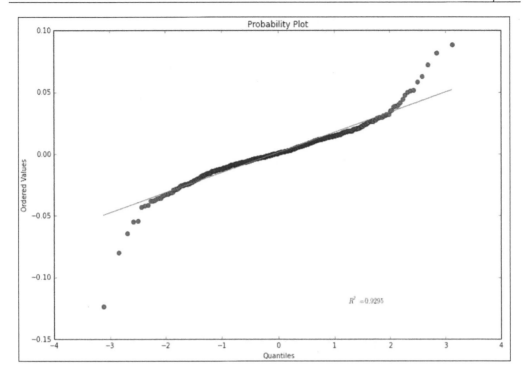

We will not get into detailed analysis of Q-Q plots in this book. For more details, I recommend `http://en.wikipedia.org/wiki/Q-Q_plot` and `http://stats.stackexchange.com/questions/101274/how-to-interpret-a-qq-plot`.

A distribution of data in a Q-Q plot would show perfect correspondence to a normal distribution if all of the blue dots fell exactly along the red line and the slope of the red line would be 1.0 (representing perfect correlation and an `R^2` value of `1.0`). Our returns are correlated at a level of 0.9295, which is representative of a very high degree of correlation.

Between quantiles -2 and +2, most of our data is very close to being perfectly correlated. This range is also very close to our 95 percent confidence interval (just slightly wider, which actually means higher confidence). It is outside this range that we begin to see differences in the levels of correlation of the distribution with what appears to be a similar amount of skew along both tails but perhaps with a little more towards the negative.

Box-and-whisker plots

A box plot is a convenient way to graphically depict groups of data through their quartiles. The box portion of the plot represents the range from the low quantile to the high quantile, and the box is split by a line that represents the median value. A box plot may also have lines extending out from both sides of the box, which represent the amount of variability outside of the upper and lower quartiles. These are often referred to as whiskers, hence the use of the term box-and-whisker plot.

To demonstrate this, the following command creates a box-and-whisker plot for the AAPL daily returns:

```
In [32]:
    daily_pct_change[['AAPL']].plot(kind='box', figsize=(3,6));
```

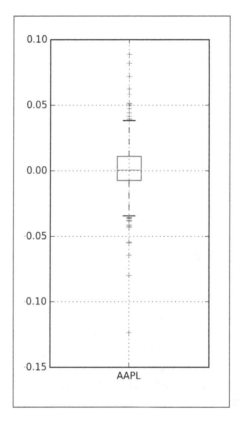

The box in the chart represents the range of the values in the 25 percent (Q1) and 75 percent (Q3) quartiles. The red line is the median value.

The dashed lines extend out to what is referred to as an IQR of 1.5, where the **inter-quartile range (IQR)** is defined as Q3–Q1. In this case, the IQR is *1.5 * (0.011-(-0.007)) = 0.027*. Hence, we have a line at *0.011 + 0.027 = 0.038* and another at *-0.007-0.027 = -0.034*. These values represent an amount where sample values beyond are considered outliers. Those outliers are then individually plotted along the vertical to give an idea of their values and quantities.

These become particularly useful when we align them next to each other to compare the distributions of multiple datasets. To demonstrate this, the following command does this for the returns of all of our stocks:

In [33]:

```
daily_pct_change.plot(kind='box', figsize=(12,8));
```

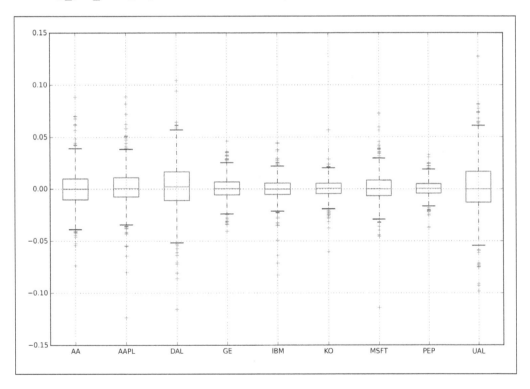

This plot gives us a very good comparison of the performance of these stocks over this period of time. The wider the box, the higher the variability and the risk. The closer the median line to either side of the box or the longer a whisker is than the other, the greater the skew in the distribution.

Comparison of daily percentage change between stocks

A scatter plot is also a very effective means of being able to visually determine the relationship between the rate of percentage change in prices between two stocks. To demonstrate this, we will use the following function that will plot the values in two series relative to each other:

```
In [34]:
    def render_scatter_plot(data, x_stock_name,
                            y_stock_name, xlim=None, ylim=None):
        fig = plt.figure(figsize=(12,8))
        ax = fig.add_subplot(111)
        ax.scatter(data[x_stock_name], data[y_stock_name])
        if xlim is not None: ax.set_xlim(xlim)
        ax.autoscale(False)
        ax.vlines(0, -10, 10)
        ax.hlines(0, -10, 10)
        ax.plot((-10, 10), (-10, 10))
        ax.set_xlabel(x_stock_name)
        ax.set_ylabel(y_stock_name)
```

The following graph shows the relationship between the daily percentage change of MSFT and AAPL:

```
In [35]:
    limits = [-0.15, 0.15]
    render_scatter_plot(daily_pct_change, 'MSFT', 'AAPL', xlim=limits)
```

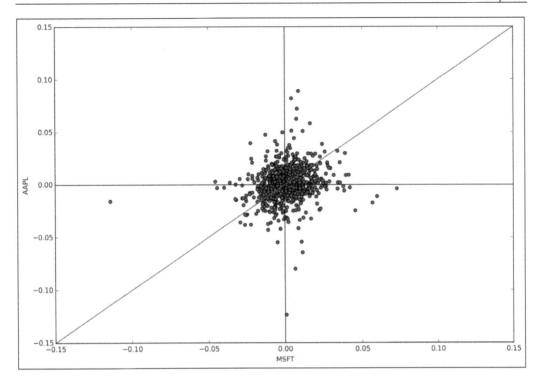

In this plot, excluding several outliers, this cluster appears to demonstrate a small amount of correlation between the two stocks as the linear correlation would seem to be closer to horizontal (slope = 0, that is, no correlation) than a perfect diagonal. As we have seen, an actual correlation actually shows the correlation to be 0.236 (the slope of the regression line), which backs up our visual analysis.

This can be compared to the relationship between DAL and UAL, which shows very high correlation:

```
In [36]:
    render_scatter_plot(daily_pct_change, 'DAL', 'UAL', xlim=limits)
```

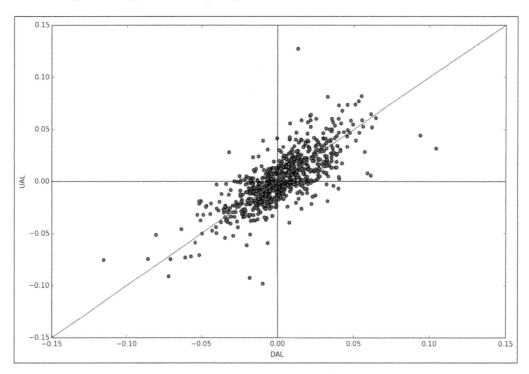

This is supported with an actual correlation that is calculated to be 0.76.

It is not required to draw every graph independently to compare all relationships. The very useful scatter matrix graph provided by pandas plots the scatters for all combinations of stocks that gives a very easy means of eyeballing all combinations. The use of `alpha=0.1` adds transparency to the points on the graph, which helps with small graphs with many overlapping points, as shown here:

```
In [37]:
    # all stocks against each other, with a KDE in the diagonal
    _ = pd.scatter_matrix(daily_pct_change, diagonal='kde', alpha=0.1,
                          figsize=(12,12));
```

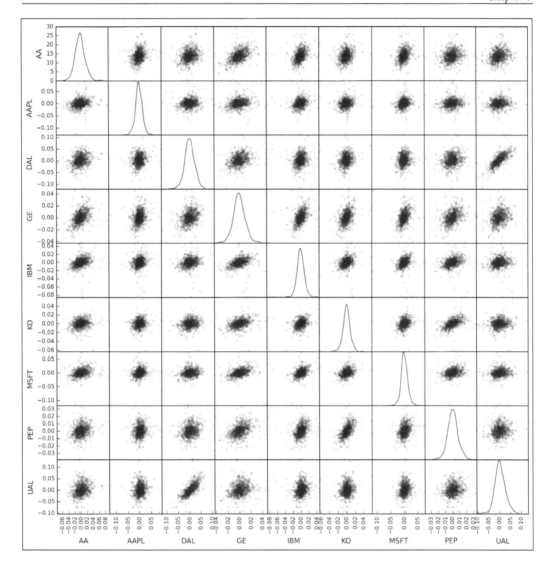

 The diagonal is a kernel density estimation graph, which estimates the distribution and, in simple terms, represents a continuous histogram of the relationships.

Moving windows

A number of functions are provided to compute moving (also known as rolling) statistics, where the function computes the statistic on a window of data represented by a particular period of time and then slides the window across the data by a specified interval, continually calculating the statistic as long as the window falls first within the dates of the time-series.

With the following functions, pandas provides direct support for rolling windows:

Function	Description
rolling_mean	This is the mean of the values in the window
rolling_std	This is the standard deviation of the values in the window
rolling_var	This is the variance of values
rolling_min	This is the minimum of the values in the window
rolling_max	This is maximum of the values in the window
rolling_cov	This is the covariance of values
rolling_quantile	This is the moving window score at the percentile/ sample quantile
rolling_corr	This is the correlation of the values in the window
rolling_median	This is the median of the values in the window
rolling_sum	This is the sum of the values in the window
rolling_apply	This is the application of a user function to the values in the window
rolling_count	This is the number of non-NaN values in a window
rolling_skew	This is the skewedness of the values in the window
rolling_kurt	This is the kurtosis of the values in the window

As a practical example, a rolling mean is commonly used to smooth out short-term fluctuations and highlight longer-term trends in data and is used quite commonly in financial time-series analysis.

To demonstrate this, we will calculate a rolling window on the adjusted close values for MSFT for the year 2012. The following command extracts the raw values for 2012 and plots them to gives us an idea of the shape of the data:

```
In [38]:
    msftAC = msft['2012']['Adj Close']
    msftAC[:5]
```

```
Out[38]:
    Date
    2012-01-03    24.42
    2012-01-04    25.00
    2012-01-05    25.25
    2012-01-06    25.64
    2012-01-09    25.31
    Name: Adj Close, dtype: float64
```

```
In [39]:
    sample = msftAC['2012']
    sample.plot(figsize=(12,8));
```

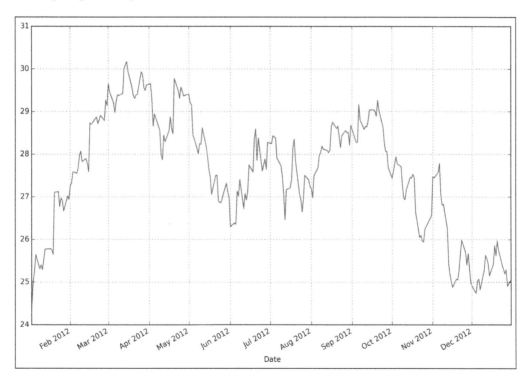

The following command calculates the rolling mean with a window of 5 periods and plots it against the raw data:

```
In [40]:
    sample.plot(figsize=(12,8))
    pd.rolling_mean(sample, 5).plot(figsize=(12,8));
```

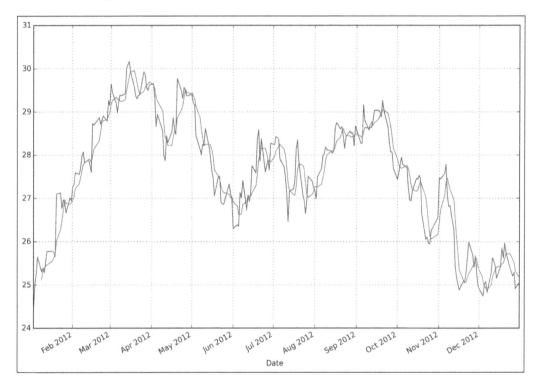

From this, it can be seen how the `pd.rolling_mean` function provides a smoother representation of the underlying data. A larger window smoothens out the variance but at the cost of accuracy. We can see how this gets smoother as the window size is increased. The following command plots the rolling mean of window size 5, 10, and 20 periods against the raw data:

```
In [41]:
    sample.plot(figsize=(12,8))
    pd.rolling_mean(sample, 5).plot(figsize=(12,8))
    pd.rolling_mean(sample, 10).plot(figsize=(12,8))
    pd.rolling_mean(sample, 20).plot(figsize=(12,8));
```

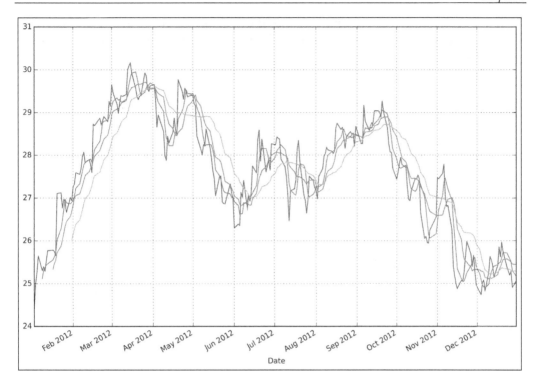

Note that the larger the window, the more the data missing at the beginning of the curve. A window of size *n* requires *n* data points before the measure can be calculated, hence the gap in the beginning of the plot.

Any function can be applied via a rolling window using the `pd.rolling_apply` function. The supplied function will be passed an array of values in the window and should return a single value. Then pandas will combine these results into a time-series.

To demonstrate this, the following command calculates the mean average deviation, which gives a feel of how far on average all the values in the sample are from the overall mean:

```
In [42]:
    mean_abs_dev = lambda x: np.fabs(x - x.mean()).mean()
    pd.rolling_apply(sample, 5, mean_abs_dev).plot(figsize=(12,8));
```

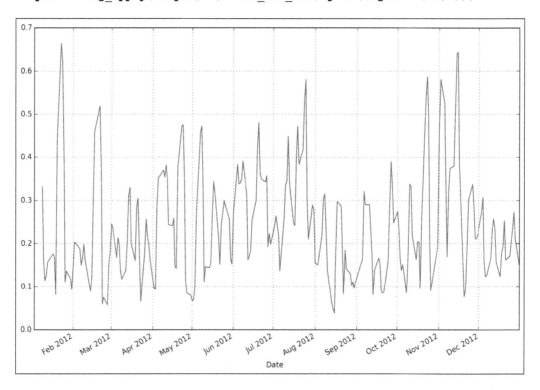

An expanding window mean can be calculated using a slight variant of the pd.rolling_mean function that repeatedly calculates the mean by always starting with the first value in the time-series, and for every iteration, increasing the window size by one. An expanding window mean will be more stable (less responsive) than a rolling window because greater the size of the window, the less the impact of the next value:

```
In [43]:
    expanding_mean = lambda x: pd.rolling_mean(x, len(x),
                                                    min_periods=1)
    sample.plot()
    pd.expanding_mean(sample).plot();
```

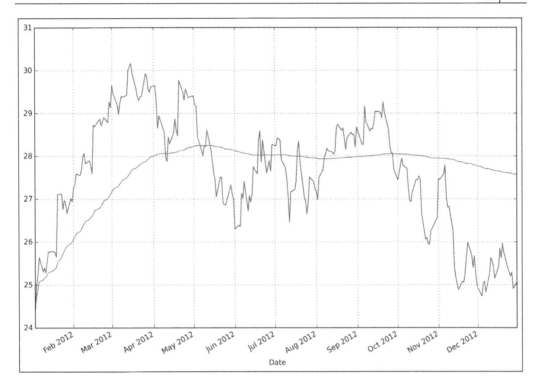

Volatility calculation

The volatility of a stock is a measurement of the change in variance in the returns of a stock over a specific period of time. It is common to compare the volatility of a stock with another stock to get a feel for which may have less risk or to a market index to examine the stock's volatility in the overall market. Generally, the higher the volatility, the riskier the investment in that stock, which results in investing in one over another.

Volatility is calculated by taking a rolling window standard deviation on the percentage change in a stock. The size of the window affects the overall result. The wider the window, the less representative the measurement will become. As the window narrows, the result approaches the standard deviation. So, it is a bit of an art to pick the proper window size based upon the data sampling frequency. Fortunately, pandas makes this very easy to modify interactively.

As a demonstration, the following command calculates the volatility of all the stock in our sample with a window of 75 days:

```
In [44]:
    min_periods = 75
    vol = pd.rolling_std(daily_pct_change, min_periods) * \
                        np.sqrt(min_periods)
    vol.plot(figsize=(10, 8));
```

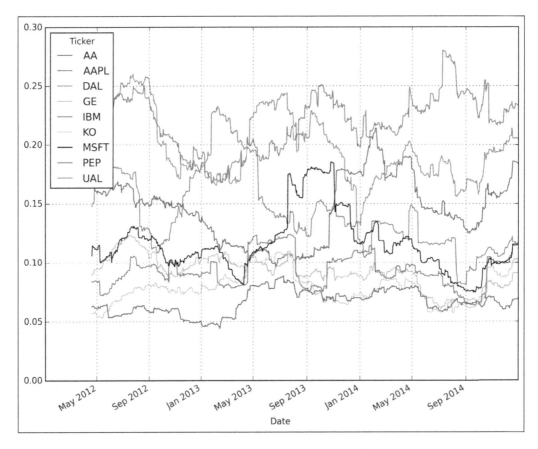

The lines higher on the chart represent overall higher volatility and hence represent a riskier investment. PEP seems to have the lowest overall volatility, while it appears that UAL has the highest.

Rolling correlation of returns

We previously examined the calculation of the overall correlation between two stocks over a time period (3 years in our case). This can also be performed using rolling windows to demonstrate how the correlation has changed over time:

```
In [45]:
    rolling_corr = pd.rolling_corr(daily_pct_change['AAPL'],
                                   daily_pct_change['MSFT'],
                                   window=252).dropna()
    rolling_corr[251:] #first 251 are NaN

Out[45]:
    Date
    2014-01-02    0.08
    2014-01-03    0.08
    2014-01-06    0.07
    2014-01-07    0.07
    2014-01-08    0.07
                  ...
    2014-12-24    0.23
    2014-12-26    0.23
    2014-12-29    0.23
    2014-12-30    0.23
    2014-12-31    0.24
    dtype: float64
```

We can visualize this change in correlation over time as follows:

In [46]:

```
rolling_corr.plot(figsize=(12,8));
```

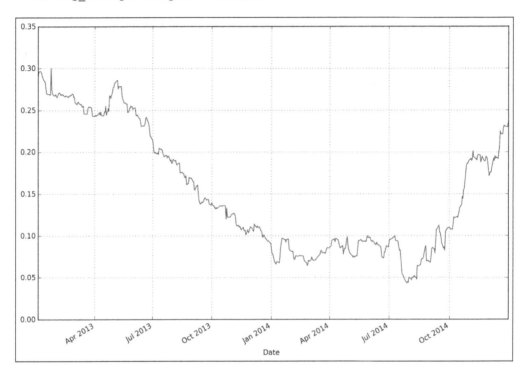

Least-squares regression of returns

The correlations that we have examined up until this point show the relationship of the change in daily return from two investments. They do not capture the change in the volatility between two investments. This can be calculated using least-squares regression using the pandas `ols()`, the ordinary least-squares function.

The following command calculates this on the returns of AAPL and MSFT:

In [47]:

```
model = pd.ols(y=daily_pct_change['AAPL'],
              x={'MSFT': daily_pct_change['MSFT']},
              window=250)
model
```

Out[47]:

```
------------------Summary of Regression Analysis------------------


Formula: Y ~ <MSFT> + <intercept>


Number of Observations:        250
Number of Degrees of Freedom:  2


R-squared:          0.0535
Adj R-squared:      0.0497


Rmse:               0.0132


F-stat (1, 248):   14.0223, p-value:      0.0002


Degrees of Freedom: model 1, resid 248


-----------------Summary of Estimated Coefficients----------------
 Variable    Coef    Std Err    t-stat    p-value    CI 2.5%    CI 97.5%
------------------------------------------------------------------
     MSFT 0.2617    0.0699      3.74     0.0002     0.1247      0.3987
intercept 0.0013    0.0008      1.56     0.1193    -0.0003      0.0030
----------------------End of Summary------------------------
```

The beta from the resulting model gives us an idea of the relationship between the changes in volatility of the two stocks over the period:

In [48]:
```
model.beta[0:5]  # what is the beta?
```

Out[48]:
```
            MSFT  intercept
Date
2012-12-31  0.394      0.001
2013-01-02  0.407      0.001
2013-01-03  0.413      0.001
2013-01-04  0.421      0.001
2013-01-07  0.420      0.001
```

Also, this can be easily plotted, as shown here:

```
In [49]:
    _ = model.beta['MSFT'].plot(figsize=(12, 8)); # plot the beta
```

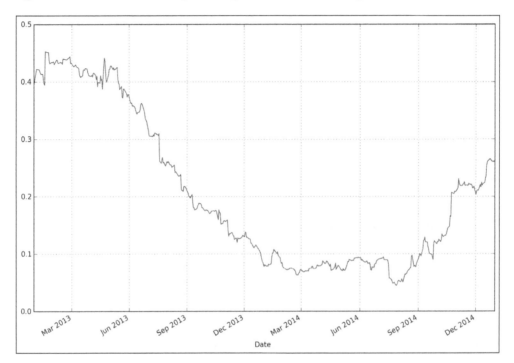

Comparing stocks to the S&P 500

The analyses until this point have been performed only between stocks. It is often useful to perform some of these against a market index such as the S&P 500. This will give a sense of how those stocks compare to movements in the overall market.

At the beginning of the chapter, we loaded the S&P 500 data for the same time period as the other stocks. To perform comparisons, we can perform the same calculations to derive the daily percentage change and cumulative returns on the index:

```
In [50]:
    sp_500_dpc = sp_500['Adj Close'].pct_change().fillna(0)
    sp_500_dpc[:5]
```

```
Out[50]:
    Date
    2012-01-03    0.000
    2012-01-04    0.000
    2012-01-05    0.003
    2012-01-06   -0.003
    2012-01-09    0.002
    Name: Adj Close, dtype: float64
```

We can concatenate the index calculations in the results of the calculations of the stocks. This will let us easily compare the overall set of stocks and index calculations:

```
In [51]:
    dpc_all = pd.concat([sp_500_dpc, daily_pct_change], axis=1)
    dpc_all.rename(columns={'Adj Close': 'SP500'}, inplace=True)
    dpc_all[:5]
```

```
Out[51]:
                  SP500      AA   AAPL   ...     MSFT    PEP     UAL
    Date                                 ...
    2012-01-03   0.00e+00   0.00   0.00  ...     0.00   0.00    0.00
    2012-01-04   1.88e-04   0.02   0.01  ...     0.02   0.01   -0.02
    2012-01-05   2.94e-03  -0.01   0.01  ...     0.01  -0.01   -0.01
    2012-01-06  -2.54e-03  -0.02   0.01  ...     0.02  -0.01   -0.01
    2012-01-09   2.26e-03   0.03  -0.00  ...    -0.01   0.01   -0.02
```

Now, we calculate the cumulative daily returns with the following command:

```
In [52]:
    cdr_all = (1 + dpc_all).cumprod()
    cdr_all[:5]
```

```
Out[52]:
                 SP500     AA   AAPL   ...    MSFT    PEP    UAL
    Date                               ...
    2012-01-03      1    1.00   1.00   ...    1.00   1.00   1.00
    2012-01-04      1    1.02   1.01   ...    1.02   1.01   0.98
    2012-01-05      1    1.01   1.02   ...    1.03   1.00   0.97
```

```
2012-01-06        1  0.99  1.03  ...    1.05  0.98  0.96
2012-01-09        1  1.02  1.03  ...    1.04  0.99  0.95
```

Also, we will calculate the correlation of the daily percentage change values as follows:

```
In [53]:
   dpc_corrs = dpc_all.corr()
   dpc_corrs
```

```
Out[53]:
```

	SP500	AA	AAPL	...	MSFT	PEP	UAL
SP500	1.00	0.60	0.41	...	0.54	0.52	0.32
AA	0.60	1.00	0.24	...	0.31	0.23	0.22
AAPL	0.41	0.24	1.00	...	0.19	0.09	0.06
DAL	0.42	0.25	0.14	...	0.15	0.17	0.76
GE	0.73	0.46	0.24	...	0.34	0.38	0.24
IBM	0.53	0.31	0.21	...	0.36	0.26	0.12
KO	0.53	0.23	0.16	...	0.27	0.56	0.14
MSFT	0.54	0.31	0.19	...	1.00	0.28	0.13
PEP	0.52	0.23	0.09	...	0.28	1.00	0.13
UAL	0.32	0.22	0.06	...	0.13	0.13	1.00

```
[10 rows x 10 columns]
```

Of interest in the correlations is each stock relative to the S&P 500. We can extract this with the following command:

```
In [54]:
   dpc_corrs.ix['SP500']
```

```
Out[54]:
   SP500     1.00
   AA        0.60
   AAPL      0.41
   DAL       0.42
   GE        0.73
   IBM       0.53
   KO        0.53
```

```
MSFT        0.54
PEP         0.52
UAL         0.32
Name: SP500, dtype: float64
```

GE shows that it moved in the most similar way to the S&P 500, while UAL showed that it moved the least like the index. A plot of the returns shows this, as GE indeed follows right along the S&P 500, which was quite a good investment relative to the S&P 500 after March 2013:

In [55]:

```
_ = cdr_all[['SP500', 'GE', 'UAL']].plot(figsize=(12,8));
```

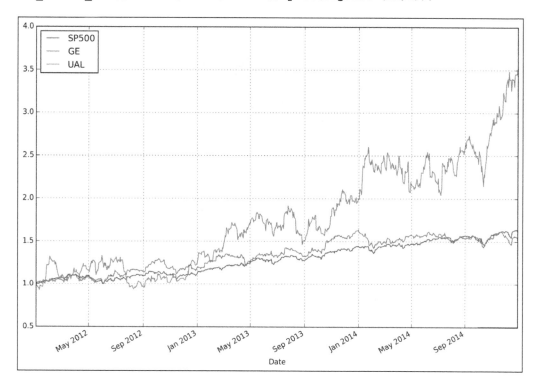

We can examine these conclusions with scatter plots of both against the S&P 500, as shown here:

In [56]:

```
render_scatter_plot(dpc_all, 'GE', 'SP500')
plt.savefig('5104_05_23.png', bbox_inches='tight', dpi=300)
```

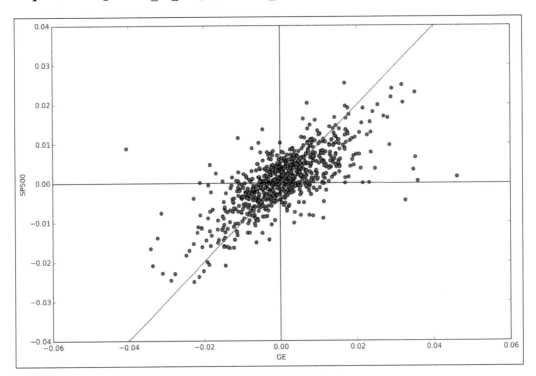

Here's another plot:

In [57]:

```
render_scatter_plot(dpc_all, 'UAL', 'SP500')
```

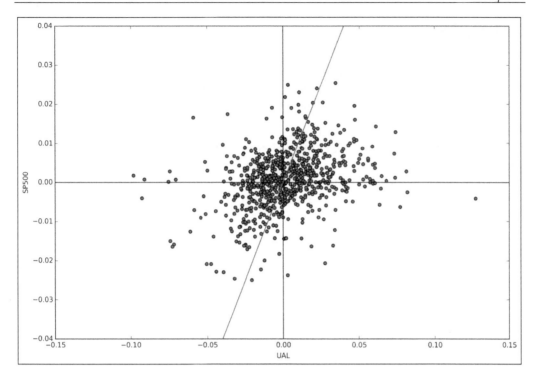

This shows that GE is fairly tightly correlated to the S&P 500. UAL has a much more distributed cluster of points around the origin, which supports that it has a lot less correlation.

Summary

In this chapter, we examined various means of performing the analysis of stock and index data. We started with loading historical quotes from Yahoo! Finance, moved on to how to create various visualizations for this data, and then to performing various financial analyses that are common for analyzing stock market data.

We focused in this chapter purely upon the analysis of historical data. We neither made any attempts to use this data to predict the future and to make decisions on trade execution, nor did we look at the management of portfolios, where historical data can be used to calculate optimal portfolios. We will come to both of these chapters later in the book, where the techniques in this chapter will be leveraged to help with those concepts.

6

Trading Using Google Trends

Several years ago, a paper titled *Quantifying Trading Behavior in Financial Markets Using Google Trends* was published in Scientific Reports. This paper asked this question: "Is it possible to predict efficient trading strategies based upon the frequency of certain words in Google searches?"

The authors went through a number of interesting steps involved in gathering data and performing analyses. They derived a set of financial keywords from the Financial Times website that they thought were good words for examining patterns of search for financial information.

With this, they built a robust set of keywords using Google Sets (which is now defunct). Using those keywords, they collected Google Trends data on those words over a period of years and defined a trading execution plan to buy or sell based upon the changes in the search history on all of their terms. They ran the strategies for all the keywords and ranked the value of their investments for each search phrase.

What was their conclusion? It appears to be very likely that this can be used to beat random investment in the S&P 500 index. This result is perhaps debatable, but the process itself is an interesting one to attempt using pandas. It demonstrates the bringing in of historical data from multiple sources and using the statistical analysis of one stream of data to make decisions on investing and valuating a portfolio based on another stream.

In this chapter, we will investigate by gathering much of the data that they collected and in reproducing their results as closely as possible (and we will be very close to their results). All of the steps that they performed can be simply reproduced using pandas. Together, they provide an excellent example of social data collection and how it can be applied to make money. They also present a very interesting introduction to using pandas to develop trading strategies, which this book will now turn its attention to and run with for its remainder.

We will go through the following topics in detail:

- A brief summary of Quantifying Trading Behavior in Financial Markets Using Google Trends
- Retrieving trend data from Google Trends
- Obtaining Dow Jones Index data from Quandl
- Generating trade orders
- Calculating investment results
- Conclusions

 For your reference, the paper is available at http://www.nature. com/srep/2013/130425/srep01684/full/srep01684.html.

Notebook setup

The workbook and examples will all require the following code to execute and format output. It is similar to the previous chapters but also includes matplotlib imports to support many of the graphics that will be created, several options to fit data to the page in the text, the CSV (comma separated value) framework and the RE (regular expression) framework. Here's the code I am talking about:

```
In [1]:
    import pandas as pd
    import numpy as np
    import datetime as dt
    import matplotlib.pyplot as plt
    import pandas.io.data as web


    pd.set_option('display.notebook_repr_html', False)
    pd.set_option('display.max_columns', 8)
    pd.set_option('display.max_rows', 10)
    pd.set_option('display.width', 78)
    pd.set_option('precision', 6)


    %matplotlib inline
```

A brief on Quantifying Trading Behavior in Financial Markets Using Google Trends

The authors of this paper state that financial markets are a prime target for investigating the prediction of market movements based upon the social habits of people searching for and gathering information to gain a competitive advantage in order to capture opportunities for personal financial gain.

They go on to investigate whether search query data from Google Trends can historically be used to provide insights into the information gathering process that leads up to making trading decisions in the stock market.

The authors gather data from Google Trends and **Dow Jones Industrial Average (DJIA)** for the period of 2004-01-01 to 2011-02-28. They seed the process with some financial terms (specifically the term, debt) that can yield a bias towards the search for financial results. They take the initial set of terms and then build a larger set of terms using Google Sets to suggest more search terms based upon the seed terms. They decide upon using 98 different search terms and analyze trading decisions made upon the volume of the searches on each of those terms.

They use weekly DJIA closing values on the first trading day of the week, usually Monday but occasionally Tuesday. Google Trends data is reported on a Sunday through Saturday interval.

To be able to relate search behavior in Google to market movements, the authors correlate the volumes of search terms relative to the movement of the DJIA. The authors then propose a trading strategy, where, if the average number of searches for a term on Google has increased at the end of a three-week window, then there should be an upturn in the market the following week. Therefore, a trader should take a long position, transferring all current holdings into the newly identified position. Given the property prediction of market gains, a profit will be made over that one week period due to the increase in the value of the investment.

If the number of searches at the end of the three-week period has decreased from the previous three-week average, then we should go short and sell our holdings at the end of the first day of the next trading week, and then buy them back at the beginning of the next week. If the market moves down during this period, then we will have profited.

The authors also present an analysis of the performance of their strategy. This analysis is based upon the search term "debt" and how their position increased based upon their strategy. This is represented in the following graph by the solid blue line and shows they produced 326 percent:

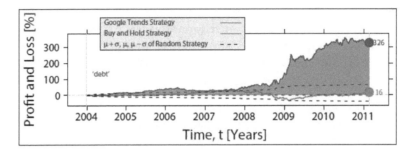

The dashed lines represent the standard deviation of the cumulative return for a strategy that involves buying and selling financial instruments in an uncorrelated and random manner, and the results are derived from the simulation of 10,000 realizations of the random strategy. Their conclusion is that there is a significantly large enough difference in the results of their Google Trends strategy over the random strategies to determine that that is validity to their assertion.

They do neglect transaction fees, stating that their strategy only involves 104 transactions per year but could have an effect on the results if taken into account. They state that they ignored the transaction fees as their goal is to determine the overall effectiveness of relating social data to market movement to gain advantage as a trader.

In our analysis in this chapter, we will proceed with gathering Google Trends data for the search term "debt" for the same period of time as in the paper, along with DJIA data, and set up a model for replicating this investment strategy. Our goal is not to validate their research but to be able to learn various concepts and their implementation in Python with pandas. From this, you will learn valuable skills to obtain and relate data from disparate data feeds, model a trading strategy, and use a trading back-tester to evaluate the effectiveness of the strategies.

Data collection

Our goal will be to create a `DataFrame`, which contains both the authors' DJIA and Google Trends data combined with data that we also collect dynamically from the Web for each. We will check that our data conforms to what they had collected, and then we will use our data to simulate trades based upon their algorithm.

The data used in the study is available on the Internet. I have included it in the examples for the text. But we will also dynamically collect this information to demonstrate those processes using pandas. We will perform the analysis both on the data provided by the authors as well as our freshly collected data.

Unfortunately, but definitely not uncommon in the real world, we will also run into several snags in data collection that we need to work around. First, Yahoo! no longer provides DJIA data, so we can't fetch that data with the `DataReader` class of pandas. We will get around Yahoo! Finance no longer providing DJIA data using a web-based service named Quandl, which is a good service to also introduce to a reader of this text.

Second, Google Sets, used by the authors to derive their search terms, is now defunct—having been turned off by Google. That is actually disappointing, but we are just going to model results on the single search term "debt", which the authors claim had the best results.

Third, access to Google Trends data is, for lack of a better description, wonky. I will provide a `.csv` file that we will use, but we will also take time to discuss dynamically downloading the data.

The data from the paper

The data from the paper is available on the Internet, but I have also included it in the data folder of the code samples. It can be loaded into pandas using the following command:

```
In [2]:
    paper = pd.read_csv('PreisMoatStanley2013.dat',
                        delimiter=' ',
                        parse_dates=[0,1,100,101])
    paper[:5]
```

```
Out[2]:
    Google Start Date Google End Date     arts  banking    ... \
  0        2004-01-04      2004-01-10  0.95667  0.19333    ...
  1        2004-01-11      2004-01-17  0.97000  0.20333    ...
  2        2004-01-18      2004-01-24  0.92667  0.19667    ...
  3        2004-01-25      2004-01-31  0.95000  0.19667    ...
  4        2004-02-01      2004-02-07  0.89333  0.20333    ...
```

	water	world	DJIA Date	DJIA Closing Price
0	1.91333	4.83333	2004-01-12	10485.18
1	1.93333	4.76667	2004-01-20	10528.66
2	1.89333	4.60000	2004-01-26	10702.51
3	1.92000	4.53333	2004-02-02	10499.18
4	1.88667	4.53333	2004-02-09	10579.03

[5 rows x 102 columns]

The data from the paper is a single file containing all of the DJIA data combined with a normalization of the search volume for each of their 98 keywords. Each keyword used for a search is represented as a column.

We want to extract from each row the values in the debt column, the Google Trends Week End date, and the closing price and date for the DJIA. We can do this with the following pandas code:

```
In [3]:
    data = pd.DataFrame({'GoogleWE': paper['Google End Date'],
                         'debt': paper['debt'].astype(np.float64),
                         'DJIADate': paper['DJIA Date'],
                         'DJIAClose': paper['DJIA Closing Price']
                         .astype(np.float64)})
    data[:5]
```

```
Out[3]:
```

	DJIAClose	DJIADate	GoogleWE	debt
0	10485.18	2004-01-12	2004-01-10	0.21000
1	10528.66	2004-01-20	2004-01-17	0.21000
2	10702.51	2004-01-26	2004-01-24	0.21000
3	10499.18	2004-02-02	2004-01-31	0.21333
4	10579.03	2004-02-09	2004-02-07	0.20000

The paper's Google Trends data has been normalized relative to all of their resulting searches. We will see the raw values when we get this data on our own. The important thing with this data is not actually the value but the change in value over time, which can be used to represent the relative change in search volumes for the given period.

Gathering our own DJIA data from Quandl

It has historically been possible to retrieve DJIA data from Yahoo! Finance using the pandas `DataReader` class. Unfortunately, Yahoo! has stopped providing DJIA data, so we need an alternative to get this data. We can retrieve this data from Quandl (`https://www.quandl.com/`). Quandl is a provider of datasets specifically related to quantitative analysis. An account can be created for free, and they provide API-based access to their data. They also provide client libraries for multiple languages, including Python, Java, and C#. In *Chapter 1, Getting Started with pandas Using Wakari.io*, we added their library to our Python environment. Here's the command for this discussion:

```
In [4]:
    import Quandl
    djia = Quandl.get("YAHOO/INDEX_DJI",
                      trim_start='2004-01-01',
                      trim_end='2011-03-05')
```

Alternatively, you can load this data from a file provided with the code packet for the text:

```
In [5]:
    # djia = pd.read_csv("djia.csv", index_col=0)
```

The following command gives us an overview of the data that was retrieved. It is a set of daily variables from the DJIA between and including the specified dates:

```
In [6]:
    djia[:3]
```

```
Out[6]:
                Open     High      Low    Close   Volume  Adjusted Close
    Date
    2004-01-02 10452.7  10527.0  10384.3  10409.9  1688900         10409.9
    2004-01-05 10411.9  10544.1  10411.9  10544.1  2212900         10544.1
    2004-01-06 10543.9  10549.2  10499.9  10538.7  1914600         10538.7
```

We would now like to merge the `Close` values in this data into our `DataFrame`. We will want to do this by aligning our dates with the data in the `DJIADate` column. We also want to drop all of the days the data of which does not align. We can do this simply with a pandas merge. To perform this, we first need to extract the `Close` values and move the dates from the index to a column, as shown here:

```
In [7]:
   djia_closes = djia['Close'].reset_index()
   djia_closes[:3]
```

```
Out[7]:
         Date     Close
   0  2004-01-02  10409.9
   1  2004-01-05  10544.1
   2  2004-01-06  10538.7
```

Now, we will create a new `DataFrame` object with the two datasets merged based upon the `DJIADate` and `Date` columns from the two respective `DataFrame` objects (we drop the `DJIADate` column from the result as it is redundant and set `Date` to be the index), as follows:

```
In [8]:
   data = pd.merge(data, djia_closes,
                   left_on='DJIADate', right_on='Date')
   data.drop(['DJIADate'], inplace=True, axis=1)
   data = data.set_index('Date')
   data[:3]
```

```
Out[8]:
              DJIAClose   GoogleWE   debt    Close
   Date
   2004-01-12  10485.18  2004-01-10  0.21  10485.2
   2004-01-20  10528.66  2004-01-17  0.21  10528.7
   2004-01-26  10702.51  2004-01-24  0.21  10702.5
```

Upon examining this data, it is evident that there is a fairly good match between the DJIA closing prices. If we plot both series next to each other, we will see that they are practically identical. The following is the command to plot the data:

```
In [17]:
    data[['DJIAClose', 'Close']].plot(figsize=(12,8));
```

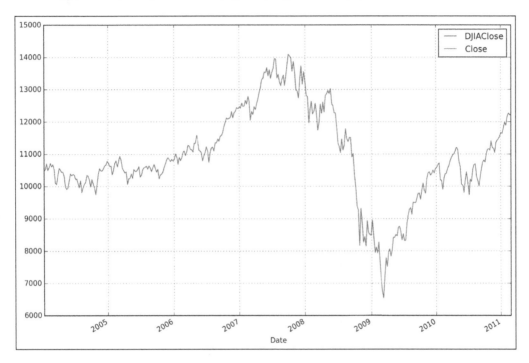

We can also check the statistics of the differences in the values, as shown here:

```
In [10]:
    (data['DJIAClose']-data['Close']).describe()

Out[10]:
    count      371.00000
    count      373.00000
    mean        -0.00493
    std          0.03003
    min         -0.05000
    25%         -0.03000
```

50%	-0.01000
75%	0.02000
max	0.04000

dtype: float64

The overall differences appear to be well less than one-tenth of a point and seem likely to be just from rounding errors.

One final check can examine the correlation of the two series of data:

```
In [11]:
  data[['DJIAClose', 'Close']].corr()
```

```
Out[11]:
              DJIAClose    Close
  DJIAClose           1        1
  Close               1        1
```

There is a perfect positive correlation. With this summarizing performed, we can have strong confidence that our data is prepared properly.

Google Trends data

The authors provided their own version of Google Trends data for the term "debt". This is convenient, but we want to get our own Google Trends data. Unfortunately, there does not currently appear to be any API access to this data. But there are several ways that we can go about retrieving it. One way is to use the mechanize framework to automate a web-crawling process. Another way, which is what we will do, is to use the web portal to download the CSV for the data we want.

You can search in your browser for any term and get the associated trend data at `http://www.google.com/trends/`. The following command demonstrates the result of searching for the term `debt`:

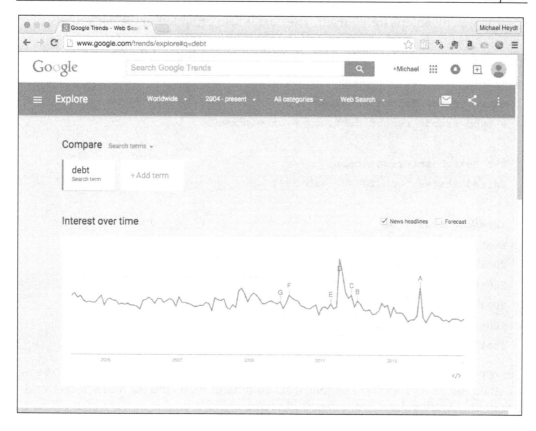

This is pretty but not usable in our pandas application. Fortunately, if we go to the options button, we see the option **Download as CSV**, as shown in the following screenshot:

You can download this for yourself. The data is also provided in the data folder of the samples for the book. The name of the file is trends_report_debt.csv. The following command shows the contents of the first few lines of the file:

```
In [12]:
    !head trends_report_debt.csv
    # type trends_report_debt.csv # on windows


    Web Search interest: debt
    United States; Jan 2004 - Feb 2011


    Interest over time
    Week,debt
    2004-01-04 - 2004-01-10,63
    2004-01-11 - 2004-01-17,60
    2004-01-18 - 2004-01-24,61
    2004-01-25 - 2004-01-31,63
    2004-02-01 - 2004-02-07,61
```

This is not a particularly friendly CSV file, and we need to do a little bit of processing to extract the data properly. The following command reads the file and selects trend data in the range of dates we are working with:

```
In [13]:
    from StringIO import StringIO
    with open("trends_report_debt.csv") as f:
        data_section = f.read().split('\n\n')[1]
        trends_data = pd.read_csv(
            StringIO(data_section),
            header=1, index_col='Week',
            converters={
                'Week': lambda x: pd.to_datetime(x.split(' ')[-1])
            }
        )
    our_debt_trends = trends_data['2004-01-01':'2011-02-28'] \
                                 .reset_index()
```

```
    our_debt_trends[:5]
Out[13]:

          Week  debt
0  2004-01-10    63
1  2004-01-17    60
2  2004-01-24    61
3  2004-01-31    63
4  2004-02-07    61
```

The numbers do not represent an actual count of the number of searches. It is simply a number provided by Google that you can use to compare with the other periods in the dataset to get a sense of how the volume changes. I'm sorry about the fact that they keep the good data to themselves, but there is enough here for us to work with.

We can start by combining this data into our dataset and check how well they conform. We will do the same as before and use pd.merge(). This time, we will join on the GoogleWE column on the left and the Week column on the right. The following command performs the merge, renames debt columns, and moves the indexes around:

```
In [14]:

    final = pd.merge(data.reset_index(), our_debt_trends,
                     left_on='GoogleWE', right_on='Week',
                     suffixes=['_P', '_O'])
    final.drop('Week', inplace=True, axis=1)
    final.set_index('Date', inplace=True)
    final[:5]


Out[14]:

            DJIAClose    GoogleWE     debtP    Close    debtO
Date
2004-01-12   10485.18  2004-01-10  0.21000  10485.2       63
2004-01-20   10528.66  2004-01-17  0.21000  10528.7       60
2004-01-26   10702.51  2004-01-24  0.21000  10702.5       61
2004-02-02   10499.18  2004-01-31  0.21333  10499.2       63
2004-02-09   10579.03  2004-02-07  0.20000  10579.0       61
```

We can create a new `DataFrame` with the normalized trend data from both the paper and our trend data (indexed by `GoogleWE`) and check to see how closely our trend data correlates with that used in the paper:

```
In [15]:
    combined_trends = final[['GoogleWE', 'debtP', 'debtO']] \
                        .set_index('GoogleWE')
    combined_trends[:5]
```

```
Out[15]:
                     DebtP        debtO

    GoogleWE
    2004-01-10       0.21000        63
    2004-01-17       0.21000        60
    2004-01-24       0.21000        61
    2004-01-31       0.21333        63
    2004-02-07       0.20000        61
```

A correlation between these series shows that they are highly correlated. There is some difference as the data retrieved from Google is constantly renormalized and will cause small differences in the trend data that was captured earlier:

```
In [16]:
    combined_trends.corr()
```

```
Out[16]:
             debtP      debtO
    debtP   1.00000    0.95766
    debtO   0.95766    1.00000
```

Plotting these two against each other, we can see they are very closely correlated:

```
In [17]:
    fig, ax1 = plt.subplots(figsize=(12,8))
    ax1.plot(combined_trends.index,
            combined_trends.debtP, color='b')
    ax2 = ax1.twinx()
    ax2.plot(combined_trends.index,
            combined_trends.debtO, color='r')
    plt.show()
```

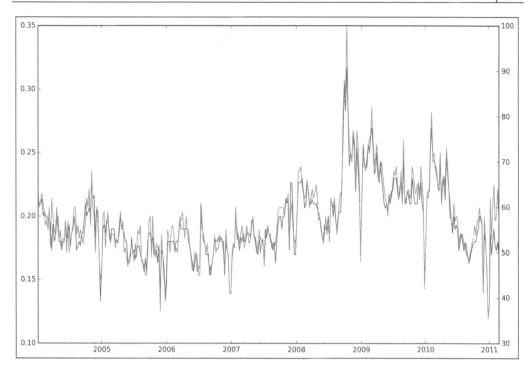

Generating order signals

In the trading strategy that we will define, we want to be able to decide whether there is enough movement in the volume of searches on debt to go and execute a trade in the market that will make us a profit. The paper defines this threshold as though there is a higher search volume at the end of a Google Trends week than in the previous three-week average of the search volume, and then we will go short. If there is a decline, we will go long the following week.

The first thing we will need to do is reorganize our data by moving the GoogleWE dates into the index. We are going to make our decisions based upon these week-ending dates and use the Close price in an associated record as the basis for our trade as that price represents the Close price at the beginning of the next week. We also drop the DJIAClose column as it is redundant with Close:

```
In [18]:
    base = final.reset_index().set_index('GoogleWE')
    base.drop(['DJIAClose'], inplace=True, axis=1)
    base[:3]
```

```
Out[18]:
```

	Date	debtP	Close	debtO
GoogleWE				
2004-01-10	2004-01-12	0.21	10485.2	63
2004-01-17	2004-01-20	0.21	10528.7	60
2004-01-24	2004-01-26	0.21	10702.5	61

We now need to calculate the moving average of the previous three weeks for each week. This is easily performed with pandas, and the following command will compute the moving average for both the trends provided in the paper and the data we just collected from Google Trends:

```
In [19]:
    base['PMA'] = pd.rolling_mean(base.debtP.shift(1), 3)
    base['OMA'] = pd.rolling_mean(base.debtO.shift(1), 3)
    base[:5]
```

```
Out[19]:
```

	Date	debtP	Close	debtO	PMA	OMA
GoogleWE						
2004-01-10	2004-01-12	0.21000	10485.2	63	NaN	NaN
2004-01-17	2004-01-20	0.21000	10528.7	60	NaN	NaN
2004-01-24	2004-01-26	0.21000	10702.5	61	NaN	NaN
2004-01-31	2004-02-02	0.21333	10499.2	63	0.21000	61.33333
2004-02-07	2004-02-09	0.20000	10579.0	61	0.21111	61.33333

The code shifts the calculated values by one week. This is because we need the three previous weeks' rolling mean at each week. Not shifting would include the current week in the average, and we want to make decisions on the prior three.

We now need to make a decision on how to execute based upon this information. This is referred to as generating order signals. The current organization of the data makes this simple to perform as we need to simply subtract the moving average from the current trend value for each week. If there is a decrease, we assign 1 as a value, and we assign -1 as a value in the opposite situation:

```
In [20]:
    base['signal0'] = 0 # default to 0
    base.loc[base.debtP > base.PMA, 'signal0'] = -1
    base.loc[base.debtP < base.PMA, 'signal0'] = 1
    base['signal1'] = 0
```

```
base.loc[base.debtO > base.OMA, 'signal1'] = -1
base.loc[base.debtO < base.OMA, 'signal1'] = 1
base[['debtP', 'PMA', 'signal0', 'debtO', 'OMA', 'signal1']]
```

Out[20]:

	debtP	PMA	signal0	debtO	OMA	signal1
GoogleWE						
2004-01-10	0.21000	NaN	0	63	NaN	0
2004-01-17	0.21000	NaN	0	60	NaN	0
2004-01-24	0.21000	NaN	0	61	NaN	0
2004-01-31	0.21333	0.21000	-1	63	61.33333	-1
2004-02-07	0.20000	0.21111	1	61	61.33333	1
...	...	...	...	...	...	...
2011-01-29	0.19000	0.17889	-1	65	58.33333	-1
2011-02-05	0.17667	0.18000	1	57	59.33333	1
2011-02-12	0.17333	0.18222	1	58	60.66667	1
2011-02-19	0.18000	0.18000	1	64	60.00000	-1
2011-02-26	0.17000	0.17667	1	58	59.66667	1

```
[373 rows x 6 columns]
```

The trade signals based on our data are very similar but have slight differences due to the difference in the normalization of the data.

Computing returns

Every week, we will reinvest the entirety of our portfolio. Because of this, the return on the investment over the week will be reflected simply by the percentage change in the DJIA between the close of the first Monday and the close of the following Monday, but with the factor taken into account on whether we went short or long.

We have already accounted for going short or long using -1 or 1 for the signal, respectively. Now, we just need to calculate the percentage change, shift it by one week back in time, and multiply it by the signal value. We shift the percentage change back one week as we want to multiply the signal value for the current week by the next percentage change from the next week:

```
In [21]:
    base['PctChg'] = base.Close.pct_change().shift(-1)
    base[['Close', 'PctChg', 'signal0', 'signal1']][:5]
```

```
Out[21]:
                Close    PctChg  signal0  signal1
    GoogleWE
    2004-01-10  10485.2   0.00415        0        0
    2004-01-17  10528.7   0.01651        0        0
    2004-01-24  10702.5  -0.01900        0        0
    2004-01-31  10499.2   0.00760       -1       -1
    2004-02-07  10579.0   0.01285        1        1
```

To calculate the returns gained each week, we simply multiply the signal value by the percentage change (we will do this for both signals for both sets of trends):

```
In [22]:
    base['ret0'] = base.PctChg * base.signal0
    base['ret1'] = base.PctChg * base.signal1
    base[['Close', 'PctChg', 'signal0', 'signal1',
          'ret0', 'ret1']][:5]
```

```
Out[22]:
                Close    PctChg  signal0  signal1      ret0      ret1
    GoogleWE
    2004-01-10  10485.2   0.00415        0        0   0.00000   0.00000
    2004-01-17  10528.7   0.01651        0        0   0.00000   0.00000
    2004-01-24  10702.5  -0.01900        0        0  -0.00000  -0.00000
    2004-01-31  10499.2   0.00760       -1       -1  -0.00760  -0.00760
    2004-02-07  10579.0   0.01285        1        1   0.01285   0.01285
```

Cumulative returns and the result of the strategy

We now have all the weekly returns based upon our strategy. We can calculate the overall net percentage return of the investments at the end by applying the cumulative product of $1 +$ base.ret0 (the return of each week) and then subtracting 1 from the cumulative product:

```
In [23]:
    base['cumret0'] = (1 + base.ret0).cumprod() - 1
    base['cumret1'] = (1 + base.ret1).cumprod() - 1
    base[['cumret0', 'cumret1']]
```

```
Out[23]:
                cumret0    cumret1
    GoogleWE
    2004-01-10  0.00000   0.00000
    2004-01-17  0.00000   0.00000
    2004-01-24  0.00000   0.00000
    2004-01-31 -0.00760  -0.00760
    2004-02-07  0.00515   0.00515
    ...              ...        ...
    2011-01-29  2.70149   0.84652
    2011-02-05  2.73394   0.86271
    2011-02-12  2.71707   0.85430
    2011-02-19  2.72118   0.85225
    2011-02-26      NaN       NaN

    [373 rows x 2 columns]
```

At the end of our run of this strategy, we can see that we have made a profit. We now plot the returns based on the data from the paper:

```
In [24]:
base['cumret0'].plot(figsize=(12,4));
```

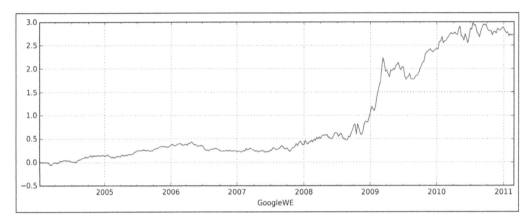

This shows that our implementation of the strategy produces a very similar result to that published in the paper. We only obtained a 271 percent increase in value compared to their stated return of 326 percent, but the curve almost identically follows the same path as theirs. This suggests that our strategy executes similarly to theirs although there must be some slight differences in the calculations of some of the decisions. The important thing is you learned a number of concepts in pandas.

When we used our own data from Google Trends, we still had gains but not to the extent they received using their trend data. We now plot the two sets of data using the following command:

```
In [25]:
    data[['cumret0', 'cumret1']].plot(figsize=(12,4));
```

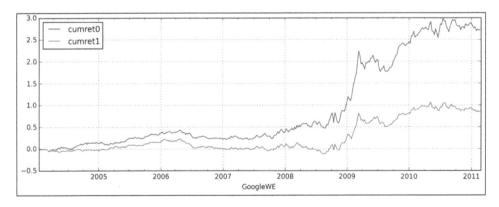

Although the trend data we received from Google followed very similar paths, small differences in the data can be seen when examining the order signals that will make the accumulation of returns more modest. This is likely to be because there is an overall sensitivity around where the total change in volume of the search term is very close to 0, but the strategy still decides to execute one way or the other and causes returns to not grow as rapidly. But again, we are not analyzing the correctness of their results but seeing whether we can replicate the process and decision making using pandas.

Summary

In this chapter, we took an in-depth look at collecting a type of social data and using it to see whether we could identify trends in the data that can be correlated with market movements in order to gain an advantage over the general movement of the market. We did this by reproducing results from a published paper, which concludes that it is possible. We were able to reproduce very similar results and you learned a general process of analyzing data and making decisions on trading in the market.

The best part of this is that during this process, you saw that pandas provides a very robust framework for financial time-series analysis as well as for the analysis of simple social data. You learned how to work with multiple time-series that have different frequencies and how to manipulate them to be able to have frequencies that can be aligned to be able to apply decisions made in one to execution in another. This included various concepts such as frequency conversion, grouping by year and day of week, generating signals based upon data, and shifting calculations back and forth to align properly to relate data at different periods to each other with simple pandas formulas.

But there is also a lot that we did not cover. Our strategy was based purely on historical data and can lead to a look-ahead bias. It also did not cover the effects that our trades may have on the actual market. It did not factor in transaction costs. Perhaps most significantly, we did not perform the simulation of alternative strategies.

In the upcoming chapters, we will dive into each of these concepts (and more). In the next chapter on algorithmic trading, we will start to look at more elaborate strategies for investing in the market where we do not have perfect knowledge, need to learn on the fly, and make decisions based on imperfect data.

7
Algorithmic Trading

In this chapter, we will examine how to use pandas and a library known as **Zipline** to develop automated trading algorithms. Zipline (http://www.zipline.io/) is a Python-based algorithmic trading library. It provides event-driven approximations of live-trading systems. It is currently used in production as the trading engine that powers Quantopian (https://www.quantopian.com/), a free, community-centered platform for collaborating on the development of trading algorithms with a web browser.

We previously simulated trading based on a historical review of social and stock data, but these examples were naive in that they glossed over many facets of real trading, such as transaction fees, commissions, and slippage, among many others. Zipline provides robust capabilities to include these factors in the trading model.

Zipline also provides a facility referred to as backtesting. Backtesting is the ability to run an algorithm on historical data to determine the effectiveness of the decisions made on actual market data. This can be used to vet the algorithm and compare it to others in an effort to determine the best trading decisions for your situation.

We will examine three specific and fundamental trading algorithms: simple crossover, dual moving average crossover, and pairs trade. We will first look at how these algorithms operate and make decisions, and then we will actually implement these using Zipline and execute and analyze them on historical data.

This chapter will cover the following topics in detail:

- The process of algorithmic trading
- Momentum and mean-reversion strategies
- Moving averages and their significance in automated decision making
- Simple and exponentially weighted moving averages
- Common algorithms used in algorithmic trading

- Crossovers, including simple and dual moving average crossovers
- Pairs trading strategies
- Implementing dual moving crossover and pairs trading algorithms in Zipline

Notebook setup

The Notebook and examples will all require the following code to execute and format output. Later in the chapter, we will import the Zipline package but only after first discussing how to install it in your Python environment:

```
In [1]:
    import pandas as pd
    import pandas.io.data as web
    import numpy as np
    from datetime import datetime
    import matplotlib.pyplot as plt
    %matplotlib inline

    pd.set_option('display.notebook_repr_html', False)
    pd.set_option('display.max_columns', 8)
    pd.set_option('display.max_rows', 10)
    pd.set_option('display.width', 78)
    pd.set_option('precision', 6)
```

The process of algorithmic trading

Algorithmic trading is the use of an automated system to execute trades in a market. These trades are executed in a predetermined manner using one or more algorithms and without human interaction. In this chapter, we will examine several common trading algorithms, along with tools that you can use in combination with pandas to determine the effectiveness of your trading algorithms.

Financial markets move in cycles. Proper identification of the movement of the market can lead to opportunities for profit by making appropriate and timely buys or sells of financial instruments. There are two broad categories for predicting movement in the market, which we will examine in this chapter: momentum strategies and mean-reversion strategies.

Momentum strategies

In momentum trading, trading focuses on stocks that are moving in a specific direction on high volume, measuring the rate of change in price changes. It is typically measured by continuously computing price differences at fixed time intervals. Momentum is a useful indicator of the strength or weakness of the price although it is typically more useful during rising markets as they occur more frequently than falling markets; therefore, momentum-based prediction gives better results in a rising market.

Mean-reversion strategies

Mean reversion is a theory in trading that prices and returns will eventually move back towards the mean of the stock or of another historical average, such as the growth of the economy or an industry average. When the market price is below the average price, a stock is considered attractive for purchase as it is expected that the price will rise and, hence, a profit can be made by buying and holding the stock as it rises and then selling at its peak. If the current market price is above the mean, the expectation is the price will fall and there is potential for profit in shorting the stock.

Moving averages

Whether using a momentum or mean-reversion strategy for trading, the analyses will, in one form or another, utilize moving averages of the closing price of stocks. We have seen these before when we looked at calculating a rolling mean. We will now examine several different forms of rolling means and cover several concepts that are important to use in order to make trading decisions based upon how one or more means move over time:

- Simple moving average
- Exponential moving average

Simple moving average

A moving average is a technical analysis technique that smooths price data by calculating a constantly updated average price. This average is taken over a specific period of time, ranging from minutes, to days, weeks, and months. The period selected depends on the type of movement of interest, such as making a decision on short-term, medium-term, or long-term investment.

Moving averages give us a means to relate the price data to determine a trend indicator. A moving average does not predict price direction but instead gives us a means of determining the direction of the price with a lag, which is the size of the window.

In financial markets, a moving average can be considered support in a rising market and resistance in a falling market.

 For more info on support and resistance, visit http://www. investopedia.com/articles/technical/061801.asp.

To demonstrate this, take a look at the closing price of MSFT for 2014 related to its 7-day, 30-day, and 120-day rolling means during the same period:

```
In [2]:
    msft = web.DataReader("MSFT", "yahoo",
                        datetime(2000, 1, 1),
                        datetime(2014, 12, 31))
    msft[:5]
```

```
Out[2]:
```

	Open	High	Low	Close	Volume	Adj Close
Date						
2000-01-03	117.38	118.62	112.00	116.56	53228400	41.77
2000-01-04	113.56	117.12	112.25	112.62	54119000	40.36
2000-01-05	111.12	116.38	109.38	113.81	64059600	40.78
2000-01-06	112.19	113.88	108.38	110.00	54976600	39.41
2000-01-07	108.62	112.25	107.31	111.44	62013600	39.93

Now, we can calculate the rolling means using pd.rolling_mean():

```
In [3]:
    msft['MA7'] = pd.rolling_mean(msft['Adj Close'], 7)
    msft['MA30'] = pd.rolling_mean(msft['Adj Close'], 30)
    msft['MA90'] = pd.rolling_mean(msft['Adj Close'], 90)
    msft['MA120'] = pd.rolling_mean(msft['Adj Close'], 120)
```

Then, we plot the price versus various rolling means to see this concept of support:

```
In [4]:
    msft['2014'][['Adj Close', 'MAm7',
                  'MA30', 'MA120']].plot(figsize=(12,8));
```

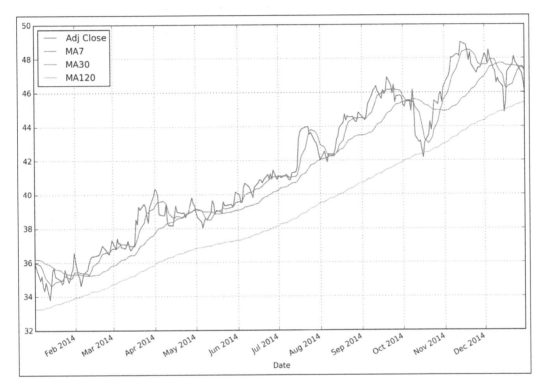

The price of MSFT had a progressive rise over 2014, and the 120-day rolling mean has functioned as a floor/support, where the price bounces off this floor as it approaches it. The longer the window of the rolling mean, the lower and smoother the floor will be in an uptrending market.

Contrast this with the price of the stock in 2002, when it had a steady decrease in value:

```
In [5]:
    msft['2014'][['Adj Close', 'MA7',
                   'MA30', 'MA120']].plot(figsize=(12,8));
```

In this situation, the 120-day moving average functions as a ceiling for about 9 months. This ceiling is referred to as resistance as it tends to push prices down as they rise up towards this ceiling.

The price does not always respect the moving average. In both of these cases, the prices have crossed over the moving average, and, at times, it has reversed its movement slightly before or just after crossing the average.

In general, though, if the price is above a particular moving average, then it can be said that the trend for that stock is up relative to that average and when the price is below a particular moving average, the trend is down.

The means of calculating the moving average used in the previous example is considered a **simple moving average (SMA)**. The example demonstrated calculated the 7, 30, and 120 SMA values.

While valuable and used to form the basis of other technical analyses, simple moving averages have several drawbacks. They are listed as follows:

- The shorter the window used, the more the noise in the signal feeds into the result

- Even though it uses actual data, it is lagging behind it by the size of the window

- It never reaches the peaks or valleys of the actual data as it is smoothing the data

- It does not tell you anything about the future

- The average calculated at the end of the window can be significantly skewed by the values earlier in the window that are significantly skewed from the mean

To help address some of these concerns, it is common to instead use an exponentially weighted moving average.

Exponentially weighted moving average

Exponential moving averages reduce the lag and effect of exceptional values early in a window by applying more weight to recent prices. The amount of weighting applied to the most recent price depends on the number of periods in the moving average and how the exponential function is formulated.

In general, the weighted moving average is calculated using the following formula:

$$y_t = \frac{\sum_{i=0}^{t} w_i x_{t-i}}{\sum_{i=0}^{t} w_i}$$

In the preceding formula, x_t is the input and y_t is the result.

The EW functions in pandas support two variants of exponential weights: The default, `adjust=True`, uses the following weights:

$$w_i = (1 - \alpha)^i w_i = (1 - \alpha)^i$$

When `adjust=False` is specified, moving averages are calculated using the following formula:

$$y_0 = x_0$$

The preceding formula is followed by this formula:

$$y_t = (1 - \alpha)y_{t-1} + \alpha x_t$$

This is equivalent to using weights:

$$w_i = \begin{cases} \alpha(1 - \alpha)^i & if\ i < t \\ (1 - \alpha)^i & if\ i = t. \end{cases}$$

However, instead of dealing with these formulas as described, pandas takes a slightly different approach to specifying the weighting. Instead of specifying an alpha between 0 and 1, pandas attempts to make the process less abstract by letting you specify alpha in terms of either *span*, *center of mass*, or *half life*:

$$\alpha = \begin{cases} \dfrac{2}{s + 1} & s = span \\ \dfrac{1}{1 + c} & c = center\ of\ mass \\ 1 - exp^{\frac{\log 0.5}{h}} & h = half\ life \end{cases}$$

One must specify precisely one of the three values to the `pd.ewma()` function at which point pandas will use the corresponding formulation for alpha.

As an example, a span of 10 corresponds to what is commonly referred to as a 10-day exponentially weighted moving average. The following command demonstrates the calculation of the percentage weights that will be used for each data point in a 10-span EWMA (`alpha=0.18181818`):

```
In [6]:
    periods = 10
    alpha = 2.0/(periods +1)
    factors = (1-alpha) ** np.arange(1, 11)
    sum_factors = factors.sum()
    weights = factors/sum_factors
    weights
```

```
Out[6]:
    array([ 0.21005616,   0.17186413,   0.14061611,   0.11504954,
    0.09413145, 0.07701664,   0.06301361,   0.05155659,   0.04218267,
    0.03451309])
```

The most recent value is weighted at 21 percent of the result, and this decreases by a factor (1-alpha) across all the points, and the total of these weights is equal to 1.0.

The center of mass option specifies the point where half of the number of weights would be on each side of the center of mass. In the case of a 10-period span, the center of mass is `5.5`. Data points 1, 2, 3, 4, and 5 are on one side, and 6, 7, 8, 9, and 10 are on the other. The actual weight is not taken into account—just the number of items.

The half-life specification specifies the period of time for the percentage of the weighting factor to become half of its value. For the 10-period span, the half-life value is `3.454152`. The first weight is `0.21`, and we would expect that to reduce to `0.105` just under halfway between points 4 and 5 (`1+3.454152=4.454152`). These values are `0.115` and `0.094`, and `0.105` is indeed between the two.

The following example demonstrates how the exponential weighted moving average differs from a normal moving average. It calculates both kinds of averages for a 90-day window and plots the results:

```
In [7]:
    span = 90
    msft_ewma = msft[['Adj Close']].copy()
    msft_ewma['MA90'] = pd.rolling_mean(msft_ewma, span)
    msft_ewma['EWMA90'] = pd.ewma(msft_ewma['Adj Close'],
                                  span=span)
    msft_ewma['2014'].plot(figsize=(12, 8));
```

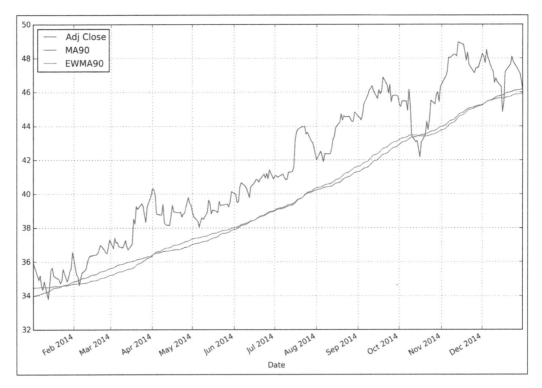

The exponential moving averages exhibit less lag, and, therefore, are more sensitive to recent prices and price changes. Since more recent values are favored, they will turn before simple moving averages, facilitating decision making on changes in momentum.

Comparatively, a simple moving average represents a truer average of prices for the entire time period. Therefore, a simple moving average may be better suited to identify the support or resistance level.

Technical analysis techniques

We will now cover two categories of technical analysis techniques, which utilize moving averages in different ways to be able to determine trends in market movements and hence give us the information needed to make potentially profitable transactions. We will examine how this works in this section, and in the upcoming section on Zipline, we will see how to implement these strategies in pandas and Zipline.

Crossovers

A crossover is the most basic type of signal for trading. The simplest form of a crossover is when the price of an asset moves from one side of a moving average to the other. This crossover represents a change in momentum and can be used as a point of making the decision to enter or exit the market.

The following command exemplifies several crossovers in the Microsoft data:

```
In [8]:
    msft['2002-1':'2002-9'][['Adj Close',
                           'MA30']].plot(figsize=(12,8));
```

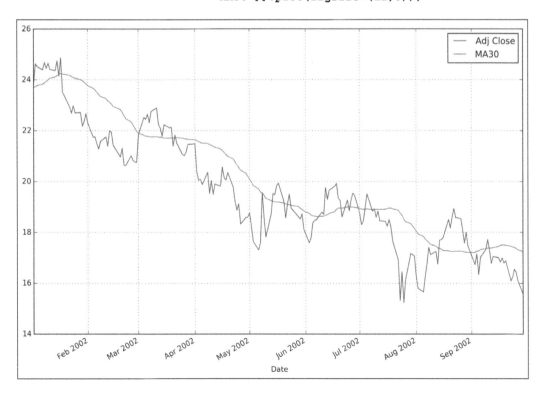

As an example, the cross occurring on July 09, 2002, is a signal of the beginning of a downtrend and would likely be used to close out any existing long positions. Conversely, a close above a moving average, as shown around August 13, may suggest the beginning of a new uptrend and a signal to go short on the stock.

A second type of crossover, referred to as a dual moving average crossover, occurs when a short-term average crosses a long-term average. This signal is used to identify that momentum is shifting in the direction of the short-term average. A buy signal is generated when the short-term average crosses the long-term average and rises above it, while a sell signal is triggered by a short-term average crossing long-term average and falling below it.

To demonstrate this, the following command shows MSFT for January 2002 through June 2002. There is one crossover of the 30- and 90-day moving averages with the 30-day crossing moving from above to below the 90-day average. This is a significant signal of the downswing of the stock during upcoming intervals:

```
In [9]:
    msft['2002-1':'2002-6'][['Adj Close', 'MA30', 'MA90']
                    ].plot(figsize=(12,8));
```

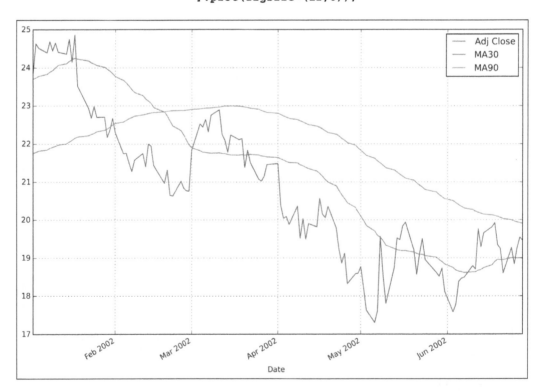

Pairs trading

Pairs trading is a strategy that implements a statistical arbitrage and convergence. The basic idea is that, as we have seen, prices tend to move back to the mean. If two stocks can be identified that have a relatively high correlation, then the change in the difference in price between the two stocks can be used to signal trading events if one of the two moves out of correlation with the other.

If the change in the spread between the two stocks exceeds a certain level (their correlation has decreased), then the higher-priced stock can be considered to be in a short position and should be sold as it is assumed that the spread will decrease as the higher-priced stock returns to the mean (decreases in price as the correlation returns to a higher level). Likewise, the lower-priced stock is in a long position, and it is assumed that the price will rise as the correlation returns to normal levels.

This strategy relies on the two stocks being correlated as temporary reductions in correlation by one stock making either a positive or negative move. This is based upon the effects on one of the stocks that outside of shared market forces. This difference can be used to our advantage in an arbitrage by selling and buying equal amounts of each stock and profiting as the two prices move back into correlation. Of course, if the two stocks move into a truly different level of correlation, then this might be a losing situation.

Coca-Cola (KO) and **Pepsi (PEP)** are a canonical example of pairs-trading as they are both in the same market segment and are both likely to be affected by the same market events, such as the price of the common ingredients.

As an example, the following screenshot shows the price of Pepsi and Coca-Cola from January 1997 through June 1998 (we will revisit this series of data later when we implement pairs trading):

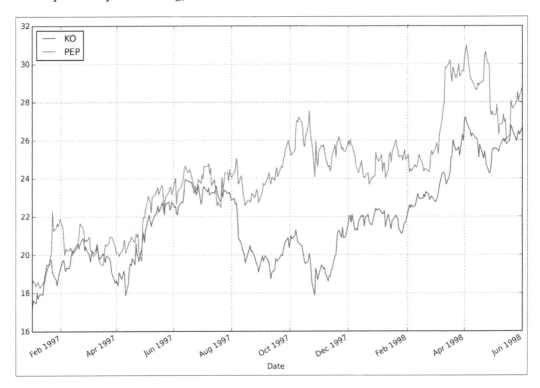

These prices are generally highly correlated during this period, but there is a marked change in correlation that starts in August 1997 and seems to take until the end of the year to move back into alignment. This is a situation where pairs trading can give profits if identified and executed properly.

Algo trading with Zipline

Zipline is a very powerful tool with many options, most of which we will not be able to investigate in this book. It makes creating trading algorithms and their simulation on historical data very easy (but there is still some creativity required).

Zipline provides several operational models. One allows the execution of Python script files via the command line. We will exclusively use a model where we include Zipline into our pandas application and request it to run our algorithms.

To do this, we will need to implement our algorithms and instruct Zipline on how to run them. This is actually a very simple process, and we will walk through implementing three algorithms of increasing complexity: buy apple, dual moving average crossover, and pairs trade.

The algorithms that we will implement have been discussed earlier: the dual moving average crossover and the pairs trading mean-reversion algorithm. We will, however, start with a very simple algorithm, buy apple, which will be used to demonstrate the overall process of how to create an algorithm as well as to show many of the things that Zipline handles automatically.

The three examples we will examine are available as part of this distribution, but we will examine them in detail. They have been modified to work exclusively within an IPython environment using pandas and to implement several of the constructs inherent in the examples in a manner that is better for understanding in the context of this book.

Algorithm – buy apple

Trading algorithms in Zipline are implemented in several manners. The technique we will use is creating a subclass of Zipline, that is, the `TradingAlgorithm` class and run the simulation within IPython with the Zipline engine.

 The tracing is implemented as a static variable and the initialize method is called by Zipline as a static method to set up trading simulation. Also, initialize is called by Zipline prior to the completion of the call to `super()`, so to enable tracing, the member must be initialized before the call to `super()`.

The following is a simple algorithm for trading AAPL that is provided with the Zipline examples, albeit modified to be in a class, and run in IPython. Then, print some additional diagnostic code to trace how the process is executing in more detail:

```
In [11]:
    class BuyApple(zp.TradingAlgorithm):
        trace=False

        def __init__(self, trace=False):
            BuyApple.trace = trace
            super(BuyApple, self).__init__()

        def initialize(context):
            if BuyApple.trace: print("---> initialize")
            if BuyApple.trace: print(context)
            if BuyApple.trace: print("<--- initialize")

        def handle_data(self, context):
            if BuyApple.trace: print("---> handle_data")
            if BuyApple.trace: print(context)
            self.order("AAPL", 1)
            if BuyApple.trace: print("<-- handle_data")
```

Trading simulation starts with the call to the static `.initialize()` method. This is your opportunity to initialize the trading simulation. In this sample, we do not perform any initialization other than printing the context for examination.

The implementation of the actual trading is handled in the override of the `handle_data` method. This method will be called for each day of the trading simulation. It is your opportunity to analyze the state of the simulation provided by the context and make any trading actions you desire. In this example, we will buy one share of AAPL regardless of how AAPL is performing.

The trading simulation can be started by instantiating an instance of `BuyApple()` and calling that object's `.run` method, thereby passing the base data for the simulation, which we will retrieve from Zipline's own method for accessing data from Yahoo! Finance:

```
In [12]:
    import zipline.utils.factory as zpf
    data = zpf.load_from_yahoo(stocks=['AAPL'],
```

```
                    indexes={},
                    start=datetime(1990, 1, 1),
                    end=datetime(2014, 1, 1),
                    adjusted=False)
    data.plot(figsize=(12,8));
```

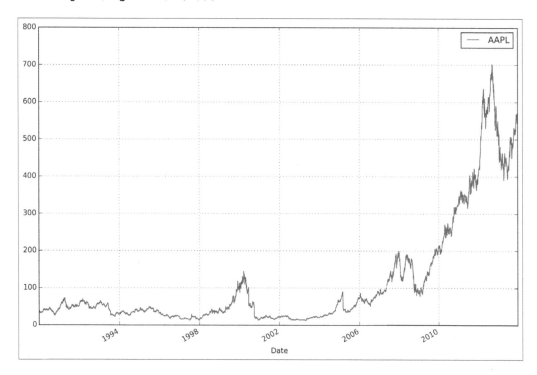

Our first simulation will purposely use only one week of historical data so that we can easily keep the output to a nominal size that will help us to easily examine the results of the simulation:

```
In [13]:
    result = BuyApple().run(data['2000-01-03':'2000-01-07'])
    ---> initialize
    BuyApple(
        capital_base=100000.0
        sim_params=
    SimulationParameters(
        period_start=2006-01-01 00:00:00+00:00,
        period_end=2006-12-31 00:00:00+00:00,
```

```
        capital_base=100000.0,

        data_frequency=daily,

        emission_rate=daily,

        first_open=2006-01-03 14:31:00+00:00,

        last_close=2006-12-29 21:00:00+00:00),

        initialized=False,

        slippage=VolumeShareSlippage(

        volume_limit=0.25,

        price_impact=0.1),

        commission=PerShare(cost=0.03, min trade cost=None),

        blotter=Blotter(

        transact_partial=(VolumeShareSlippage(

        volume_limit=0.25,

        price_impact=0.1), PerShare(cost=0.03, min trade cost=None)),

        open_orders=defaultdict(<type 'list'>, {}),

        orders={},

        new_orders=[],

        current_dt=None),

        recorded_vars={})
<--- initialize
---> handle_data
BarData({'AAPL': SIDData({'volume': 1000, 'sid': 'AAPL',
'source_id': 'DataFrameSource-fc37c5097c557f0d46d6713256f4eaa3',
'dt': Timestamp('2000-01-03 00:00:00+0000', tz='UTC'), 'type': 4,
'price': 111.94})})
<-- handle_data
---> handle_data
 [2015-04-16 21:53] INFO: Performance: Simulated 5 trading days
out of 5.
 [2015-04-16 21:53] INFO: Performance: first open: 2000-01-03
14:31:00+00:00
 [2015-04-16 21:53] INFO: Performance: last close: 2000-01-07
21:00:00+00:00


BarData({'AAPL': SIDData({'price': 102.5, 'volume': 1000, 'sid':
'AAPL', 'source_id': 'DataFrameSource-
fc37c5097c557f0d46d6713256f4eaa3', 'dt': Timestamp('2000-01-04
00:00:00+0000', tz='UTC'), 'type': 4})})
```

```
<-- handle_data

---> handle_data

BarData({'AAPL': SIDData({'price': 104.0, 'volume': 1000, 'sid':
'AAPL', 'source_id': 'DataFrameSource-
fc37c5097c557f0d46d6713256f4eaa3', 'dt': Timestamp('2000-01-05
00:00:00+0000', tz='UTC'), 'type': 4})})

<-- handle_data

---> handle_data

BarData({'AAPL': SIDData({'price': 95.0, 'volume': 1000, 'sid':
'AAPL', 'source_id': 'DataFrameSource-
fc37c5097c557f0d46d6713256f4eaa3', 'dt': Timestamp('2000-01-06
00:00:00+0000', tz='UTC'), 'type': 4})})

<-- handle_data

---> handle_data

BarData({'AAPL': SIDData({'price': 99.5, 'volume': 1000, 'sid':
'AAPL', 'source_id': 'DataFrameSource-
fc37c5097c557f0d46d6713256f4eaa3', 'dt': Timestamp('2000-01-07
00:00:00+0000', tz='UTC'), 'type': 4})})

<-- handle_data
```

The context in the `initialize` method shows us some parameters that the simulation will use during its execution. The context also shows that we start with a base capitalization of `100000.0`. There will be a commission of $0.03 assessed for each share purchased.

The context is also printed for each day of trading. The output shows us that Zipline passes the price data for each day of AAPL. We do not utilize this information in this simulation and blindly purchase one share of AAPL.

The result of the simulation is assigned to the result variable, which we can analyze for detailed results of the simulation on each day of trading. This is a `DataFrame` where each column represents a particular measurement during the simulation, and each row represents the values of those variables on each day of trading during the simulation.

We can examine a number of the variables to demonstrate what Zipline was doing during the processing. The orders variable contains a list of all orders made during the day. The following command gets the orders for the first day of the simulation:

```
In [14]:
    result.iloc[0].orders
```

```
Out[14]:
    [{'amount': 1,
```

```
    'commission': None,
    'created': Timestamp('2000-01-03 00:00:00+0000', tz='UTC'),
    'dt': Timestamp('2000-01-03 00:00:00+0000', tz='UTC'),
    'filled': 0,
    'id': 'dccb19f416104f259a7f0bff726136a2',
    'limit': None,
    'limit_reached': False,
    'sid': 'AAPL',
    'status': 0,
    'stop': None,
    'stop_reached': False}]
```

This tells us that Zipline placed an order in the market for one share of AAPL on 2000-01-03. The order filled the value 0, which means that this trade has not yet been executed in the market.

On the second day of trading, Zipline reports that two orders were made:

```
In [15]:
   result.iloc[1].orders


Out[15]:
   [{'amount': 1,
    'commission': 0.03,
    'created': Timestamp('2000-01-03 00:00:00+0000', tz='UTC'),
    'dt': Timestamp('2000-01-04 00:00:00+0000', tz='UTC'),
    'filled': 1,
    'id': 'dccb19f416104f259a7f0bff726136a2',
    'limit': None,
    'limit_reached': False,
    'sid': 'AAPL',
    'status': 1,
    'stop': None,
    'stop_reached': False},
   {'amount': 1,
    'commission': None,
    'created': Timestamp('2000-01-04 00:00:00+0000', tz='UTC'),
    'dt': Timestamp('2000-01-04 00:00:00+0000', tz='UTC'),
    'filled': 0,
    'id': '1ec23ea51fd7429fa97b9f29a66bf66a',
```

```
'limit': None,
'limit_reached': False,
'sid': 'AAPL',
'status': 0,
'stop': None,
'stop_reached': False}]
```

The first order listed has the same ID as the order from day one. This tells us that this represents that same order, and we can see this from the filled key, which is now 1 and from the fact that this order has been filled in the market.

The second order is a new order, which represents our request on the second day of trading, which will be reported as filled at the start of day two.

During the simulation, Zipline keeps track of the amount of cash we have (capital) at the start and end of the day. As we purchase stocks, our cash is reduced. Starting and ending cash is represented by the `starting_cash` and `ending_case` variables of the result.

Zipline also accumulates the total value of the purchases of stock during the simulation. This value is represented in each trading period using the `ending_value` variable of the result.

The following command shows us the running values for `ending_cash` and `ending_value`, along with `ending_value`:

```
In [16]:
    result[['starting_cash', 'ending_cash', 'ending_value']]
```

```
Out[16]:
                         starting_cash      ending_cash   ending_value
    2000-01-03 21:00:00  100000.00000   100000.00000            0.0
    2000-01-04 21:00:00  100000.00000    99897.46999          102.5
    2000-01-05 21:00:00   99897.46999    99793.43998          208.0
    2000-01-06 21:00:00   99793.43998    99698.40997          285.0
    2000-01-07 21:00:00   99698.40997    99598.87996          398.0
```

Ending cash represents the amount of cash (capital) that we have to invest at the end of the given day. We made an order on day one for one share of the apple, but since the transaction did not execute until the next day, we still have our starting seed at the end of the day. But on day two, this will execute at the value reported at the close of day one, which is `111.94`. Hence, our `ending_cash` is reduced by `111.94` for one share and also deducted is the $0.03 for the commission resulting in `9987.47`.

At the end of day two, our `ending_value`, that is, our position in the market, is `102.5` as we have accumulated one share of AAPL, and it closed at `102.5` on day two.

 We did not print `starting_cash` and `starting_value` as this will always be equal to our initial capitalization of `100000.0` and a portfolio value of `0.0` as we have not yet bought any securities.

While investing, we would be interested in the overall value of our portfolio, which, in this case, would be the value of our on-hand cash + our position in the market. This can be easily calculated:

```
In [17]:
    pvalue = result.ending_cash + result.ending_value
    pvalue
```

```
Out[17]:
    2000-01-03 21:00:00    100000.00000
    2000-01-04 21:00:00     99999.96999
    2000-01-05 21:00:00    100001.43998
    2000-01-06 21:00:00     99983.40997
    2000-01-07 21:00:00     99996.87996
    dtype: float64
```

There is also a convenient shorthand to retrieve this result:

```
In [18]:
    result.portfolio_value
```

```
Out[18]:
    2000-01-03 21:00:00    100000.00000
    2000-01-04 21:00:00     99999.96999
    2000-01-05 21:00:00    100001.43998
    2000-01-06 21:00:00     99983.40997
    2000-01-07 21:00:00     99996.87996
    Name: portfolio_value, dtype: float64
```

In a similar vein, we can also calculate the daily returns on our investment using `.pct_change()`:

```
In [19]:
    result.portfolio_value.pct_change()
```

```
Out[19]:
    2000-01-03 21:00:00              NaN
    2000-01-04 21:00:00     -3.00103e-07
    2000-01-05 21:00:00      1.46999e-05
    2000-01-06 21:00:00     -1.80297e-04
    2000-01-07 21:00:00      1.34722e-04
    Name: portfolio_value, dtype: float64
```

This is actually a column of the results from the simulation, so we do not need to actually calculate it:

```
In [20]:
    result['returns']
```

```
Out[20]:
    2000-01-03 21:00:00              NaN
    2000-01-04 21:00:00     -3.00103e-07
    2000-01-05 21:00:00      1.46999e-05
    2000-01-06 21:00:00     -1.80297e-04
    2000-01-07 21:00:00      1.34722e-04
    Name: portfolio_value, dtype: float64
```

Using this small trading interval, we have seen what type of calculations Zipline performs during each period. Now, let's run this simulation over a longer period of time to see how it performs. The following command runs the simulation across the entire year 2000:

```
In [21]:
    result_for_2000 = BuyApple().run(data['2000'])
```

```
Out[21]:
    [2015-02-15 05:05] INFO: Performance: Simulated 252 trading days
    out of 252.
    [2015-02-15 05:05] INFO: Performance: first open: 2000-01-03
    14:31:00+00:00
    [2015-02-15 05:05] INFO: Performance: last close: 2000-12-29
    21:00:00+00:00
```

The following command shows us our cash on hand and the value of our investments throughout the simulation:

```
In [22]:
    result_for_2000[['ending_cash', 'ending_value']]
```

```
Out[22]:
                           ending_cash    ending_value
    2000-01-03 21:00:00    100000.00000           0.00
    2000-01-04 21:00:00     99897.46999         102.50
    2000-01-05 21:00:00     99793.43998         208.00
    2000-01-06 21:00:00     99698.40997         285.00
    2000-01-07 21:00:00     99598.87996         398.00
    ...                             ...            ...
    2000-12-22 21:00:00     82082.91821        3705.00
    2000-12-26 21:00:00     82068.19821        3643.12
    2000-12-27 21:00:00     82053.35821        3687.69
    2000-12-28 21:00:00     82038.51820        3702.50
    2000-12-29 21:00:00     82023.60820        3734.88

    [252 rows x 2 columns]
```

The following command visualizes our overall portfolio value during the year 2000:

```
In [23]:
    result_for_2000.portfolio_value.plot(figsize=(12,8));
```

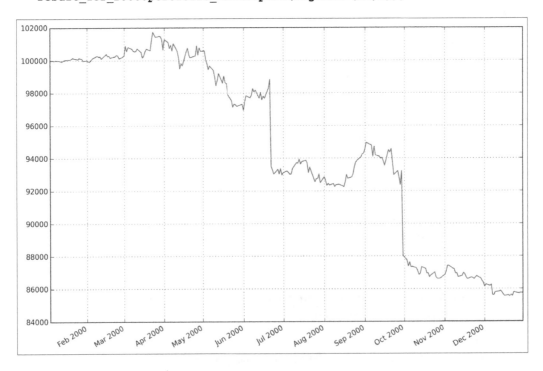

Our strategy has lost us money over the year 2000. AAPL generally trended downward during the year, and simply buying every day is a losing strategy.

The following command runs the simulation over 5 years:

```
In [24]:
    result = BuyApple().run(data['2000':'2004']).portfolio_value
    result.plot(figsize=(12,8));
    [2015-04-16 22:52] INFO: Performance: Simulated 1256 trading days
    out of 1256.
    [2015-04-16 22:52] INFO: Performance: first open: 2000-01-03
    14:31:00+00:00
    [2015-04-16 22:52] INFO: Performance: last close: 2004-12-31
    21:00:00+00:00
```

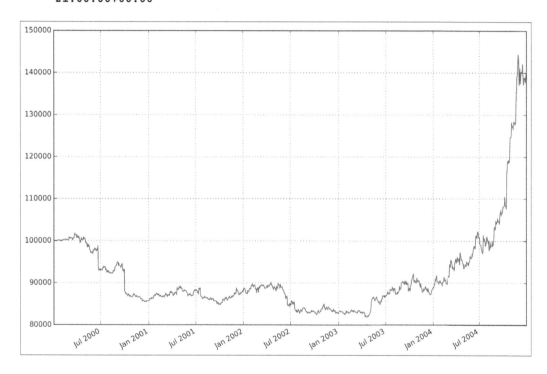

Hanging in with this strategy over several more years has paid off as AAPL had a marked upswing in value starting in mid-2013.

Algorithm – dual moving average crossover

We now analyze a dual moving average crossover strategy. This algorithm will buy apple once its short moving average crosses its long moving average. This will indicate upward momentum and a buy situation. It will then begin selling shares once the averages cross again, which will represent downward momentum.

We will load data for AAPL for 1990 through 2014, but we will only use the data from 1990 through 2001 in the simulation:

```
In [25]:
    sub_data = data['1990':'2002-01-01']
    sub_data.plot();
```

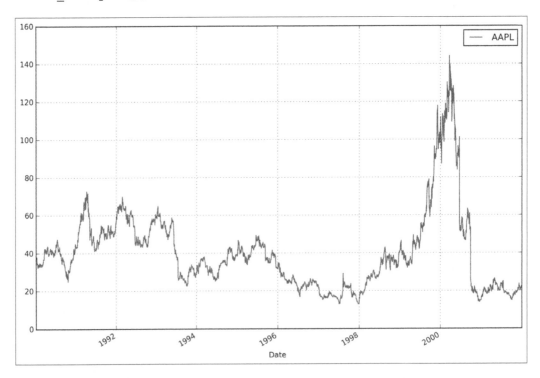

The following class implements a double moving average crossover where investments will be made whenever the short moving average moves across the long moving average. We will trade only at the cross, not continuously buying or selling until the next cross. If trending down, we will sell all of our stock. If trending up, we buy as many shares as possible up to 100. The strategy will record our buys and sells in extra data returned from the simulation:

```
In [26]:
```

```
class DualMovingAverage(zp.TradingAlgorithm):
    def initialize(context):
        # we need to track two moving averages, so we will set
        # these up in the context the .add_transform method
        # informs Zipline to execute a transform on every day
        # of trading

        # the following will set up a MovingAverge transform,
        # named short_mavg, accessing the .price field of the
        # data, and a length of 100 days
        context.add_transform(zp.transforms.MovingAverage,
                              'short_mavg', ['price'],
                              window_length=100)

        # and the following is a 400 day MovingAverage
        context.add_transform(zp.transforms.MovingAverage,
                              'long_mavg', ['price'],
                              window_length=400)

        # this is a flag we will use to track the state of
        # whether or not we have made our first trade when the
        # means cross.  We use it to identify the single event
        # and to prevent further action until the next cross
        context.invested = False

    def handle_data(self, data):
        # access the results of the transforms
        short_mavg = data['AAPL'].short_mavg['price']
        long_mavg = data['AAPL'].long_mavg['price']

        # these flags will record if we decided to buy or sell
        buy = False
        sell = False

        # check if we have crossed
        if short_mavg > long_mavg and not self.invested:
            # short moved across the long, trending up
            # buy up to 100 shares
            self.order_target('AAPL', 100)
            # this will prevent further investment until
```

```
                    # the next cross
                    self.invested = True
                    buy = True # records that we did a buy
               elif short_mavg < long_mavg and self.invested:
                    # short move across the long, trending down
                    # sell it all!
                    self.order_target('AAPL', -100)
                    # prevents further sales until the next cross
                    self.invested = False
                    sell = True # and note that we did sell


               # add extra data to the results of the simulation to
               # give the short and long ma on the interval, and if
               # we decided to buy or sell
               self.record(short_mavg=short_mavg,
                           long_mavg=long_mavg,
                           buy=buy,
                           sell=sell)
```

We can now execute this algorithm by passing it data from 1990 through 2001, as shown here:

```
In [27]:
    results = DualMovingAverage().run(sub_data)
    [2015-02-15 22:18] INFO: Performance: Simulated 3028 trading days
    out of 3028.
    [2015-02-15 22:18] INFO: Performance: first open: 1990-01-02
    14:31:00+00:00
    [2015-02-15 22:18] INFO: Performance: last close: 2001-12-31
    21:00:00+00:00
```

To analyze the results of the simulation, we can use the following function that creates several charts that show the short/long means relative to price, the value of the portfolio, and the points at which we made buys and sells:

```
In [28]:
    def analyze(data, perf):
        fig = plt.figure()
        ax1 = fig.add_subplot(211, ylabel='Price in $')
        data['AAPL'].plot(ax=ax1, color='r', lw=2.)
        perf[['short_mavg', 'long_mavg']].plot(ax=ax1, lw=2.)

        ax1.plot(perf.ix[perf.buy].index, perf.short_mavg[perf.buy],
```

```
                   '^', markersize=10, color='m')
    ax1.plot(perf.ix[perf.sell].index, perf.short_mavg[perf.sell],
             'v', markersize=10, color='k')


    ax2 = fig.add_subplot(212, ylabel='Portfolio value in $')
    perf.portfolio_value.plot(ax=ax2, lw=2.)

    ax2.plot(perf.ix[perf.buy].index,
             perf.portfolio_value[perf.buy],
             '^', markersize=10, color='m')
    ax2.plot(perf.ix[perf.sell].index,
             perf.portfolio_value[perf.sell],
             'v', markersize=10, color='k')


    plt.legend(loc=0)
    plt.gcf().set_size_inches(14, 10)
```

Using this function, we can plot the decisions made and the resulting portfolio value as trades are executed:

```
In [29]:
    analyze(sub_data, results)
```

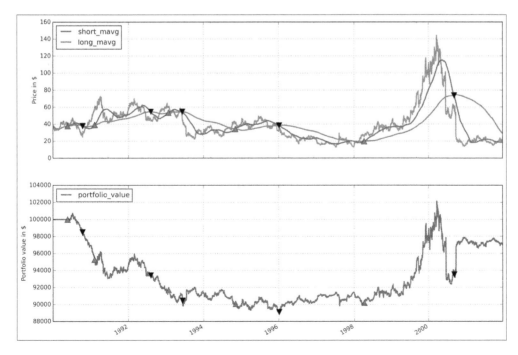

The crossover points are noted on the graphs using triangles. Upward-pointing red triangles identify buys and downward-pointing black triangles identify sells. Portfolio value stays level after a sell as we are completely divested from the market until we make another purchase.

Algorithm – pairs trade

To demonstrate a pairs trade algorithm, we will create one such algorithm and run data for Pepsi and Coca-Cola through the simulation. Since these two stocks are in the same market segment, their prices tend to follow each other based on common influences in the market.

If there is an increase in the delta between the two stocks, a trader can potentially make money by buying the stock that stayed the same and selling the increasing stock. The assumption is that the two stocks will revert to a common spread on the mean. Hence, if the stock that stayed normal increases to close the gap, then the buy will result in increased value. If the rising stock reverts, then the sell will create profit. If both happen, then even better.

To start with, we will need to gather data for Coke and Pepsi:

```
In [30]:
    data = zpf.load_from_yahoo(stocks=['PEP', 'KO'],
                               indexes={},
                               start=datetime(1997, 1, 1),
                               end=datetime(1998, 6, 1),
                               adjusted=True)
    data.plot(figsize=(12,8));
    PEP
    KO
```

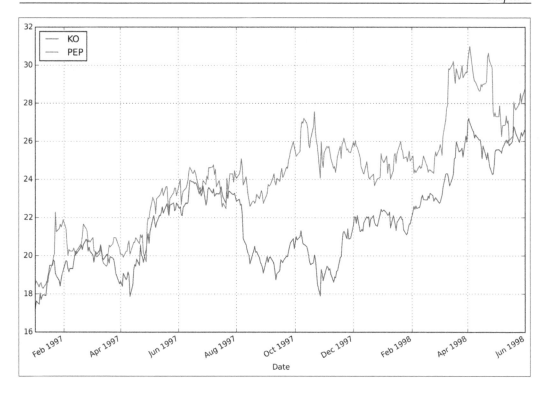

Analyzing the chart, we can see that the two stocks tend to follow along the same trend line, but that there is a point where Coke takes a drop relative to Pepsi (August 1997 through December 1997). It then tends to follow the same path although with a wider spread during 1998 than in early 1997.

We can dive deeper into this information to see what we can do with pairs trading. In this algorithm, we will examine how the spread between the two stocks change. Therefore, we need to calculate the spread:

```
In [31]:
    data['PriceDelta'] = data.PEP - data.KO
    data['1997':].PriceDelta.plot(figsize=(12,8))
    plt.ylabel('Spread')
    plt.axhline(data.Spread.mean());
```

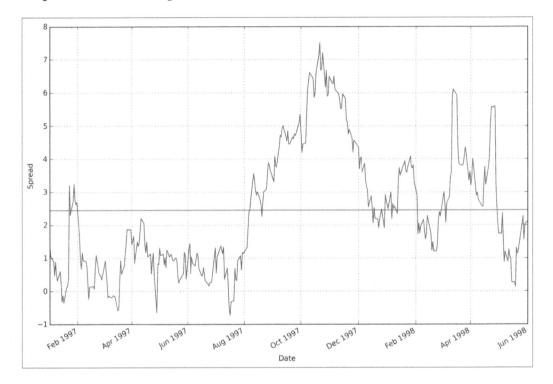

Using this information, we can make a decision to buy one stock and sell the other if the spread exceeds a particular size. In the algorithm we implement, we will normalize the spread data on a 100-day window and use that to calculate the z-score on each particular day.

If the z-score is > 2, then we will want to buy PEP and sell KO as the spread increases over our threshold with PEP taking the higher price. If the z-score is < -2, then we want to buy KO and sell PEP, as PEP takes the lower price as the spread increases. Additionally, if the absolute value of the z-score < 0.5, then we will sell off any holdings we have in either stock to limit our exposure as we consider the spread to be fairly stable and we can divest.

One calculation that we will need to perform during the simulation is calculating the regression of the two series prices. This will then be used to calculate the z-score of the spread at each interval. To do this, the following function is created:

```
In [32]:
    @zp.transforms.batch_transform
    def ols_transform(data, ticker1, ticker2):
        p0 = data.price[ticker1]
        p1 = sm.add_constant(data.price[ticker2], prepend=True)
        slope, intercept = sm.OLS(p0, p1).fit().params
        return slope, intercept
```

You may wonder what the `@zp.transforms.batch_transform` code does. At each iteration of the simulation, Zipline will only give us the data representing the current price. Passing the data from `handle_data` to this function would only pass the current day's data. This decorator will tell Zipline to pass all of the historical data instead of the current day's data. This makes this very simple as, otherwise, we would need to manage multiple windows of data manually in our code.

The actual algorithm is then implemented using a 100-day window where we will execute on the spread when the z-score is > 2.0 or < -2.0. If the absolute value of the z-score is < 0.5, then we will empty our position in the market to limit exposure:

```
In [33]:
    class Pairtrade(zp.TradingAlgorithm):
        def initialize(self, window_length=100):
            self.spreads=[]
            self.invested=False
            self.window_length=window_length
            self.ols_transform= \
                ols_transform(refresh_period=self.window_length,
                                window_length=self.window_length)

        def handle_data(self, data):
            # calculate the regression, will be None until 100 samples
            params=self.ols_transform.handle_data(data, 'PEP', 'KO')
            if params:
                intercept, slope=params
                zscore=self.compute_zscore(data, slope, intercept)
                self.record(zscore=zscore)
                self.place_orders(data, zscore)
```

```
def compute_zscore(self, data, slope, intercept):
    # calculate the spread
    spread=(data['PEP'].price-(slope*data['KO'].price+
                              intercept))
    self.spreads.append(spread) # record for z-score calc
    self.record(spread = spread)

    spread_wind=self.spreads[-self.window_length:]
    zscore=(spread - np.mean(spread_wind))/np.std(spread_wind)
    return zscore


def place_orders(self, data, zscore):
    if zscore>=2.0 and not self.invested:
        # buy the spread, buying PEP and selling KO
        self.order('PEP', int(100/data['PEP'].price))
        self.order('KO', -int(100/data['KO'].price))
        self.invested=True
        self.record(action="PK")
    elif zscore<=-2.0 and not self.invested:
        # buy the spread, buying KO and selling PEP
        self.order('PEP', -int(100 / data['PEP'].price))
        self.order('KO', int(100 / data['KO'].price))
        self.invested = True
        self.record(action='KP')
    elif abs(zscore)<.5 and self.invested:
        # minimize exposure
        ko_amount=self.portfolio.positions['KO'].amount
        self.order('KO', -1*ko_amount)
        pep_amount=self.portfolio.positions['PEP'].amount
        self.order('PEP', -1*pep_amount)
        self.invested=False
        self.record(action='DE')
    else:
        # take no action
        self.record(action='noop')
```

Then, we can run the algorithm with the following command:

```
In [34]:
    perf = Pairtrade().run(data['1997':])

    [2015-02-16 01:54] INFO: Performance: Simulated 356 trading days
    out of 356.

    [2015-02-16 01:54] INFO: Performance: first open: 1997-01-02
    14:31:00+00:00

    [2015-02-16 01:54] INFO: Performance: last close: 1998-06-01
    20:00:00+00:00
```

During the simulation of the algorithm, we recorded any transactions made, which can be accessed using the action column of the result `DataFrame`:

```
In [35]:
    selection = ((perf.action=='PK') | (perf.action=='KP') |
                (perf.action=='DE'))
    actions = perf[selection][['action']]
    actions


Out[35]:
    1997-07-16 20:00:00      KP
    1997-07-22 20:00:00      DE
    1997-08-05 20:00:00      PK
    1997-10-15 20:00:00      DE
    1998-03-09 21:00:00      PK
    1998-04-28 20:00:00      DE
```

Our algorithm made six transactions. We can examine these transactions by visualizing the prices, spreads, z-scores, and portfolio values relative to when we made transactions (represented by vertical lines):

```
In [36]:
    ax1 = plt.subplot(411)
    data[['PEP', 'KO']].plot(ax=ax1)
    plt.ylabel('Price')

    data.Spread.plot(ax=ax2)
    plt.ylabel('Spread')

    ax3 = plt.subplot(413)
    perf['1997':].zscore.plot()
```

```
ax3.axhline(2, color='k')
ax3.axhline(-2, color='k')
plt.ylabel('Z-score')

ax4 = plt.subplot(414)
perf['1997':].portfolio_value.plot()
plt.ylabel('Protfolio Value')

for ax in [ax1, ax2, ax3, ax4]:
    for d in actions.index[actions.action=='PK']:
        ax.axvline(d, color='g')
    for d in actions.index[actions.action=='KP']:
        ax.axvline(d, color='c')
    for d in actions.index[actions.action=='DE']:
        ax.axvline(d, color='r')

plt.gcf().set_size_inches(16, 12)
```

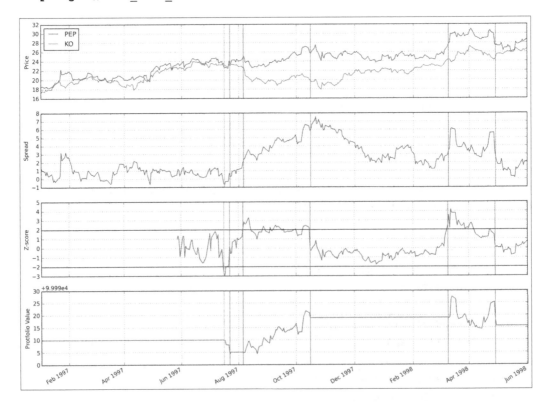

The first event is on 1997-7-16 when the algorithm saw the spread become less than -2, and, therefore, triggered a sale of KO and a buy of PEP. This quickly turned around and moved to a z-score of 0.19 on 1997-7-22, triggering a divesting of our position. During this time, even though we played the spread, we still lost because a reversion happened very quickly.

On 1997-08-05, the z-score moved above 2.0 to 2.12985 and triggered a purchase of KO and a sale of PEP. The z-score stayed around 2.0 until 1997-10-15 when it dropped to -0.1482 and, therefore, we divested. Between those two dates, since the spread stayed fairly consistent around 2.0, our playing of the spread made us consistent returns as we can see with the portfolio value increasing steadily over that period.

On 1998-03-09, a similar trend was identified, and again, we bought KO and sold PEP. Unfortunately the spread started to minimize and we lost a little during this period.

Summary

In this chapter, we took an adventure into learning the fundamentals of algorithmic trading using pandas and Zipline. We started with a little theory to set a framework for understanding how the algorithms would be implemented. From there, we implemented three different trading algorithms using Zipline and dived into the decisions made and their impact on the portfolios as the transactions were executed. Finally, we established a fundamental knowledge of how to simulate markets and make automated trading decisions.

8
Working with Options

In this chapter, we will examine working with options data provided by Yahoo! Finance using pandas. Options are a type of financial derivative and can be very complicated to price and use in investment portfolios. Because of their level of complexity, there have been many books written that are focus heavily on the mathematics of options. Our goal will not be to cover the mathematics in detail but to focus on understanding several core concepts in options, retrieving options data from the Internet, manipulating it using pandas, including determining their value, and being able to check the validity of the prices offered in the market.

In this chapter, we will specifically cover:

- A brief introduction to options
- Retrieving options data from Yahoo! Finance
- Examining the attributes of an option
- Implied volatility, including smiles and smirks
- Calculating the payoff of options
- Determining the profit and loss of options
- The pricing of options using Black-Scholes
- Using Mibian to price and determine the implied volatility of options with Black-Scholes
- An introduction to the Greeks
- Examining the behavior of the Greeks

Introducing options

An option is a contract that gives the buyer the right, but not the obligation, to buy or sell an underlying security at a specific price on or before a certain date. Options are considered derivatives as their price is derived from one or more underlying securities. Options involve two parties: the buyer and the seller. The parties buy and sell the option, not the underlying security.

There are two general types of options: the call and the put. Let's look at them in detail:

- **Call**: This gives the holder of the option the right to buy an underlying security at a certain price within a specific period of time. They are similar to having a long position on a stock. The buyer of a call is hoping that the value of the underlying security will increase substantially before the expiration of the option and, therefore, they can buy the security at a discount from the future value.

- **Put**: This gives the option holder the right to sell an underlying security at a certain price within a specific period of time. A put is similar to having a short position on a stock. The buyer of a put is betting that the price of the underlying security will fall before the expiration of the option and they will, thereby, be able to gain a profit by benefitting from receiving the payment in excess of the future market value.

The basic idea is that one side of the party believes that the underlying security will increase in value and the other believes it will decrease. They will agree upon a price known as the strike price, where they place their bet on whether the price of the underlying security finishes above or below this strike price on the expiration date of the option.

Through the contract of the option, the option seller agrees to give the buyer the underlying security on the expiry of the option if the price is above the strike price (for a call).

The price of the option is referred to as the premium. This is the amount the buyer will pay the seller to receive the option. The price of an option depends upon many factors, of which the following are the primary factors:

- The current price of the underlying security
- How long the option needs to be held before it expires (the expiry date)
- The strike price on the expiry date of the option
- The interest rate of capital in the market
- The volatility of the underlying security
- There being an adequate interest between buyer and seller around the given option

The premium is often established so that the buyer can speculate on the future value of the underlying security and be able to gain rights to the underlying security in the future at a discount in the present.

The holder of the option, known as the buyer, is not obliged to exercise the option on its expiration date, but the writer, also referred to as the seller, however, is obliged to buy or sell the instrument if the option is exercised.

Options can provide a variety of benefits such as the ability to limit risk and the advantage of providing leverage. They are often used to diversify an investment portfolio to lower risk during times of rising or falling markets.

There are four types of participants in an options market:

- Buyers of calls
- Sellers of calls
- Buyers of puts
- Sellers of puts

Buyers of calls believe that the underlying security will exceed a certain level and are not only willing to pay a certain amount to see whether that happens, but also lose their entire premium if it does not. Their goal is that the resulting payout of the option exceeds their initial premium and they, therefore, make a profit. However, they are willing to forgo their premium in its entirety if it does not clear the strike price. This then becomes a game of managing the risk of the profit versus the fixed potential loss.

Sellers of calls are on the other side of buyers. They believe the price will drop and that the amount they receive in payment for the premium will exceed any loss in the price. Normally, the seller of a call would already own the stock. They do not believe the price will exceed the strike price and that they will be able to keep the underlying security and profit if the underlying security stays below the strike price by an amount that does not exceed the received premium. Loss is potentially unbounded as the stock increases in price above the strike price, but that is the risk for an upfront receipt of cash and potential gains on the loss of price in the underlying instrument.

A buyer of a put is betting that the price of the stock will drop beyond a certain level. By buying a put they gain the option to force someone to buy the underlying instrument at a fixed price. By doing this, they are betting that they can force the sale of the underlying instrument at a strike price that is higher than the market price and in excess of the premium that they pay to the seller of the put option.

On the other hand, the seller of the put is betting that they can make an offer on an instrument that is perceived to lose value in the future. They will offer the option for a price that gives them cash upfront, and they plan that at maturity of the option, they will not be forced to purchase the underlying instrument. Therefore, it keeps the premium as pure profit. Or, the price of the underlying instruments drops only a small amount so that the price of buying the underlying instrument relative to its market price does not exceed the premium that they received.

Notebook setup

The examples in this chapter will be based on the following configuration in IPython:

```
In [1]:
    import pandas as pd
    import numpy as np
    import pandas.io.data as web
    from datetime import datetime

    import matplotlib.pyplot as plt
    %matplotlib inline

    pd.set_option('display.notebook_repr_html', False)
    pd.set_option('display.max_columns', 7)
    pd.set_option('display.max_rows', 15)
    pd.set_option('display.width', 82)
    pd.set_option('precision', 3)
```

Options data from Yahoo! Finance

Options data can be obtained from several sources. Publicly listed options are exchanged on the **Chicago Board Options Exchange** (**CBOE**) and can be obtained from their website. Through the `DataReader` class, pandas also provides built-in (although in the documentation, this is referred to as experimental) access to options data.

The following command reads all currently available options data for AAPL:

```
In [2]:
    aapl_options = web.Options('AAPL', 'yahoo')
    aapl_options = aapl_options.get_all_data().reset_index()
```

This operation can take a while as it downloads quite a bit of data. Fortunately, it is cached so that subsequent calls will be quicker, and there are other calls to limit the types of data downloaded (such as just getting puts).

For convenience, the following command will save this data to a file for quick reload at a later time. Also, it helps with the repeatability of the examples. The data retrieved changes very frequently, so the actual examples in the book will use the data in the file provided with the book. It saves the data for later use (it's commented out for now so it does not overwrite the existing file). Here's the command we are talking about:

In [3]:

```
#aapl_options.to_csv('aapl_options.csv')
```

This data file can be reloaded with the following command:

In [4]:

```
aapl_options = pd.read_csv('aapl_options.csv',
                           parse_dates=['Expiry'])
```

 I highly recommend that you use the data file for the purposes of going along with the chapter as options data changes very frequently and loading directly from the Web will make the results you get completely different from those in the chapter.

Whether from the Web or the file, the following command restructures and tidies the data into a format best used in the examples that follow:

In [5]:

```
aos = aapl_options.sort(['Expiry', 'Strike'])[
    ['Expiry', 'Strike', 'Type', 'IV', 'Bid',
        'Ask', 'Underlying_Price']]
aos['IV'] = aos['IV'].apply(lambda x: float(x.strip('%')))
```

Now, we can take a look at the data retrieved:

In [6]:

```
aos
```

Out[6]:

	Expiry	Strike	Type	IV	Bid	Ask	Underlying_Price
158	2015-02-27	75	call	271.88	53.60	53.85	128.79
159	2015-02-27	75	put	193.75	0.00	0.01	128.79

```
190   2015-02-27      80 call   225.78 48.65 48.80        128.79
191   2015-02-27      80  put   171.88  0.00  0.01        128.79
226   2015-02-27      85 call   199.22 43.65 43.80        128.79
```

There are 1,103 rows of options data available. The data is sorted by Expiry and then the Strike price to help demonstrate examples.

Expiry is the data at which the particular option will expire and potentially be exercised. We have the following expiry dates that were retrieved. Options typically are offered by an exchange on a monthly basis and within a short overall duration from several days to perhaps two years. In this dataset, we have the following expiry dates:

```
In [7]:
    aos['Expiry'].unique()


Out[7]:
    array(['2015-02-26T17:00:00.000000000-0700',
           '2015-03-05T17:00:00.000000000-0700',
           '2015-03-12T18:00:00.000000000-0600',
           '2015-03-19T18:00:00.000000000-0600',
           '2015-03-26T18:00:00.000000000-0600',
           '2015-04-01T18:00:00.000000000-0600',
           '2015-04-16T18:00:00.000000000-0600',
           '2015-05-14T18:00:00.000000000-0600',
           '2015-07-16T18:00:00.000000000-0600',
           '2015-10-15T18:00:00.000000000-0600',
           '2016-01-14T17:00:00.000000000-0700',
           '2017-01-19T17:00:00.000000000-0700'],
      dtype='datetime64[ns]')
```

For each option's expiration date, there are multiple options available, split between puts and calls, and with different strike values, prices, and associated risk values.

As an example, the option with the index 158 that expires on 2015-02-27 is for buying a call on AAPL with a strike price of $75. The price we would pay for each share of AAPL would be the bid price of $53.60. Options typically sell 100 units of the underlying security, and, therefore, this would mean that this option would cost 100 x $53.60 or $5,360 upfront:

```
In [8]:
    aos.loc[158]
```

```
Out[8]:
    Expiry                2015-02-27 00:00:00
    Strike                                  75
    Type                                   call
    IV                                      272
    Bid                                    53.6
    Ask                                    53.9
    Underlying_Price                        129
    Name: 158, dtype: object
```

This $5,360 does not buy us 100 shares of AAPL. It gives us the right to buy 100 shares of AAPL on 2015-02-27 at $75 per share. We should only buy if the price of AAPL is above $75 on 2015-02-27. If not, we will have lost our premium of $5360 and purchasing below will only increase our loss.

Also, note that these quotes were retrieved on 2015-02-25. This specific option has only two days until it expires. That has a huge effect on its pricing. We will examine the payout on options in detail in the next section, but in short, we can derive the following points from this purchase:

- We have paid $5,360 for the option to buy 100 shares of AAPL on 2015-02-27 if the price of AAPL is above $75 on that date.
- The price of AAPL when the option was priced was $128.79 per share. If we were to buy 100 shares of AAPL now, we would have paid $12,879.
- If AAPL is above $75 on 2015-02-27, we can buy 100 shares for $7500.

There is not a lot of time between the quote and Expiry of this option. With AAPL being at $128.79, it is very likely that the price will be above $75 in two days' time.

Therefore, in two days' time:

- We can walk away if the price is $75 or above. Since we paid $5360, we probably wouldn't want to do that.
- At $75 or above, we can force the execution of the option, where we give the seller $7,500 and receive 100 shares of AAPL. If the price of AAPL is still $128.79 per share, then we will have bought $12,879 of AAPL for $7,500+$5,360, or $12,860 in total. Technically, we will have saved $19 over two days! But only if the price didn't drop.
- If, for some reason, AAPL dropped below $75 in two days, we kept our loss to our premium of $5,360. This is not great, but if we had bought $12,879 of AAPL on 2015-02-5 and it dropped to $74.99 on 2015-02-27, we would have lost $12,879 – $7,499, or $5,380. So, we actually would have saved $20 in loss by buying the call option.

It is interesting how this math works out. Excluding transaction fees, options are a zero-loss game. It just comes down to how much risk is involved in the option versus your upfront premium and how the market moves. If you feel you know something, it can be quite profitable. Of course, it can also be devastatingly unprofitable.

 We will not examine the put side of this example. It would suffice to say it works out similarly from the side of the seller.

Implied volatility

There is one more field in our dataset that we didn't look at—**implied volatility (IV)**. We won't get into the details of the mathematics of how this is calculated, but this reflects the amount of volatility that the market has factored into the option.

This is different to historical volatility (which is typically the standard deviation of the previous year of returns). We will look at pricing the option in a later section, but this comes out of pricing models as the amount of volatility needed for the strike price/premium value over the duration of the option contract to make those numbers work out nicely, as we have previously shown.

In general, it is informative to examine the IV relative to the strike price on a particular Expiry date. The following command shows this in tabular form for calls on 2015-02-27:

```
In [9]:
    calls1 = aos[(aos.Expiry=='2015-02-27') & (aos.Type=='call')]
    calls1[:5]
```

```
Out[9]:
```

	Expiry	Strike	Type	IV	Bid	Ask	Underlying_Price
158	2015-02-27	75	call	271.88	53.60	53.85	128.79
159	2015-02-27	75	put	193.75	0.00	0.01	128.79
190	2015-02-27	80	call	225.78	48.65	48.80	128.79
191	2015-02-27	80	put	171.88	0.00	0.01	128.79
226	2015-02-27	85	call	199.22	43.65	43.80	128.79

It appears that as the strike price approaches the underlying price, the implied volatility decreases. Plotting this shows it even more clearly:

```
In [10]:
    ax = aos[(aos.Expiry=='2015-02-27') & (aos.Type=='call')] \
            .set_index('Strike')[['IV']].plot(figsize=(12,8))
    ax.axvline(calls1.Underlying_Price.iloc[0], color='g');
```

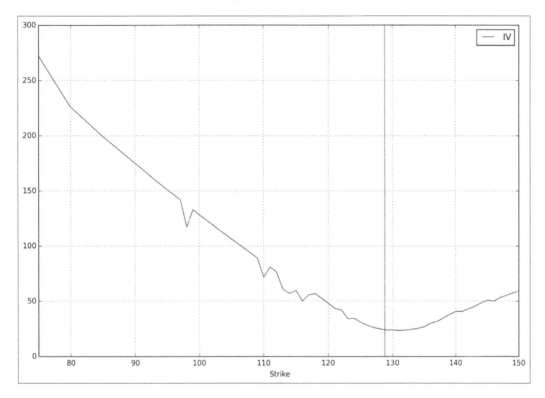

The shape of this curve is important as it defines points where options are considered to be either in or out of the money. A call option is referred to as in the money when the options strike price is below the market price of the underlying instrument. A put option is in the money when the strike price is above the market price of the underlying instrument. Being in the money does not mean that you will profit; it simply means that the option is worth exercising.

Where and when an option is in our out of the money can be visualized by examining the shape of its implied volatility curve. Because of this curved shape, it is generally referred to as a volatility smile as both ends tend to turn upwards at both ends, particularly, if the curve has a uniform shape around its lowest point. This is demonstrated in the following graph, which shows the nature of being in or out of the money for both puts and calls:

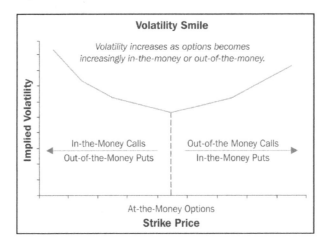

A skew on the smile demonstrates a relative demand that is greater toward the option being either in or out of the money. When this occurs, the skew is often referred to as a smirk.

Volatility smirks

Smirks can either be reverse or forward. The following graph demonstrates a reverse skew, similar to what we have seen with our AAPL 2015-02-27 call:

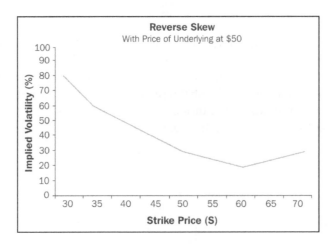

In a reverse-skew smirk, the volatility for options at lower strikes is higher than at higher strikes. This is the case with our AAPL options expiring on 2015-02-27. This means that the in-the-money calls and out-of-the-money puts are more expensive than the out-of-the-money calls and in-the-money puts.

A popular explanation for the manifestation of the reverse volatility skew is that investors are generally worried about market crashes and buy puts for protection. One piece of evidence supporting this argument is the fact that the reverse skew did not show up for equity options until after the crash of 1987.

Another possible explanation is that in-the-money calls have become popular alternatives to outright stock purchases as they offer leverage and, hence, increased ROI. This leads to greater demand for in-the-money calls and, therefore, increased IV at the lower strikes.

The other variant of the volatility smirk is the forward skew. In the forward-skew pattern, the IV for options at the lower strikes is lower than the IV at higher strikes. This suggests that the out-of-the-money calls and in-the-money puts are in greater demand compared to the in-the-money calls and out-of-the-money puts:

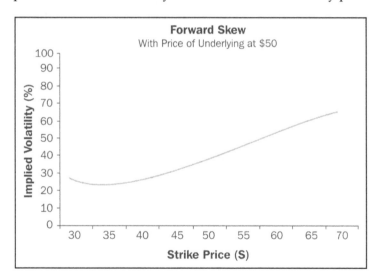

The forward-skew pattern is common for options in the commodities market. When supply is tight, businesses would rather pay more to secure supply than to risk supply disruption, for example, if weather reports indicate a heightened possibility of an impending frost, fear of supply disruption will cause businesses to drive up demand for out-of-the-money calls for the affected crops.

Calculating payoff on options

The payoff of an option is a relatively straightforward calculation based upon the type of the option and is derived from the price of the underlying security on expiry relative to the strike price. The formula for the call option payoff is as follows:

$$Payoff(call) = Max(S_T - X, 0)$$

The formula for the put option payoff is as follows:

$$Payoff(put) = Max(X - S_T, 0)$$

We will model both of these functions and visualize their payouts.

The call option payoff calculation

An option gives the buyer of the option the right to buy (a call option) or sell (a put option) an underlying security at a point in the future and at a predetermined price. A call option is basically a bet on whether or not the price of the underlying instrument will exceed the strike price. Your bet is the price of the option (the premium). On the expiry date of a call, the value of the option is 0 if the strike price has not been exceeded. If it has been exceeded, its value is the market value of the underlying security.

The general value of a call option can be calculated with the following function:

In [11]:

```
def call_payoff(price_at_maturity, strike_price):
    return max(0, price_at_maturity - strike_price)
```

When the price of the underlying instrument is below the strike price, the value is 0 (out of the money). This can be seen here:

In [12]:

```
call_payoff(25, 30)
```

Out [12]:

```
0
```

When it is above the strike price (in the money), it will be the difference between the price and the strike price:

In [13]:

```
call_payoff(35, 30)
```

Out[13]:
    5

The following function returns a `DataFrame` object that calculates the return for an option over a range of maturity prices. It uses `np.vectorize()` to efficiently apply the `call_payoff()` function to each item in the specific column of the `DataFrame`:

In [14]:
```
def call_payoffs(min_maturity_price, max_maturity_price,
                 strike_price, step=1):
    maturities = np.arange(min_maturity_price,
                           max_maturity_price + step, step)
    payoffs = np.vectorize(call_payoff)(maturities, strike_price)
    df = pd.DataFrame({'Strike': strike_price, 'Payoff': payoffs},
                      index=maturities)
    df.index.name = 'Maturity Price'
    return df
```

The following command demonstrates the use of this function to calculate the payoff of an underlying security at finishing prices ranging from 10 to 25 and with a strike price of 15:

In [15]:
```
call_payoffs(10, 25, 15)
```

Out[15]:

	Payoff	Strike
Maturity Price		
10	0	15
11	0	15
12	0	15
13	0	15
14	0	15
...	...	...
21	6	15
22	7	15
23	8	15
24	9	15
25	10	15

[16 rows x 2 columns]

Using this result, we can visualize the payoffs using the following function:

In [16]:

```
    def plot_call_payoffs(min_maturity_price, max_maturity_price,
                        strike_price, step=1):
        payoffs = call_payoffs(min_maturity_price, max_maturity_price,
                        strike_price, step)
        plt.ylim(payoffs.Payoff.min() - 10, payoffs.Payoff.max() + 10)
        plt.ylabel("Payoff")
        plt.xlabel("Maturity Price")
        plt.title('Payoff of call option, Strike={0}'
                .format(strike_price))
        plt.xlim(min_maturity_price, max_maturity_price)
        plt.plot(payoffs.index, payoffs.Payoff.values);
```

The payoffs are visualized as follows:

In [17]:

```
    plot_call_payoffs(10, 25, 15)
```

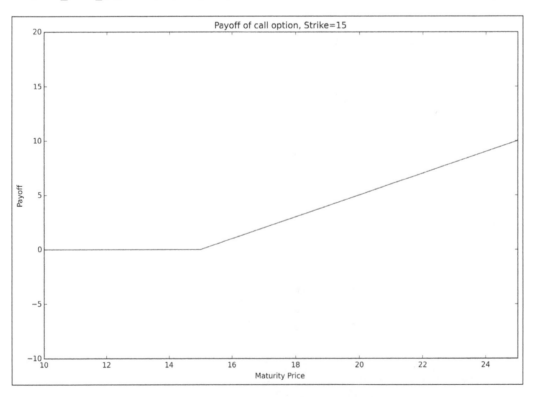

The put option payoff calculation

The value of a put option can be calculated with the following function:

```
In [18]:
    def put_payoff(price_at_maturity, strike_price):
        return max(0, strike_price - price_at_maturity)
```

While the price of the underlying is below the strike price, the value is 0:

```
In [19]:
    put_payoff(25, 20)
```

```
Out[19]:
    0
```

When the price is below the strike price, the value of the option is the difference between the strike price and the price:

```
In [20]:
    put_payoff(15, 20)
```

```
Out[20]:
    5
```

This payoff for a series of prices can be calculated with the following function:

```
In [21]:
    def put_payoffs(min_maturity_price, max_maturity_price,
                    strike_price, step=1):
        maturities = np.arange(min_maturity_price,
                               max_maturity_price + step, step)
        payoffs = np.vectorize(put_payoff)(maturities, strike_price)
        df = pd.DataFrame({'Payoff': payoffs, 'Strike': strike_price},
                          index=maturities)
        df.index.name = 'Maturity Price'
        return df
```

The following command demonstrates the values of the put payoffs for prices of 10 through 25 with a strike price of 25:

```
In [22]:
    put_payoffs(10, 25, 15)
```

```
Out[22]:
                    Payoff  Strike

     Maturity Price

     10                  5      15

     11                  4      15

     12                  3      15

     13                  2      15

     14                  1      15

     ...               ...     ...

     21                  0      15

     22                  0      15

     23                  0      15

     24                  0      15

     25                  0      15

     [16 rows x 2 columns]
```

The following function will generate a graph of payoffs:

```
In [23]:

    def plot_put_payoffs(min_maturity_price,
                         max_maturity_price,
                         strike_price,
                         step=1):
        payoffs = put_payoffs(min_maturity_price,
                              max_maturity_price,
                              strike_price, step)
        plt.ylim(payoffs.Payoff.min() - 10, payoffs.Payoff.max() + 10)
        plt.ylabel("Payoff")
        plt.xlabel("Maturity Price")
        plt.title('Payoff of put option, Strike={0}'
                  .format(strike_price))
        plt.xlim(min_maturity_price, max_maturity_price)
        plt.plot(payoffs.index, payoffs.Payoff.values);
```

The following command demonstrates the payoffs for prices between 10 and 25 with a strike price of 15:

```
In [24]:
    plot_put_payoffs(10, 25, 15)
```

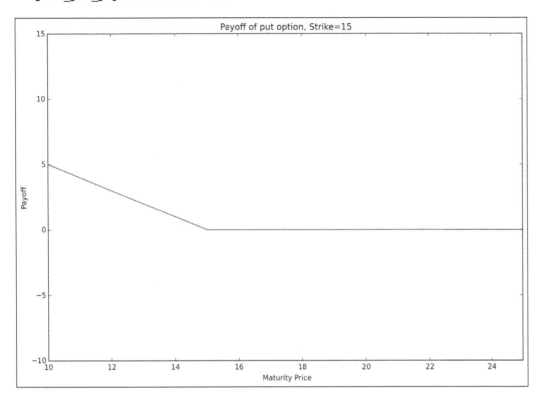

Profit and loss calculation

The general idea with an option is that you want to make a profit on speculation on the movement of the price of a security in the market, over a predetermined time frame.

The amount of profit or loss from the option can be calculated using a combination of the upfront premium and the payoff value of the option upon expiration. It is a zero-sum game as when a buyer profits by a certain amount, the seller loses the same amount, and vice versa.

The following table summarizes all of the profit and loss situations for both the buyer and seller when entering into options contracts:

Type	Scenario	Buyer or seller	Net profit or loss	Cash flow	At the end of the window period	Net amount
Call	The maturity price is above the strike price and the premium is less than the payoff	Buyer	Profit	-Premium	The buyer buys the underlying instrument at a discounted price from the seller	-Premium + payoff
		Seller	Loss	+Premium	The seller sells the underlying instrument to the buyer at a discount	-Payoff + premium
	The maturity price is above the strike price and the payoff is less than the premium	Buyer	Loss	-Premium	The buyer buys the underlying instrument at a discounted price from the seller	Payoff - premium
		Seller	Profit	+Premium	The seller sells the underlying instrument to the buyer at a discount	Premium - payoff
	The maturity price is below the strike price	Buyer	Loss	-Premium	Nil	-Premium
		Seller	Profit	+Premium	Nil	Premium

Type	Scenario	Buyer or seller	Net profit or loss	Cash flow	At the end of the window period	Net amount
Put	The maturity price is equal to or above the strike price	Buyer	Loss	-Premium	Nil	-Premium
		Seller	Profit	+Premium	Nil	-Premium
	The maturity price is less than the strike price and the payoff is greater than the premium	Buyer	Profit	-Premium	The buyer receives the underlying instrument from the seller	Payoff - premium
		Seller	Loss	+Premium		Premium - payoff
	The maturity price is less than the strike price and the payoff is less than the premium	Buyer	Loss	-Premium		-Premium + payoff
		Seller	Profit	+Premium		Premium - payoff

The call option profit and loss for a buyer

A buyer of a call will pay to the seller the premium to obtain the option being in a loss situation until the payoff exceeds the premium.

This can be demonstrated using the following function, which given the premium and strike price and returns a `DataFrame` of return values for a range of maturity prices for the buyer of a call:

```
In [25]:
    def call_pnl_buyer(premium, strike_price, min_maturity_price,
                    max_maturity_price, step = 1):
```

```
        payoffs = call_payoffs(min_maturity_price,
        max_maturity_price,

                            strike_price)
        payoffs['Premium'] = premium
        payoffs['PnL'] = payoffs.Payoff - premium
        return payoffs
```

The following command calculates the values of a call option starting at a price of 12 and with a strike price of 15 through the maturity values of 10 to 30:

```
In [26]:
    pnl_buyer = call_pnl_buyer(12, 15, 10, 35)
    pnl_buyer
```

Out[26]:

Maturity Price	Payoff	Price	Strike	PnL
10	0	12	15	-12
11	0	12	15	-12
12	0	12	15	-12
13	0	12	15	-12
14	0	12	15	-12
...	...	...	...	...
31	16	12	15	4
32	17	12	15	5
33	18	12	15	6
34	19	12	15	7
35	20	12	15	8

```
[26 rows x 4 columns]
```

The following function will visualize information in this DataFrame:

```
In [27]:
    def plot_pnl(pnl_df, okind, who):
        plt.ylim(pnl_df.Payoff.min() - 10, pnl_df.Payoff.max() + 10)
        plt.ylabel("Profit / Loss")
        plt.xlabel("Maturity Price")
```

```
    plt.title('Profit and loss of {0} option, {1}, Premium={2}
Strike={3}'
            .format(okind, who, pnl_df.Premium.iloc[0],
                    pnl_df.Strike.iloc[0]))
    plt.ylim(pnl_df.PnL.min()-3, pnl_df.PnL.max() + 3)
    plt.xlim(pnl_df.index[0], pnl_df.index[len(pnl_df.index)-1])
    plt.plot(pnl_df.index, pnl_df.PnL)
    plt.axhline(0, color='g');
```

This visualizes the particular `DataFrame` with the following chart:

In [28]:

```
    plot_pnl(pnl_buyer, "put", "Buyer")
```

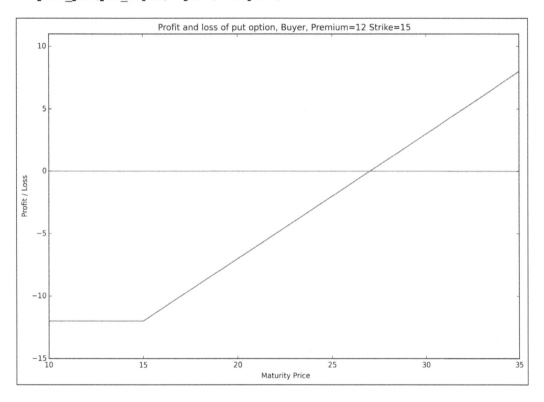

The profit and loss stays at a loss of the initial premium until the payoff begins to increase from 0 as the maturity price exceeds the strike price. There is a loss until the payoff exceeds the premium, which, in this case, is at $27 (the premium and the strike price).

The call option profit and loss for the seller

A seller of a call will initially profit from the receipt of the premium from the buyer. The profit for a seller will be the premium as long as the price at maturity is below the strike price. As the payoff increases for the buyer, the profit for the seller decreases and will eventually become a loss once the buyer moves into profit.

This can be demonstrated using the following function, which, given the premium and strike price, returns a `DataFrame` of returns values for a range of maturity prices for the seller of a call:

```
In [29]:
    def call_pnl_seller(premium, strike_price, min_maturity_price,
                    max_maturity_price, step = 1):
        payoffs = call_payoffs(min_maturity_price, max_maturity_price,
                        strike_price)
        payoffs['Premium'] = premium
        payoffs['PnL'] = premium - payoffs.Payoff
        return payoffs
```

The following command calculates the values of a call option starting at a price of 12 and with a strike price of 15 through the maturity values of 10 to 30:

```
In [30]:
    pnl_seller = call_pnl_seller(12, 15, 10, 35)
    pnl_seller
```

```
Out[30]:              Payoff  Strike  Premium  PnL
    Maturity Price
    10                0       15      12       12
    11                0       15      12       12
    12                0       15      12       12
    13                0       15      12       12
    14                0       15      12       12
    ...              ...     ...     ...      ...
    31               16       15      12       -4
    32               17       15      12       -5
    33               18       15      12       -6
    34               19       15      12       -7
    35               20       15      12       -8
    [26 rows x 4 columns]
```

This visualizes a particular `DataFrame` with the following chart:

```
In [31]:
    plot_pnl(pnl_seller, "call", "Seller")
```

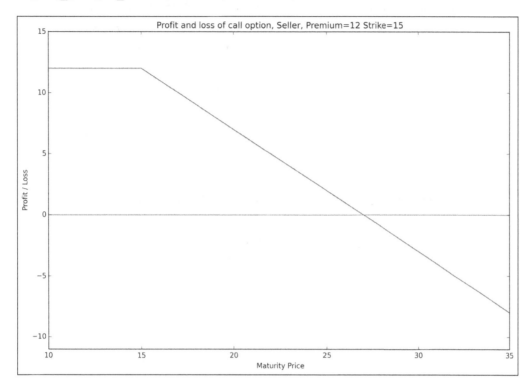

The profit and loss stays at a profit matching the premium until the payoff begins to increase from 0 as the maturity price exceeds the strike price. There is a profit obtained until the payoff amount exceeds the premium, which in this case is at $27 (the premium + the strike price), at which point the seller of the call will increasingly be at a loss as the maturity value increases.

Combined payoff charts

There will be many instances where you will see the payoffs/profit and loss for both the buy and seller represented on a single chart. The following function will do this for us:

```
Out[32]:
    def plot_combined_pnl(pnl_df):
        plt.ylim(pnl_df.Payoff.min() - 10, pnl_df.Payoff.max() + 10)
        plt.ylabel("Profit / Loss")
```

```
plt.xlabel("Maturity Price")
plt.title('Profit and loss of call option Strike={0}'
          .format(pnl_df.Strike.iloc[0]))
plt.ylim(min(pnl_df.PnLBuyer.min(), pnl_df.PnLSeller.min())-3,
         max(pnl_df.PnLBuyer.max(), pnl_df.PnLSeller.max())+3)
plt.xlim(pnl_df.index[0], pnl_df.index[len(pnl_df.index)-1])
plt.plot(pnl_df.index, pnl_df.PnLBuyer, color='b')
plt.plot(pnl_df.index, pnl_df.PnLSeller, color='r')
plt.axhline(0, color='g');
```

This function expects to be given a DataFrame, which combines data from both the profit and loss functions' calls and puts. This DataFrame can be constructed as follows:

In [33]:

```
pnl_combined = pd.DataFrame({'PnLBuyer': pnl_buyer.PnL,
                            'PnLSeller': pnl_seller.PnL,
                            'Premium': pnl_buyer.Premium,
                            'Strike': pnl_buyer.Strike,
                            'Payoff': pnl_buyer.Payoff})
pnl_combined
```

Out[33]:

Maturity Price	Payoff	PnLBuyer	PnLSeller	Premium	Strike
10	0	-12	12	12	15
11	0	-12	12	12	15
12	0	-12	12	12	15
13	0	-12	12	12	15
14	0	-12	12	12	15
...	...	...	...	...	...
31	16	4	-4	12	15
32	17	5	-5	12	15
33	18	6	-6	12	15
34	19	7	-7	12	15
35	20	8	-8	12	15

[26 rows x 5 columns]

Now, passing this in to the function, we are presented with the following graph with both series of profit and loss plotted:

```
In [34]:

    plot_combined_pnl(pnl_combined)
```

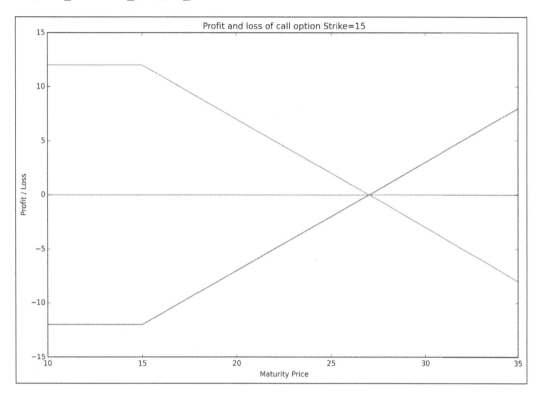

This shows how the overall effect of buying and selling an option is a zero-sum game. There are fixed losses or gains for the buyer and seller as long as the maturity price is below the strike price. A maturity price above the strike price begins to flow value back to the buyer from the seller. Conceptually, there is unlimited upside for the buyer and unlimited downside for the seller.

The put option profit and loss for a buyer

A buyer of a put pays a premium to the put seller. They are at a loss of the premium if the maturity price exceeds the strike price. As the maturity price falls below the strike price at maturity, the loss will decrease. There will be an overall loss until the payoff exceeds the premium.

This can be demonstrated using the following function which, given the premium and strike price, returns a DataFrame of returns values for a range of maturity prices for the buyer of a put option:

```
In [35]:
    def put_pnl_buyer(premium, strike_price, min_maturity_price,
                        max_maturity_price, step = 1):
        payoffs = put_payoffs(min_maturity_price, max_maturity_price,
                        strike_price)
        payoffs['Premium'] = premium
        payoffs['Strike'] = strike_price
        payoffs['PnL'] = payoffs.Payoff - payoffs.Premium
        return payoffs
```

The following command calculates the profit and loss of a put option for the buyer starting at a price of 2 and with a strike price of 15 through the maturity values of 10 to 30:

```
In [36]:
    pnl_put_buyer = put_pnl_buyer(2, 15, 10, 30)
    pnl_put_buyer
```

```
Out[36]:
```

Maturity Price	Payoff	Strike	Premium	PnL
10	5	15	2	3
11	4	15	2	2
12	3	15	2	1
13	2	15	2	0
14	1	15	2	-1
...	...	...	...	...
26	0	15	2	-2
27	0	15	2	-2
28	0	15	2	-2
29	0	15	2	-2
30	0	15	2	-2

[21 rows x 4 columns]

The following function will visualize information in this `DataFrame`:

`In [37]:`

```
plot_pnl(pnl_put_buyer, "put", "Buyer")
```

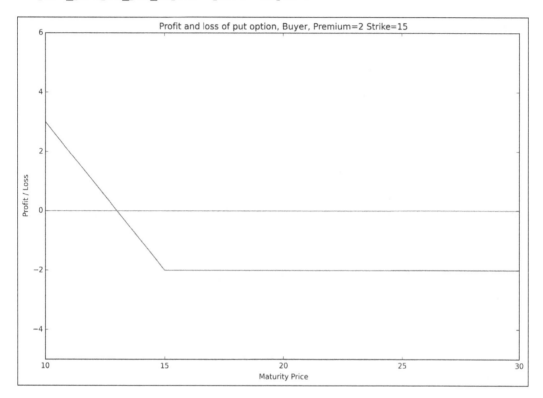

There is a tendency to read this chart as the put buyer profiting at the purchase of the put option. Remember that the horizontal axis is not time that increases from left to right. Although it looks as though the buyer profits by $3 at the onset of purchasing the option, this chart really shows how profit and loss varies at maturity for different maturity prices. As long as the maturity price is greater than the strike price, there is only a loss of the amount of the premium. The more the maturity price finishes below the strike price, the better the chance to earn profit.

The put option profit and loss for the seller

A seller of a put receives the premium from the buyer of the put. They have a profit of the premium if the maturity price exceeds the strike price. As the maturity price falls below the strike price at maturity, the profit will decrease by the amount of the payoff.

This can be demonstrated using the following function, which, given the premium and strike price, returns a DataFrame of returns values for a range of maturity prices for the seller of a put option:

In [38]:

```
def put_pnl_seller(premium, strike_price, min_maturity_price,
                   max_maturity_price, step = 1):
    payoffs = put_payoffs(min_maturity_price, max_maturity_price,
                          strike_price)
    payoffs['Premium'] = premium
    payoffs['Strike'] = strike_price
    payoffs['PnL'] = payoffs.Premium - payoffs.Payoff
    return payoffs
```

The following command calculates the profit and loss of a put option for the seller starting at a price of 2 and with a strike price of 15 through the maturity values of 10 to 30:

In [39]:

```
pnl_put_seller = put_pnl_seller(30, 45, 20, 50)
pnl_put_seller
```

Out[39]:

	Payoff	Strike	Premium	PnL
Maturity Price				
10	5	15	2	-3
11	4	15	2	-2
12	3	15	2	-1
13	2	15	2	0
14	1	15	2	1
...	...	...	...	...
26	0	15	2	2
27	0	15	2	2
28	0	15	2	2
29	0	15	2	2
30	0	15	2	2

[21 rows x 4 columns]

The following function will visualize information in this `DataFrame`:

`In [40]:`

```
plot_pnl(pnl_put_seller, "put", "Seller")
```

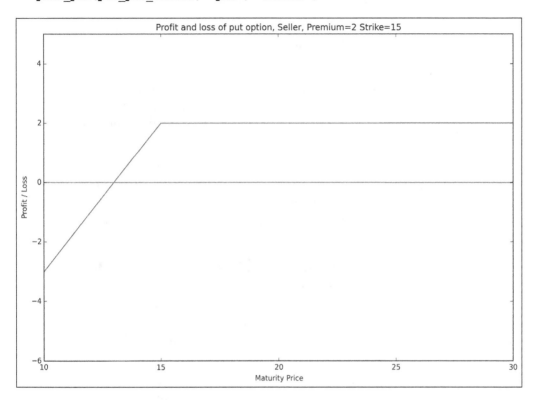

The pricing of options

There are two general styles of options: European and American. A European option is an option that cannot be exercised before its expiration date. An American option can be exercised at any point before its expiration date. American options are the most common form of options traded in the market.

The pricing model of the two styles of options is significantly different. Since a European option can only be exercised at its expiration, there exists a closed form calculation for its market price. The common form of modeling for a European option is the Black-Scholes pricing model.

The pricing of American options is complicated by their ability to be exercised at any time, which prevents them having a closed-form pricing model. However, there are several ways to price an American option, one of which we will examine later in the chapter and is known as the binomial tree method.

A general characteristic of an American option compared to a European option is that its price generally will be higher due to the flexibility and increased risk on the counterparty side.

We will examine the pricing of European options using the Black-Scholes formula. Our purpose is not to derive a complete understanding of how the prices are derived but to use a pricing library to verify the price and implied volatility of options retrieved from Yahoo! Finance.

Additionally, we will examine several underlying characteristics of the options referred to as The Greeks, which are various partial derivatives of the Black-Scholes formula relative to the various parameters of the function. These values are often used in decision making with respect to the purchase of options.

The pricing of options with Black-Scholes

The Black-Scholes formula was developed by Fischer Black and Myron Scholes and is a stochastic partial-differential equation that estimates the price of an option, specifically a European option, which is an option that can only be exercised at the end of its life. This is in contrast to an American option, which can be exercised at any point after its purchase.

The basic idea behind Black-Sholes is to determine the value today of an options contract for an underlying security in a year. The contract will have different values depending upon whether the stock goes up or down, so the payoff curve is not symmetrical. The model helps us to derive an underlying measure of the probabilities of the underlying security ending up at various values at the end of the year. If we can determine this, then we can also estimate a value for the contract.

The Black-Scholes model also makes several assumptions to keep the modeling simple:

- There is no arbitrage
- There is the ability to borrow money at a constant risk-free interest rate throughout the life of the option
- There are no transaction costs
- The pricing of the underlying security follows a Brownian motion with constant drift and volatility
- No dividends are paid from the underlying security

This seems to be a list of very important assumptions but it is needed to get a baseline model in place. More complicated scenarios can then be handled with other derivations, but even with these assumptions, the resulting model is quite representative of actual prices (as we will see).

Deriving the model

There are three primary factors that are taken into account for determining the value of an option:

- The value of the cash to buy the option
- The value of the underlying security that is received (if any)
- The volatility of the underlying price during the life of the option

We have seen these three factors taken into account in our payoff models. We now need to quantify these a bit more to be able to work out their expected values and derive a value for the contract.

The value of the cash to buy

If the option is exercised, then the cash is paid only if the underlying stock price is above the strike at maturity. Therefore, we need to determine the expected value based upon the probability that the stock finishes above the strike price. The strike price will be referred to as K, and the probability of the stock finishing above K will be referred to as $N(d_2)$. The expected value is then $N(d_2)K$ with $N()$ representing the cumulative normal function. The d_2 variable represents a formulation of the probability of the option exceeding the strike price (a little more on this later).

Given that the expected value is $N(d_2)K$, this amount can be discounted using $e^{-r(T-t)}$ to give us the value of the cash to buy the option today as $N(d_2)Ke^{-r(T-t)}$.

The value of the stock received

If the option is exercised, then we take possession of the underlying security at its value in the market at the maturity of the option. It happens that the expected value of this is proportional to the current value of the stock, which is referred to as S. In the Black-Scholes model, this expected value is referred to as $N(d_1)S$.

$N(d_1)$ represents the proportion of the value of the current value of the stock, S at maturity of the option only if the option is exercised and 0 otherwise. Like d_2, d_1 will be stated a little later.

The formulas

Options are either calls or puts, so there are two derivations of the model. The simpler of the two is the model for call options:

$$C(S,t) = N(d_1)S - N(d_2)Ke^{-r(T-t)}$$

This states that the value of the call is the difference between the stock price and the strike price using the probability scaling of each and discounting the strike price.

The formula for a put is slightly more complicated but similar:

$$P(S,t) = Ke^{-r(T-t)} - S + C(S,t) = N(-d_2)Ke^{-r(T-t)} - N(-d_1)S$$

d1 and d2

Finally, we get to d_1 and d_2. These formulas are at the heart of the Black-Scholes model. The mathematics of d_1 and d_2 are fairly complex and represent the probability scale factors for the stock price (d_1) and strike price (d_2) using the cumulative normal function $N()$. These will be presented as follows without further explanation in this text. The formula for d_1 is as follows:

$$d_1 = \frac{1}{\sigma\sqrt{T-t}}\left[\ln\left(\frac{S}{K}\right) + \left[r + \frac{\sigma^2}{2}\right](T-t)\right]$$

The formula for d_2 is as follows:

$$d_2 = \frac{1}{\sigma\sqrt{T-t}}\left[\ln\left(\frac{S}{K}\right) + \left[r - \frac{\sigma^2}{2}\right](T-t)\right] = d_1 - \sigma\sqrt{T}$$

These appear complex (and their derivation is) but are easily implemented in a programming language with the values simply plugged in. Also, the volatility of the underlying price is represented in these equations by the sigma variable.

The parameters that can be plugged in are the following:

- N: The cumulative normal function
- T: Time to maturity expressed in years
- S: The stock price or other underlying assets
- K: The strike price
- r: The risk-free interest rate

You may have noticed that we have not parameterized the volatility. This is one of the things you need to remember using Black-Scholes. The volatility will be implied via the other parameters.

Now, with this all in hand, we can now implement the Black-Sholes algorithm in Python.

Black-Scholes using Mibian

For the sake of brevity, we will not get into the actual implementation of Black-Scholes in Python. Instead, we will use a small but convenient library: MibianLib. MibianLib is available at `http://code.mibian.net/` and is open source. It provides several methods for options price calculation, one of which is Black-Scholes. You can examine the implementation to verify the previous formulations.

Now, let's examine the basic use of Mibian to calculate values using Black-Scholes. To do this, we will examine two options that we retrieved from Yahoo! Finance earlier in the chapter—the put and call expiring on `2015-01-15` with IV of 57.23 (the put) and 52.73 (the call):

```
In [41]:
    aos[aos.Expiry=='2016-01-15'][:2]
```

```
Out[41]:
          Expiry  Strike  Type     IV    Bid    Ask  Underlying_Price
    0 2016-01-15   34.29  call  57.23  94.10  94.95            128.79
    1 2016-01-15   34.29   put  52.73   0.01   0.07            128.79
```

At the time of retrieving these, these options are `324` days from expiring:

```
In [42]:
    date(2016, 1, 15) - date(2015, 2, 25)
```

```
Out[42]:
    datetime.timedelta(324)
```

We have now collected all of the parameters to use the Black-Scholes pricing (using an assumed 1 percent interest rate):

```
In [43]:
    import mibian
    c = mibian.BS([128.79, 34.29, 1, 324], 57.23)
```

The call price can be retrieved via the `.callPrice` property:

```
In [43]:
    c.callPrice
```

```
Out[44]:
    94.878970089456217
```

Our result is a few cents off the actual quoted bid but between the bid and ask prices. Given that we assumed a 1 percent interest rate, the result is right in the range we would expect.

The put price is retrieved via the `.putPrice` property:

```
In [45]:
    c.putPrice
```

```
Out[45]:
    0.075934592996542705
```

This is very close to the ask value of the put option.

We can also use Mibian to calculate the implied volatility:

```
In [46]:
    c = mibian.BS([128.79, 34.29, 1, 324],
                callPrice=94.878970089456217 )
Out[46]:
    57.22999572753906
```

Charting option price change over time

It can be useful to plot the price of an option until its expiration. We can do this by varying the time to expiration and plotting the results. This can be done very easily using pandas.

The following command calculates the call price for the AAPL option, varying from 1 to 364 days to expiry, and plots the change in price showing that the price of the call decreases as the number of days to expiry increases:

```
In [47]:
    df = pd.DataFrame({'DaysToExpiry': np.arange(364, 0, -1)})
    df
```

```
Out[47]:
      DaysToExpiry
0              364
1              363
2              362
3              361
4              360
..             ...
359              5
360              4
361              3
362              2
363              1
[364 rows x 1 columns]
```

```
In [48]:
    bs_v1 = mibian.BS([128.79, 34.29, 1, 324], volatility=57.23)
    calc_call = lambda r: mibian.BS([128.79, 34.29, 1,
                                r.DaysToExpiry],
                              volatility=57.23).callPrice
    df['CallPrice'] = df.apply(calc_call, axis=1)
    df
```

```
Out[48]:
      DaysToExpiry  CallPrice
0              364      94.96
1              363      94.96
2              362      94.96
3              361      94.96
4              360      94.95
..             ...        ...
359              5      94.50
360              4      94.50
361              3      94.50
362              2      94.50
363              1      94.50
[364 rows x 2 columns]
```

The following graph shows the call price decreasing as the days to expiry also decreases:

```
In [49]:
    df[['CallPrice']].plot();
```

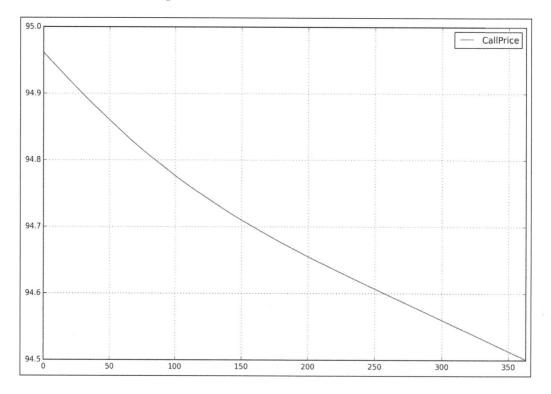

The Greeks

The Greeks are quantities representing the sensitivity of the price of options to the change in the underlying parameters of the valuation of the derivative. The first-order Greeks of options represent the change value relative to the change in price, volatility, and time to expiry. Second-order and third-order Greeks do exist, but we will only focus on the first-order Greeks and a single second-order Greek known as Gamma.

The first-order Greeks are named and represented in the following table:

Name	Description
Delta	This is the rate of change of the option value with respect to a change in the price of the underlying security
Vega	This is the rate of change of the option value with respect to a change in the volatility of the underlying security
Theta	This is the rate of change of the option value with respect to the time to expiry
Rho	This is the rate of change of the option value with respect to the interest rate
Gamma	This is the rate of change of the Delta Greek with respect to a change in the price of the underlying security

The Greeks are important tools in risk management to manage the exposure of individual investments or combinations, such as in an investment portfolio. We will not get into the detailed use for risk management as that is beyond the scope of this book (and pandas), but they are worth mentioning in a chapter on options pricing.

Calculation and visualization

The Greeks in Black-Scholes are straightforward to calculate and are given with the following formulas:

Greek	Derivation	Calls	Puts
Delta	$\dfrac{\partial C}{\partial S}$	$N(d_1)$	$-N(d_1) = N(d_1) - 1$
Gamma	$\dfrac{\partial^2 C}{\partial S^2}$	$\dfrac{N'(d_1)}{S\sigma\sqrt{T-t}}$	
Vega	$\dfrac{\partial C}{\partial \sigma}$	$SN'(d_1)\sqrt{T-t}$	
Theta	$\dfrac{\partial C}{\partial t}$	$-\dfrac{SN'(d_1)\sigma}{2\sqrt{T-t}} - rKe^{-r(T-t)}N(d_2)$	$-\dfrac{SN'(d_1)\sigma}{2\sqrt{T-t}} + rKe^{-r(T-t)}N(-d_2)$
Rho	$\dfrac{\partial C}{\partial r}$	$K(T-t)e^{-r(T-t)}N(d_2)$	$-K(T-t)e^{-r(T-t)}N(-d_2)$

We will not examine their implementation in this book, especially since they are implemented in Mibian. However, we will demonstrate how the Greeks vary in value by creating a `DataFrame` to alternate the values of the input in the Black-Scholes pricing algorithm:

```
In [50]:
    greeks = pd.DataFrame()
    delta = lambda r: mibian.BS([r.Price, 60, 1, 180],
                                volatility=30).callDelta
    gamma = lambda r: mibian.BS([r.Price, 60, 1, 180],
                                volatility=30).gamma
    theta = lambda r: mibian.BS([r.Price, 60, 1, 180],
                                volatility=30).callTheta
    vega = lambda r: mibian.BS([r.Price, 60, 1, 365/12],
                                volatility=30).vega

    greeks['Price'] = np.arange(10, 70)
    greeks['Delta'] = greeks.apply(delta, axis=1)
    greeks['Gamma'] = greeks.apply(gamma, axis=1)
    greeks['Theta'] = greeks.apply(theta, axis=1)
    greeks['Vega'] = greeks.apply(vega, axis=1)
    greeks[:5]
```

```
Out[50]:
```

	Price	Delta	Gamma	Theta	Vega
0	10	2.73e-17	1.10e-16	-1.37e-18	1.96e-96
1	11	1.15e-15	4.00e-15	-6.00e-17	1.17e-86
2	12	2.94e-14	8.88e-14	-1.59e-15	3.36e-78
3	13	4.99e-13	1.32e-12	-2.78e-14	8.21e-71
4	14	6.05e-12	1.42e-11	-3.45e-13	2.63e-64

The following plot demonstrates how the different values for `Delta`, `Gamma`, `Theta`, and `Vega` change for this particular option relative to change in their respective parameters:

```
In [51]:

    greeks[['Delta', 'Gamma', 'Theta', 'Vega']].plot();
```

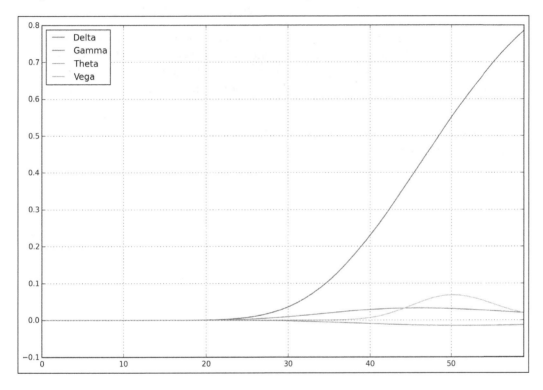

Summary

In this chapter, we examined several techniques for using pandas to calculate the prices of options, their payoffs, and the profit and loss for the various combinations of calls and puts for both buyers and sellers. We started with a brief introduction to options, covered how to load current market data for options from Yahoo! Finance, and then examined the properties of the data retrieved from the web services.

We then examined the pricing of options using Black-Scholes with a brief explanation of how the algorithm models option prices. We also used the Mibian library to calculate prices using Black-Scholes. We finished with a brief explanation of the Greeks and how to calculate their values for various configurations of options.

In the next chapter, we will look at the modeling of investment portfolios using Python and pandas and how we can calculate optimal portfolios that balance risk and return for different investor types.

Portfolios and Risk

A portfolio is a grouping of financial assets, which may include stocks, bonds, and mutual funds. It is generally accepted that a portfolio is designed based upon an investor's risk tolerance, time frames, and investment goals. The allocation of the assets in a portfolio, referred to as asset allocation, influences the risk/reward ratio of the portfolio. The specific assets in a portfolio and the relative weighting of the assets within the portfolio are designed to maximize the expected return, while also minimizing the risk.

The process of determining the proper assets and their proportion relative to each other within a portfolio involves a concept known as **modern portfolio theory** (**MPT**). This is a theory in finance that has evolved since the 1950s and describes the mathematics of constructing an optimal portfolio based upon risk and return parameters. This involves selecting assets that are correlated based upon historical returns, in such a manner that they function to diversify the portfolio.

In this chapter, we will examine the concepts of modern portfolio theory. We will first start with an overview of MPT and how it utilizes a concept known as the 'efficient frontier' to determine an optimal portfolio. We will then examine a means of modeling a portfolio with pandas, and then implement the mathematics of MPT to calculate optimum portfolios and determine and visualize the efficient frontier for a particular mix of assets. The chapter then closes of with a brief discussion of Value at Risk, which helps us to understand the level potential loss that can be expected in a portfolio for a specific period of time.

In this chapter, we will cover the following:

- An overview of modern portfolio theory
- Mathematical models of portfolios
- Risk and expected return
- The concepts of diversification and the efficient frontier

- Modeling a portfolio with pandas
- Gathering historical stock data within a portfolio
- Modeling different weights of assets in a portfolio
- Optimization and minimization using SciPy
- Calculating the Sharpe ratio of a portfolio
- Constructing an efficient portfolio
- Visualizing the efficient frontier for a set of assets
- Computing **Value at Risk (VaR)**

Notebook setup

The examples in this chapter will be based upon the following configuration in IPython. One main difference in this setup is that in this chapter, we will be using SciPy, specifically its optimization and statistical features, so this has imports that are required for several of the examples:

```
In [1]:
    import pandas as pd
    import numpy as np
    import pandas.io.data as web
    from datetime import datetime

    import scipy as sp
    import scipy.optimize as scopt
    import scipy.stats as spstats

    import matplotlib.pyplot as plt
    import matplotlib.mlab as mlab
    %matplotlib inline

    pd.set_option('display.notebook_repr_html', False)
    pd.set_option('display.max_columns', 7)
    pd.set_option('display.max_rows', 10)
    pd.set_option('display.width', 82)
    pd.set_option('precision', 3)
```

An overview of modern portfolio theory

Modern portfolio theory (**MPT**) is a theory of finance that attempts to maximize the expected return on a set of investments (known as the portfolio), relative to the overall risk of the combined items in the portfolio. The concept is that given a particular level of risk, the return will be maximized for that risk. This is common in retirement plans. The younger the investor and the smaller the amount in the portfolio, the more there is a willingness to take risks on higher returns. As the investor comes close to retirement and the total value of the portfolio is higher, the more likely they are to take lower risks, to ensure that the base of the portfolio is not lost but that at the tradeoff of potential gains being lower.

MPT provides a mathematical model of diversified investment with the goal of selecting a collection of investments that has a combined risk that is less than any individual asset in the portfolio. This is achievable by selecting individual investments that have opposite correlations such that when one particular investment goes down in value, another gains similarly in value and the overall net of the portfolio remains consistent or at least minimizes the loss during downturns. However, at the same time, this may also lower the overall gains in upturns. And additionally, diversification has a tendency to also lower risk even if various assets in the portfolio are not negatively correlated as the diversity itself tends to give an overall less risky portfolio.

MPT assumes an individual investment's returns as normally distributed and then defines risk as the standard deviation of the returns. It then models a portfolio as a weighted combination of the assets such that the return of the overall portfolio is a weighted sum of the combination of the returns of the assets. Then, by selecting a set of investments that are not perfectly correlated, MPT attempts to reduce the total variance of the overall portfolio return.

MPT was developed in the 1950s and through to the 1970s and represented a significant advance in financial modeling. As a theory, it is interesting and does have practical applications. But like other models of finance (for example, Black-Scholes), it is heavily dependent on those assumptions and can lead to suboptimal results when those conditions are not met. Nonetheless, it is an important financial concept—one that can be implemented effectively using pandas and Python—and is important to understand before branching out into more detailed models.

Concept

The basic idea behind MPT is that assets in a portfolio should not be selected individually based upon their individual performance. It is instead important to consider how each asset changes in value relative to other assets in the portfolio. This represents a tradeoff between risk and expected return. The stocks in an efficient portfolio are chosen based on the investor's risk tolerance, with an efficient portfolio having at least two stocks above the minimum variance portfolio. For a given amount of risk, MPT describes how to select a portfolio out of a set of investments that has the highest expected return while being at or below the specified risk level. On the flip side, for a given return, MPT specifies how to select a portfolio with the least possible risk.

Mathematical modeling of a portfolio

In this chapter, we will examine the classical model of MPT. There have been many extensions, but we will focus on the core.

Risk and expected return

A fundamental assumption of MPT is that investors are risk averse. This means that given two portfolios that offer the same expected return, the investor will prefer the less risky portfolio. Therefore, an investor will only take on a riskier portfolio if higher expected returns make it worthwhile. And conversely, an investor wanting higher expected returns must accept greater risk.

MPT makes the assumption that the standard deviation of returns can be used as an accurate representation of risk. This is valid if asset returns are normally jointly distributed, which are otherwise elliptically distributed.

Then, under the model:

- Portfolio return is the proportion-weighted combination of the constituents of the returns of the assets
- Portfolio volatility is a function of the correlations of the constituent assets, for all pairs of assets (i, j).

This goes on up to n assets in a portfolio. We will return to these formulas later when we implement them in Python and then with pandas when we optimize portfolios.

Diversification

An investor can then reduce risk by holding combinations of instruments that are not positively correlated. If the asset pairs are perfectly uncorrelated (correlation of 0), then the portfolio's return variance is the sum over all the instruments of the square of the fraction held in the instrument multiplied by the instrument's return variance.

The efficient frontier

Using this model, the risk and expected returns of all possible combinations of risky assets is computed. This can then be plotted in the risk-return space, a two-dimensional space with the risk along the x axis and the expected return along the y axis. The collection of all such portfolios will define a region of the graph, with the left edge of what forms a hyperbola. This following hyperbola is often referred to as the Markowitz Bullet:

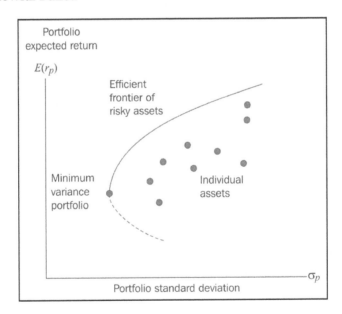

The upper portion of the hyperbola, represented with a solid line, represents the efficient frontier. All portfolios along the solid portion on the line can only increase in return with increased risk. However, also note that any portfolio on the efficient frontier also has a matching portfolio on the lower half of the bullet, which represents a portfolio with the same amount of risk but with less expected return. All things considered, an investor will want to take the portfolio with higher return over one with lower return and with the same risk. Hence, only portfolios on the portion of the hyperbola at higher returns than the minimum variance portfolio are considered on the efficient frontier.

Modeling a portfolio with pandas

A basic portfolio model consists of a specification of one or more investments and their quantities. A portfolio can be modeled in pandas using a DataFrame with one column representing the particular instrument (such as a stock symbol) and the other representing the quantity of the item held.

The following command will create a DataFrame representing a portfolio:

```
In [2]:
    def create_portfolio(tickers, weights=None):
        if (weights is None):
            shares = np.ones(len(tickers))/len(tickers)
        portfolio = pd.DataFrame({'Tickers': tickers,
                                  'Weights': weights},
                                 index=tickers)
        return portfolio
```

Using this, we can create a portfolio of two instruments, Stock A and Stock B. The amount of shares for each is initialized to 1. This would represent an equally weighted portfolio as the number of shares of each stock is the same:

```
In [3]:
    portfolio = create_portfolio(['Stock A', 'Stock B'],
                                 [1, 1])
    portfolio
```

```
Out[3]:
             Shares   Tickers
    Stock A       1   Stock A
    Stock B       1   Stock B
```

We can then model mock returns for the last 5 years. The values used for returns are picked to demonstrate a point about creating an equally-weighted portfolio and to use negatively correlated instruments to create a representation of the diversification effect:

```
In [4]:
    returns = pd.DataFrame(
            {'Stock A': [0.1, 0.24, 0.05, -0.02, 0.2],
             'Stock B': [-0.15, -0.2, -0.01, 0.04, -0.15]})
```

```
returns
```

Out[4]:

	Stock A	Stock B
0	0.10	-0.15
1	0.24	-0.20
2	0.05	-0.01
3	-0.02	0.04
4	0.20	-0.15

Using the portfolio share values and the returns, the following function will compute the equally-weighted return for the underlying instruments:

In [5]:

```
def calculate_weighted_portfolio_value(portfolio,
                                       returns,
                                       name='Value'):
    total_weights = portfolio.Weights.sum()
    weighted_returns = returns * (portfolio.Weights /
                                  total_weights)
    return pd.DataFrame({name: weighted_returns.sum(axis=1)})
```

We can now calculate the equally-weighted portfolio and concatenate it with our original DataFrame of returns:

In [6]:

```
wr = calculate_weighted_portfolio_value(portfolio,
                                        returns,
                                        "Value")
with_value = pd.concat([returns, wr], axis=1)
with_value
```

Out[6]:

	Stock A	Stock B	Value
0	0.10	-0.15	-0.025
1	0.24	-0.20	0.020
2	0.05	-0.01	0.020
3	-0.02	0.04	0.010
4	0.20	-0.15	0.025

We can examine the volatility of each of the individual instruments combined with the results of the weighted portfolio, as shown here:

```
In [7]:
    with_value.std()
```

```
Out[7]:
    Stock A      0.106677
    Stock B      0.103102
    Value        0.020310
    dtype: float64
```

Stock A had a volatility of 11 percent and Stock B of 10 percent. The combined portfolio represented significantly lower volatility of 2 percent. This is because we picked two negatively correlated stocks with similar volatility and combining them has therefore reduced the overall risk.

We can visualize this using the following function:

```
In [8]:
    def plot_portfolio_returns(returns, title=None):
        returns.plot(figsize=(12,8))
        plt.xlabel('Year')
        plt.ylabel('Returns')
        if (title is not None): plt.title(title)
        plt.show()
```

Also examine the following graph:

```
In [9]:
    plot_portfolio_returns(with_value)
```

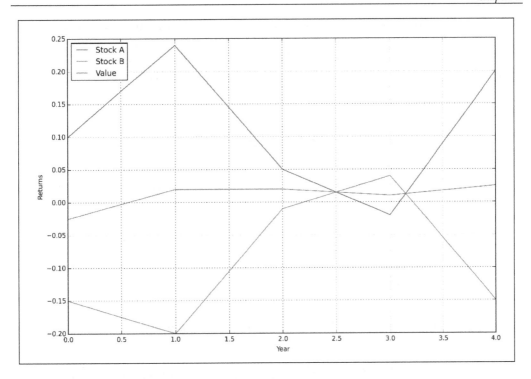

It becomes apparent from this graph that the overall portfolio had much less variability, and hence risk, than those of the individual instruments in the portfolio.

Just to check, we can also calculate the correlation of the original returns:

```
In [10]:
    returns.corr()
```

```
Out[10]:
              Stock A      Stock B
    Stock A   1.000000   -0.925572
    Stock B  -0.925572    1.000000
```

The returns of our two stocks have a negative correlation of -0.93, which tells us that they can be used to offset each other's volatility.

This scenario used an equally-weighted portfolio of stocks that have a strong negative correlation and returns of similar magnitude. The real trick that we will examine in the upcoming sections will be to select an optimal portfolio from a set of stocks and to also determine the proper weighting for each stock to reach the optimized portfolio- that is, the efficient frontier.

Constructing an efficient portfolio

At the beginning of the chapter, we briefly covered the formulas to calculate the estimated return and variance of a portfolio. We will now dive into implementations of those calculations along with selecting portfolios that are on the efficient frontier.

To do this, we will need to cover the following concepts:

- Gathering of historical returns on the assets in the portfolio
- Formulation of portfolio risk based on historical returns
- Determining the Sharpe ratio for a portfolio
- Selecting optimal portfolios based upon Sharpe ratios

Gathering historical returns for a portfolio

In our examples, we will use data retrieved from Yahoo! Finance to create historical returns for the stocks in the portfolio. The calculations we will perform will utilize annualized returns. Yahoo! Finance data represents daily prices for the stocks, so we will need to convert those prices into annualized returns.

We can start this process using the following function, which will retrieve the adjusted closing prices for a list of stocks between the two dates and organize it in a convenient way for the processes we will undertake:

```
In [11]:
    def get_historical_closes(ticker, start_date, end_date):
        p = web.DataReader(ticker, "yahoo", start_date, end_date)
        d = p.to_frame()['Adj Close'].reset_index()
        d.rename(columns={'minor': 'Ticker',
                          'Adj Close': 'Close'}, inplace=True)
        pivoted = d.pivot(index='Date', columns='Ticker')
        pivoted.columns = pivoted.columns.droplevel(0)
        return pivoted
```

Our examples will utilize AAPL, MSFT, and KO stocks, from 2010-01-01 through 2014-12-31. We can retrieve those daily prices as follows:

```
In [12]:
   closes = ef_get_historical_closes(['MSFT', 'AAPL', 'KO'],
                                     '2010-01-01', '2014-12-31')


In [13]:
   closes[:5]


Out[13]:
   Ticker           AAPL         KO       MSFT
   Date
   2010-01-04    28.83805   24.46602   26.94331
   2010-01-05    28.88790   24.17006   26.95201
   2010-01-06    28.42840   24.16148   26.78661
   2010-01-07    28.37585   24.10143   26.50804
   2010-01-08    28.56450   23.65535   26.69085
```

Using this data, the following function will calculate annualized returns for each of the stocks. We start with the following function, which converts daily prices into daily returns:

```
In [14]:
   def calc_daily_returns(closes):
       return np.log(closes/closes.shift(1))
```

Our daily returns are shown here:

```
In [15]:
   daily_returns = calc_daily_returns(closes)
   daily_returns[:5]


Out[15]:
   Ticker           AAPL         KO       MSFT
   Date
   2010-01-04        NaN         NaN        NaN
   2010-01-05    0.001727   -0.012171   0.000323
   2010-01-06   -0.016034   -0.000355  -0.006156
   2010-01-07   -0.001850   -0.002488  -0.010454
   2010-01-08    0.006626   -0.018682   0.006873
```

From the daily returns, we can calculate annualized returns using the following function:

In [16]:

```
def calc_annual_returns(daily_returns):
    grouped = np.exp(daily_returns.groupby(
        lambda date: date.year).sum())-1
    return grouped
```

This gives us the following as the annual returns:

In [17]:

```
annual_returns = calc_annual_returns(daily_returns)
annual_returns
```

Out[17]:

Ticker	AAPL	KO	MSFT
2010	0.507219	0.189366	-0.079442
2011	0.255580	0.094586	-0.045156
2012	0.325669	0.065276	0.057989
2013	0.080695	0.172330	0.442979
2014	0.406225	0.052661	0.275646

Formulation of portfolio risks

Since we now have a return matrix, we can estimate its variance-covariance matrix, and by combining it with a vector of weights for each of the assets, we can calculate the overall portfolio variance (this flows into the Sharpe ratio calculation we will do next).

The formulation of the portfolio variance starts with the calculation of the mean of the returns for an individual stock:

$$\overline{R} = \frac{\sum_{i=1}^{n} R_i}{n}$$

Using this, we can then calculate the variance in the returns of a single stock:

$$\sigma^2 = \frac{\sum_{i=1}^{n}(R_i - \bar{R})^2}{n-1}$$

Here, R_i is the stock's return for period i, $\bar{R}$ is the mean of the returns, and n is the number of the observations.

The return volatility is simply the square root of the variance:

$$\sigma = \sqrt{\sigma^2}$$

A portfolio will consist of one or more stocks. The return matrix for those stocks consists of n stocks and m returns:

$$R = \begin{pmatrix} R_{1,1} & \cdots & R_{1,m} \\ \vdots & \ddots & \vdots \\ R_{n,1} & \cdots & R_{n,m} \end{pmatrix}$$

Using this return matrix, we can derive the formula for the expected return of stock i:

$$E(R_i) = \sum_{i=1}^{n} w_i R_{i,n}$$

Each stock will make up a certain percentage of the portfolio. We represent this mix of the stock in the portfolio using a vector of weights, w, which necessarily sums up to 1:

$$w = (w_1, w_1, w_1, \cdots, w_m)$$

We can apply this vector of weights to the assets in an n-stock portfolio, resulting in the following formula that gives us the weighted expected return of the portfolio:

$$E(R_{port}) = \sum_{i=1}^{n} w_i E(R_i)$$

The variance of an n-stock portfolio is formulated using the following formula:

$$\sigma_{port}^2 = \sum_{i=1}^{n}\sum_{j=1}^{n} w_i w_j \, \sigma_i \sigma_j \rho_{ij}$$

Here ρ_{ij} is the correlation coefficient between returns on assets i and j, and $\rho_{ij} = 1$ for $i=j$.

Examining this formula more closely, the following equation can be seen:

$$\Sigma = \sigma_i \sigma_j \rho_{ij}$$

Sigma happens to be the covariance matrix calculated from the returns matrix.

Pulling this all together with the summations, we come to the following formula, which describes the variance of a weighted portfolio of n-stocks:

$$\sigma_{port}^2 = w * \Sigma * w'$$

Therefore, the variance of a portfolio is determined by multiplying the weights vector by the covariance matrix of the returns, and then multiplying that result by the transpose of the weights vector.

This can be very succinctly implemented in Python using NumPy arrays and matrices and the `np.cov()` function, which will calculate the covariance of the returns:

```
In [18]:
    def calc_portfolio_var(returns, weights=None):
        if (weights is None):
            weights = np.ones(returns.columns.size) / \
            returns.columns.size
        sigma = np.cov(returns.T, ddof=0)
        var = (weights * sigma * weights.T).sum()
        return var
```

Using this function, the variance of our portfolio (using equal weighting for each stock) is determined by the following command:

```
In [19]:
    calc_portfolio_var(annual_returns)
```

```
Out[19]:
    0.0028795357274894692
```

The Sharpe ratio

The Sharpe ratio is a measurement of the risk-adjusted performance of portfolios. It is calculated by subtracting the risk-free rate from the expected return of a portfolio and then by dividing that result by the standard deviation of the portfolio returns. It is described by the following equation:

$$Sharpe = \frac{E(R) - R_f}{\sigma_p}$$

The Sharpe ratio tells us whether a portfolio's returns are due to smart investment decisions or a result of excess risk. Although one portfolio or fund can reap higher returns than its peers, it is only a good investment if those higher returns do not come with too much additional risk. The greater a portfolio's Sharpe ratio, the better its risk-adjusted performance has been. A negative Sharpe ratio indicates that a less risky asset would perform better than the security being analyzed.

The following function calculates Sharp Ratio for a portfolio with specified returns, weights, and a risk-free rate:

```
In [20]:
    def sharpe_ratio(returns, weights = None, risk_free_rate = 0.015):
        n = returns.columns.size
        if weights is None: weights = np.ones(n)/n
        var = calc_portfolio_var(returns, weights)
        means = returns.mean()
        return (means.dot(weights) - risk_free_rate)/np.sqrt(var)
```

We can use this to evaluate the Sharpe ratio of our current portfolio with equal weights using the following statement:

```
In [21]:
    Sharpe_ratio(returns)
```

```
Out[21]:
    3.2010949029381952
```

Now that we can calculate the Sharpe ratio for a portfolio with a given set of weights, we need to be able to simulate the generation of different combinations of weights and select the weights where the Sharpe ratio is maximized. This will give us the efficient portfolio. This simulation of weights will be performed using SciPy's optimization capabilities.

Optimization and minimization

We now need to perform optimizations to find the efficient portfolio. Optimizations in Python can be performed using `scipy.optimize`. We will first demonstrate optimization using a basic example and then later, we will optimize portfolios based on Sharpe ratios.

Our basic example will be to minimize the following objective function:

$$y = 2 + x^2$$

Intuitively, we know that when x is 0, y is minimized. We can use this to check the results of the minimization. The first step is to define the function we wish to minimize:

```
In [22]:
    def y_f(x): return 2+x**2
```

We can perform the optimization using SciPy's `fmin()` function. The value `1000` is passed as a seed value for x, and the function will iterate values of x to find the value of x where `y_f` is minimized:

```
In [23]:
    scopt.fmin(y_f, 1000)
    Optimization terminated successfully.
            Current function value: 2.000000
            Iterations: 27
```

```
Function evaluations: 54
```

Out[23]:

```
array([ 0.])
```

The `fmin()` function ran 27 iterations, called `y_f(x)` with 54 different values of x, and determined that the minimum result is `2.0`. The array that is returned contains the values for x at which `y_f(x) = 2`, which is a single value x=0.

Constructing an optimal portfolio

We are now able to create a function to use `fmin()` to determine the set of weights that maximize the Sharpe ratio for a given set of returns representing the stocks in our portfolio.

Since `fmin()` finds a minimum of the applied function, and the efficient portfolio exists at the maximized Sharpe ratio, we need to provide a function that, in essence, returns the negative of the Sharpe ratio, hence allowing `fmin()` to find a minimum:

In [24]:

```
def negative_sharpe_ratio_n_minus_1_stock(weights,
                                          returns,
                                          risk_free_rate):
    """
    Given n-1 weights, return a negative sharpe ratio
    """
    weights2 = sp.append(weights, 1-np.sum(weights))
    return -sharpe_ratio(returns, weights2, risk_free_rate)
```

Our final function is given a `DataFrame` of returns, and a risk-free rate will run a minimization process on our negative `sharpe` function. The process is seeded with an array of equal weights, and `fmin()` will start from those values and try different combinations of weights until we find the minimized negative Sharpe ratio. The function then returns a tuple of the weights satisfying the minimization, along with the optimal Sharpe ratio:

In [25]:

```
def optimize_portfolio(returns, risk_free_rate):
    w0 = np.ones(returns.columns.size-1,
                 dtype=float) * 1.0 / returns.columns.size
    w1 = scopt.fmin(negative_sharpe_ratio_n_minus_1_stock,
```

```
                              w0, args=(returns, risk_free_rate))
        final_w = sp.append(w1, 1 - np.sum(w1))
        final_sharpe = sharpe_ratio(returns, final_w, risk_free_rate)
        return (final_w, final_sharpe)
```

Using this function, we can now determine the most efficient portfolio:

```
In [26]:
    optimize_portfolio(annual_returns, 0.0003)

    Optimization terminated successfully.
            Current function value: -7.829864
            Iterations: 46
            Function evaluations: 89
Out[26]:
    (array([ 0.76353353,   0.2103234 ,   0.02614307]),
     7.8298640872716048)
```

We are told that our best portfolio would have 76.4 percent AAPL, 21.0 percent KO, and 2.6 percent MSFT, and that portfolio would have a Sharpe ratio of `7.8298640872716048`.

Visualizing the efficient frontier

Our optimization code generated the portfolio that is optimal for the specific risk-free rate of return. This is one type of? portfolio. To be able to plot all of the portfolios along the Markowitz bullet, we can change the optimization around a little bit.

The following function takes a weights vector, the returns, and a target return and calculates the variance of that portfolio with an extra penalty the further the mean is from the target return, so as to help push portfolios with weights further from the mean considering they are on the frontier:

```
In [27]:
    def objfun(W, R, target_ret):
        stock_mean = np.mean(R,axis=0)
        port_mean = np.dot(W,stock_mean)
        cov=np.cov(R.T)
        port_var = np.dot(np.dot(W,cov),W.T)
        penalty = 2000*abs(port_mean-target_ret)
        return np.sqrt(port_var) + penalty
```

We now create a function that will run through a set of desired return values, ranging from the lowest returning stock to the highest returning stock. These create the bounds for the possible rates of returns.

Each of these desired returns is passed to an optimizer, which will create a weights vector that satisfies the minimization of the Sharpe ratio of a portfolio that matches that specific level of risk.

For each optimal set of weights, the program will return the mean and standard deviation (and weights) that represent the curve of the efficient frontier:

```
In [28]:
    def calc_efficient_frontier(returns):
        result_means = []
        result_stds = []
        result_weights = []

        means = returns.mean()
        min_mean, max_mean = means.min(), means.max()

        nstocks = returns.columns.size

        for r in np.linspace(min_mean, max_mean, 100):
            weights = np.ones(nstocks)/nstocks
            bounds = [(0,1) for i in np.arange(nstocks)]
            constraints = ({'type': 'eq',
                            'fun': lambda W: np.sum(W) - 1})
            results = scopt.minimize(objfun, weights, (returns, r),
                                    method='SLSQP',
                                    constraints = constraints,
                                    bounds = bounds)
            if not results.success: # handle error
                raise Exception(result.message)
            result_means.append(np.round(r,4)) # 4 decimal places
            std_=np.round(np.std(np.sum(returns*results.x,axis=1)),6)
            result_stds.append(std_)
```

```
        result_weights.append(np.round(results.x, 5))
    return {'Means': result_means,
            'Stds': result_stds,
            'Weights': result_weights}
```

Given our previous set of stocks (AAPL, MSFT, and KO), the following command will calculate all of the pairs of standard deviation and mean returns that fall on the efficient frontier:

In [29]:

```
    frontier_data = calc_efficient_frontier(annual_returns)
```

The `frontier_data` function is a dictionary that contains an array for each of the calculated standard deviations, mean returns, and weights that resulted from the optimization.

We can examine the results by inspecting the values of several of the items in the dictionary. The following command examines the first five standard deviations, means, and entries in an array of optimal weights:

In [30]:

```
    frontier_data['Stds'][:5]
```

Out[30]:

```
    [0.055842999999999997, 0.053446, 0.052564, 0.051706000000000002,
0.050871]
```

In [31]:

```
    frontier_data['Stds'][:5]
```

Out[31]:

```
    [0.1148, 0.1169, 0.11890000000000001, 0.1208999999999999, 0.1229]
```

In [32]:

```
    frontier_data['Weights'][:5]
```

Out[32]:

```
    [array([-0.,   1.,   0.]),
     array([ 0.00512,   0.9308 ,   0.06408]),
     array([ 0.01497,   0.9177 ,   0.06733]),
```

```
    array([ 0.02469,   0.90303,   0.07228]),
    array([ 0.03458,   0.89049,   0.07493])]
```

We can use the following function to visualize this efficient frontier:

```
In [33]:
    def plot_efficient_frontier(ef_data):
        plt.figure(figsize=(12,8))
        plt.title('Efficient Frontier')
        plt.xlabel('Standard Deviation of the porfolio (Risk))')
        plt.ylabel('Return of the portfolio')
        plt.plot(ef_data['Stds'], ef_data['Means'], '--');
```

The following shows how our efficient frontier look:

```
In [34]:
plot_efficient_frontier(frontier_data)
```

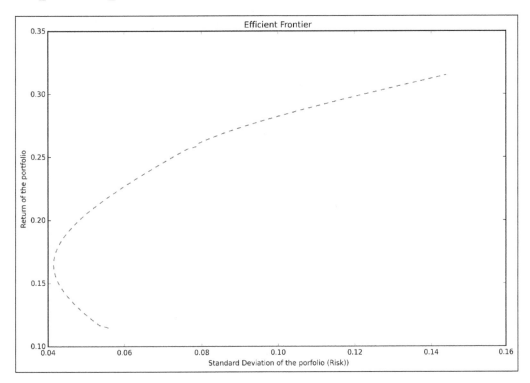

Value at Risk

Value at Risk (VaR) is a statistical technique used to measure the level of financial risk within an investment portfolio, over a specific timeframe. It measures in three variables—the amount of potential loss, the probability of the loss, and the timeframe.

As an example, a portfolio may have a 1-month 5 percent VaR of $1 million. This means that there is a 5 percent probability that the portfolio will fall in value by more than $1 million over a 1-month period. Likewise, it also means that a $1 million loss should be expected once every 20 months.

The most common means of measuring VaR is by calculating the volatility. There are three common means of calculating the volatility: using historical data, variance-covariance, and the Monte Carlo simulation. We will examine the variance-covariance method here, as there is a straightforward formulation for the VaR once you have historical returns.

VaR assumes that returns are normally distributed. The returns for a stock or portfolio over the desired period of time can then be created, and then we can examine the amount of distribution of returns that fits within a z-score for the desired confidence interval.

This concept can be visualized using a normal distribution curve. Common percentages for VaR calculations typically are 1 percent and 5 percent. The following example demonstrates calculating a 99 percent confidence interval, which is where we would find the area in the normal distribution where the z-score less than -2.33:

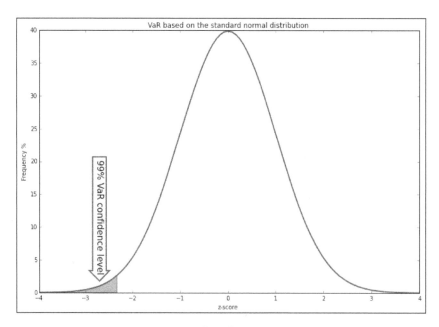

To apply this to the returns of a stock, the formula for the VaR for a given period is shown here:

$$VaR_{period} = position * (\mu_{period} - z * \sigma_{period})$$

The position is the current market value of the stock, μ_{period} is the mean of the returns for the specific period, and σ_{period} is the volatility (standard deviation of the returns); z is the z-score representing the specific confidence interval — z=2.33 for a 99 percent confidence interval, and z=1.64 for a 95 percent confidence interval.

To demonstrate this, we will examine the 1-year VaR for AAPL using returns from the entirety of 2014. To calculate this, we can reuse the functions that we created for calculating an efficient frontier.

We start the analysis by loading the daily prices for 2014 for AAPL and calculating the daily returns:

```
In [35]:
    aapl_closes = get_historical_closes(['AAPL'],
                                        datetime(2014, 1, 1),
                                        datetime(2014, 12, 31))
    aapl_closes[:5]
```

```
Out[35]:
    Ticker          AAPL
    Date
    2014-01-02   77.08570
    2014-01-03   75.39245
    2014-01-06   75.80357
    2014-01-07   75.26144
    2014-01-08   75.73806
```

```
In [36]:
    returns = calc_daily_returns(aapl_closes)
    returns[:5]
```

```
Out[36]:
    Ticker          AAPL
    Date
```

```
2014-01-02          NaN
2014-01-03  -0.022211
2014-01-06   0.005438
2014-01-07  -0.007177
2014-01-08   0.006313
```

We can plot these returns in a histogram to check that they appear to be normally distributed:

In [37]:

```
plt.figure(figsize=(12,8))
plt.hist(returns.values[1:], bins=100);
```

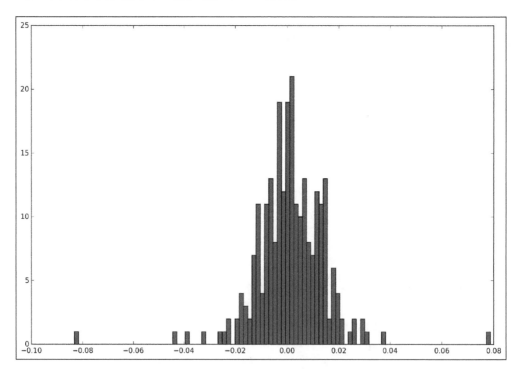

We can explicitly code z for the confidence interval, but we can also get the value of z for any percentage using `norm.ppf()` from `scipy.stats`:

```
In [38]:
    z = spstats.norm.ppf(0.95)
    z
```

```
Out[38]:
    1.6448536269514722
```

We will model our position as though we have 1,000 shares of AAPL on `2014-12-31`:

```
In [39]:
    position = 1000 * aapl_closes.ix['2014-12-31'].AAPL
    position
```

```
Out[39]:
    109950.0
```

The VaR is calculated as follows:

```
In [40]:
    VaR = position * (z * returns.AAPL.std())
    VaR
```

```
Out[40]:
    2467.5489391697483
```

This states that our holdings in AAPL at $109,950 have a VaR of $2,647. Therefore, our maximum loss in the next year is $2,647 with a confidence of 95 percent.

Summary

In this chapter, we examined how to combine combinations of assets into a portfolio and how to model those portfolios using pandas objects. Using a portfolio, we examined how to calculate the overall risk involved in the portfolio, and learned how we can use negatively correlated assets to be able to minimize risk.

We then expanded upon this concept of risk minimization, using concepts from modern portfolio theory to be able to determine whether our portfolio represents the best mix of assets to yield the highest return at a specific level of risk. This included calculating the efficiency of a portfolio using the Sharpe ratio, and then using optimization tools from SciPy to determine the optimum allocation of instruments in the portfolio.

In closing, we went on a significant tour of using pandas to perform various tasks related to finance. We touched on a number of the features built directly into pandas to be able to model and manipulate financial data, particularly using time-series data and the capabilities pandas provides to help solve complicated date- and time-related problems. We also dived into other domain-specific analyses, such as historical stock analysis, analyzing social data to make trading decisions, algorithmic trading, options pricing, and portfolio management, thus offering a practical set of examples for you to learn these concepts.

Index

Thank you for buying
Mastering pandas for Finance

About Packt Publishing

Packt, pronounced 'packed', published its first book, *Mastering phpMyAdmin for Effective MySQL Management*, in April 2004, and subsequently continued to specialize in publishing highly focused books on specific technologies and solutions.

Our books and publications share the experiences of your fellow IT professionals in adapting and customizing today's systems, applications, and frameworks. Our solution-based books give you the knowledge and power to customize the software and technologies you're using to get the job done. Packt books are more specific and less general than the IT books you have seen in the past. Our unique business model allows us to bring you more focused information, giving you more of what you need to know, and less of what you don't.

Packt is a modern yet unique publishing company that focuses on producing quality, cutting-edge books for communities of developers, administrators, and newbies alike. For more information, please visit our website at www.packtpub.com.

About Packt Open Source

In 2010, Packt launched two new brands, Packt Open Source and Packt Enterprise, in order to continue its focus on specialization. This book is part of the Packt Open Source brand, home to books published on software built around open source licenses, and offering information to anybody from advanced developers to budding web designers. The Open Source brand also runs Packt's Open Source Royalty Scheme, by which Packt gives a royalty to each open source project about whose software a book is sold.

Writing for Packt

We welcome all inquiries from people who are interested in authoring. Book proposals should be sent to author@packtpub.com. If your book idea is still at an early stage and you would like to discuss it first before writing a formal book proposal, then please contact us; one of our commissioning editors will get in touch with you.

We're not just looking for published authors; if you have strong technical skills but no writing experience, our experienced editors can help you develop a writing career, or simply get some additional reward for your expertise.

[PACKT] PUBLISHING

open source
community experience distilled

IPython Notebook Essentials

ISBN: 978-1-78398-834-1   Paperback: 190 pages

Compute scientific data and execute code interactively with NumPy and SciPy

1. Perform Computational Analysis interactively.

2. Create quality displays using matplotlib and Python Data Analysis.

3. Step-by-step guide with a rich set of examples and a thorough presentation of the IPython Notebook.

Python for Finance

ISBN: 978-1-78328-437-5   Paperback: 408 pages

Build real-life Python applications for quantitative finance and financial engineering

1. Estimate market risk, form various portfolios, and estimate their variance-covariance matrixes using real-world data.

2. Explains many financial concepts and trading strategies with the help of graphs.

3. A step-by-step tutorial with many Python programs that will help you learn how to apply Python to finance.

Please check **www.PacktPub.com** for information on our titles

[PACKT] PUBLISHING open source ✿
community experience distilled

Learning IPython for Interactive Computing and Data Visualization

ISBN: 978-1-78216-993-2   Paperback: 138 pages

Learn IPython for interactive Python programming, high-performance numerical computing, and data visualization

1. A practical step-by-step tutorial, which will help you to replace the Python console with the powerful IPython command-line interface.

2. Use the IPython Notebook to modernize the way you interact with Python.

3. Perform highly efficient computations with NumPy and pandas.

IPython Interactive Computing and Visualization Cookbook

ISBN: 978-1-78328-481-8   Paperback: 512 pages

Over 100 hands-on recipes to sharpen your skills in high-performance numerical computing and data science with Python

1. Leverage the new features of the IPython Notebook for interactive web-based big data analysis and visualization.

2. Become an expert in high-performance computing and visualization for data analysis and scientific modeling.

3. A comprehensive coverage of scientific computing through many hands-on, example-driven recipes with detailed, step-by-step explanations.

Please check **www.PacktPub.com** for information on our titles

CPSIA information can be obtained
at www.ICGtesting.com
Printed in the USA
LVHW02s0644181217
560109LV00023BA/1862/P